SILENCE

DU MÊME AUTEUR
DANS LA MÊME COLLECTION

Hush, Hush

Crescendo

www.msk-la-collection.com
www.lemasque.com

Becca Fitzpatrick

SILENCE

Traduit de l'anglais (États-Unis) par Marie Cambolieu

Roman

Éditions du Masque
17, rue Jacob 75006 Paris

Titre de l'édition originale :

SILENCE

Publiée par Simon & Schuster BFYR,
un département de Simon & Schuster Children's Publishing Division.

ISBN : 978-2-7024-3692-9

Pour Riley et Jace.

PROLOGUE

Coldwater, Maine
Trois mois plus tôt

L'Audi noire et rutilante s'immobilisa sur le parking surplombant le cimetière, mais les trois hommes à son bord n'étaient pas venus honorer les morts. Minuit allait sonner, le terrain était fermé aux visiteurs. Une curieuse brume de chaleur, fine et terne, s'élevait dans l'air comme des spectres surgis du sol. Même le mince croissant de lune figurait la paupière tombante d'une apparition fantomatique.

Dans un nuage de poussière, le conducteur bondit pour ouvrir les portes arrière.

Blakely sortit le premier. Grand, les cheveux grisonnants et le visage taillé à la serpe, il paraissait, aux yeux des humains, avoir une trentaine d'années, mais les néphilims le savaient bien plus vieux. Un second néphil le suivait, Hank Millar. Exceptionnellement grand, lui aussi, il était facilement reconnaissable à sa chevelure blonde, son regard d'un bleu intense, ses traits fins et charismatiques. Sa devise, « La justice plutôt que la pitié », combinée à son ascension fulgurante dans le milieu néphilim, lui avait valu plusieurs surnoms. On l'appelait la Poigne de fer, le

Doigt de la justice ou, plus fréquemment, la Main noire. Il était considéré comme un meneur visionnaire, un rédempteur. Mais quelques cercles clandestins employaient, du bout des lèvres, un autre nom : la Main sanglante. Certains murmuraient qu'il n'était pas le rédempteur tant attendu, mais un despote cruel. Cette dissidence timide amusait beaucoup Hank Millar. Un véritable despote possédait un pouvoir absolu et éliminait toute forme de contestation.

Il espérait pouvoir un jour se montrer à la hauteur de ces allégations.

Hank s'avança en allumant une cigarette et tira une longue bouffée.

— Tous mes hommes sont en place ?

— Dix gars au-dessus, répondit Blakely. Dix autres dans des voitures postées aux deux issues. Cinq sont disséminés dans le cimetière, trois derrière la porte du mausolée et deux contre la clôture. Il n'était pas possible de faire plus sans nous faire repérer. J'imagine que votre rendez-vous amènera ses propres renforts.

— Ça, j'en doute, dit Hank avec un sourire qui se perdit dans l'obscurité.

— Vous avez réquisitionné vingt-cinq de nos meilleures recrues pour un seul homme ? s'étonna Blakely, les yeux écarquillés.

— Ce n'est pas un homme, rappela Hank. Et je veux que tout se déroule comme prévu.

— Nous tenons Nora. S'il crée des problèmes, il suffira de lui passer la gamine au téléphone. Les anges n'éprouvent aucune sensation physique, à ce qu'il paraît, mais rien n'interdit de jouer sur les émotions. Il l'entendra hurler, ça, j'en suis certain. Et Dagger est prêt, il attend les ordres.

Hank se tourna vers Blakely. Un sourire satisfait se dessina sur son visage.

— C'est Dagger qui la surveille ? Ce n'est pas le plus... raisonnable.

— Vous disiez vouloir la briser.

— J'ai dit ça ? demanda Hank, songeur.

Hank l'avait enlevée dans une remise du parc de Delphic, quatre jours plus tôt, mais il avait déjà déterminé quelles leçons lui inculquer. D'abord, ne jamais saper son autorité devant ses recrues. Ensuite, embrasser ses origines néphilims. Et, sans doute le plus important, traiter son père avec respect.

Blakely lui tendit un petit appareil. Au centre, un bouton brillait d'une étrange lueur bleutée.

— Gardez-le dans votre poche. Il vous suffit de presser l'interrupteur pour rallier vos hommes.

— A-t-on augmenté avec le démonium ? demanda Hank.

— Lorsqu'on le déclenche, répondit Blakely avec un hochement de tête, il est prévu pour immobiliser l'ange momentanément. J'ignore pour combien de temps. Ce n'est qu'un prototype et les tests ne sont pas terminés.

— À qui as-tu parlé de ce projet ?

— Vous m'avez ordonné de ne rien dire, chef.

Hank empocha l'objet d'un air satisfait.

— Souhaite-moi bonne chance, Blakely.

— Vous n'en avez pas besoin, répondit son ami en posant une main sur son épaule.

Jetant son mégot, Hank descendit l'escalier de pierre qui menait jusqu'au cimetière. Le voile de brume neutralisait quelque peu l'avantage de sa position élevée. Il espérait apercevoir l'ange le premier, mais la présence de sa garde rapprochée, triée sur le volet et surentraînée, le rassura.

Au bas des marches, Hank scruta les alentours d'un regard méfiant. Un léger crachin dissipait les nappes de brouillard. Il distinguait à présent les tombes qui dominaient le cimetière et les troncs noueux des arbres. La végétation qui envahissait l'endroit le rendait presque labyrinthique. Rien d'étonnant à ce que Blakely ait choisi un lieu pareil. Les chances d'être surpris par des humains étaient minimes.

Là. Droit devant lui. L'ange était appuyé contre une stèle, mais se redressa en apercevant Hank. Entièrement vêtu de noir, jusqu'à son blouson de cuir, il était difficilement visible dans les ténèbres. Il ne s'était pas rasé depuis des jours, avait les cheveux en bataille et ses lèvres pincées trahissaient son inquiétude. La disparition de sa petite amie l'avait donc affecté ? Parfait.

— Tu as l'air épuisé... Patch, c'est bien ça ?

Le sourire de l'ange n'augurait rien de bon.

— Je pensais que tu aurais toi-même passé quelques nuits blanches ! Après tout, c'est la chair de ta chair. Mais j'imagine qu'il te faut ta dose de sommeil pour soigner ton apparence. Rixon t'avait toujours trouvé des airs de minet.

Hank ne releva pas. Rixon, le déchu qui avait possédé son corps chaque année durant le mois d'Heshvan, était mort – ou presque. Maintenant qu'il en était débarrassé, il ne redoutait plus rien.

— Alors ? Qu'as-tu de nouveau pour moi ? J'espère pour toi que c'est intéressant.

— J'ai fait un détour par chez toi. Mais on dirait bien que tu as déguerpi, la queue entre les jambes, pour mettre ta famille à l'abri.

Derrière sa voix grave, il exprimait un sentiment que Hank ne parvenait pas à discerner. Quelque chose entre le mépris et... la dérision.

— Oui. Je me doutais que tu tenterais quelque chose de désespéré. « Œil pour œil », n'est-ce pas là la devise des déchus ?

Hank ignorait s'il était impressionné ou agacé par cette froideur et ce détachement. Il comptait le retrouver aux abois, prêt à tout, et surtout violent. De quoi justifier l'intervention de ses hommes. Rien de tel qu'un bain de sang pour exalter la camaraderie de ses troupes.

— Trêve de civilités, coupa-t-il. Tu m'apportes quelque chose d'utile ?

— Plutôt que de jouer les rats pour ton compte, j'ai préféré chercher l'endroit où tu avais planqué ta fille.

La mâchoire de Hank se raidit.

— Ça n'était pas ce qui était convenu.

— J'obtiendrai les informations que tu désires, répondit l'autre d'un ton détaché, malgré son regard glaçant. Mais d'abord, relâche Nora. Appelle tes gorilles.

— Je dois m'assurer que tu coopéreras sur le long terme. Je la garde jusqu'à ce que tu aies respecté ta part du marché.

— Je ne suis pas ici pour négocier, dit l'ange avec un sourire en coin légèrement menaçant.

— Et tu n'es pas en position de le faire, répliqua Hank en prenant son téléphone dans sa poche. Ma patience a des limites. Si tu m'as fait perdre ma soirée, ta petite amie va passer un mauvais moment. Un coup de fil, et on l'affame…

Avant d'avoir pu mettre sa menace à exécution, Hank se sentit projeté en arrière, le souffle coupé par le bras de l'ange qui sembla sortir de nulle part. Sa tête heurta quelque chose de dur et des formes sombres troublèrent son champ de vision.

— Voilà comment ça va fonctionner, siffla l'ange.

Hank tenta de pousser un cri, mais la main de son adversaire comprimait sa gorge. Hank se débattit, en vain. L'ange était trop fort. Paniqué, il essaya d'atteindre le bouton du mécanisme, dans sa poche, mais ses doigts se refermèrent sur du vide. L'oxygène se raréfiait. Des étoiles pourpres dansaient devant ses yeux et sa poitrine était comme écrasée sous un poids invisible.

Animé d'une inspiration soudaine, Hank envahit l'esprit de son adversaire, cherchant à dénouer le fil de ses pensées, et entreprit de modifier le cours de ses intentions, d'affaiblir ses motivations, répétant dans un murmure une phrase hypnotique :

— *Relâche Hank Millar. Relâche-le immédiatement.*

— Manipulation mentale ? ironisa son assaillant. Ne te donne pas cette peine. Maintenant, compose ce numéro. Si on la libère dans les deux minutes, je t'achèverai rapidement. Si ça prend davantage de temps, je te mets en pièces, morceau après morceau. Et crois-moi, je savourerai chacun de tes cris.

— Tu ne… peux pas… me tuer, s'étrangla Hank.

Une douleur fulgurante s'empara de sa joue droite. Il hurla, mais le son ne parvint pas jusqu'à ses lèvres. L'ange lui broyait la trachée. La sensation dévorante, insupportable, s'intensifia et Hank percevait à présent l'odeur du sang, mêlée à celle de sa propre sueur.

— Morceau après morceau, cingla son adversaire en agitant quelque chose de fin dégoulinant d'un liquide sombre.

Hank écarquilla les yeux. Sa peau !

— Appelle tes hommes, ordonna l'ange, qui commençait à perdre patience.

— Peux pas… parler, postillonna Hank.

Si seulement il parvenait à atteindre le bouton d'alerte…

Fais le serment de la relâcher maintenant et je te laisserai parler.

La menace s'imprima, limpide, dans ses pensées.

Tu commets une grossière erreur, gamin, répliqua Hank.

À tâtons, il glissa sa main dans sa poche et l'en ressortit pour presser le déclencheur. Avec un grognement impatient, l'ange balaya d'un geste l'appareil qui se perdit dans la brume.

Jure, ou je t'arrache le bras.

Je maintiens notre accord initial, insista Hank. *J'épargnerai sa vie et oublierai tout désir de venger la mort de Chauncey Langeais si tu me fournis les informations dont j'ai besoin. Jusque-là, je promets de la traiter correctement...*

Son adversaire lui cogna violemment le crâne contre le sol. Pris entre la douleur et la nausée, Hank entendit l'autre lui dire :

Je ne la laisserai pas cinq minutes de plus avec toi. Et encore moins le temps qu'il me faudrait pour rassembler ce que tu cherches.

Hank tenta de jeter un œil par-dessus l'épaule de son agresseur, mais il n'apercevait qu'une forêt de stèles. Plaqué au sol, ses hommes ne pouvaient le voir. L'ange ne pouvait le tuer, puisqu'il était immortel, mais il continuerait à le mutiler jusqu'à ce que son corps ait l'apparence d'un cadavre.

La bouche déformée, il regarda son ennemi dans les yeux.

Jamais je n'oublierai ses cris lorsque je l'ai emmenée. L'as-tu entendue hurler ton nom ? Elle n'a pas cessé de t'appeler et répétait que tu viendrais la chercher. C'était les deux premiers jours. Je crois qu'elle commence enfin à se faire à l'idée : tu n'es pas de taille à m'affronter.

Le visage de son opposant s'empourpra, comme sous l'effet d'un afflux de sang. Ses épaules se soulevaient par saccades et la colère dilatait ses pupilles noires. Tout se passa très vite, dans une agonie fulgurante. Alors que Hank était sur le point de s'évanouir, terrassé par la sensation cuisante de sa chair à vif, il vit les poings rougis de l'ange s'abattre sur lui.

Il poussa un cri assourdissant. Cette explosion brutale de douleur faillit lui faire perdre conscience. Au loin, il entendait les pas précipités de ses néphils qui accouraient.

— Débarrassez-moi de lui, grogna-t-il tandis que l'ange le massacrait.

Chaque terminaison nerveuse paraissait se consumer. Il n'était plus que chaleur et souffrance. Il aperçut les os déformés de sa main, dépourvue de chair. L'ange allait le pulvériser. Les cris étouffés de ses hommes résonnaient, mais son adversaire le maintenait toujours à terre, ses mains creusant des sillons de feu sur sa peau.

Hank jura.

— Blakely !

— Attrapez-le, maintenant ! gronda Blakely.

Enfin, ils maîtrisèrent l'ange. Étendu sur le sol, à bout de souffle, Hank baignait dans une mare de sang. Les élancements de ses blessures vibraient encore dans tout son corps. Il écarta la main tendue de Blakely et parvint, au prix d'un terrible effort, à se relever. Égaré par la douleur, il chancela. Aux regards ahuris que lui lançaient ses hommes, il devina qu'il faisait peur à voir. Compte tenu de la gravité des lésions, il lui faudrait une bonne semaine pour se remettre, même avec l'aide du démonium.

— On l'embarque, chef ?

Avec un mouchoir, Hank épongea sa lèvre béante, d'où s'échappait un lambeau de chair à vif.

— Non. Enfermé, il ne nous sert à rien. Dis à Dagger que la fille n'aura que de l'eau pendant quarante-huit heures, reprit-il, le souffle court. Si notre jeune ami ne coopère pas, c'est elle qui paiera.

Blakely opina du chef et s'éloigna, portable en main.

Hank recracha une dent, examina quelques instants la racine ensanglantée avant de la ranger dans sa poche. Il regarda alors son ennemi, qui gardait les poings serrés, seul signe extérieur de sa fureur.

— Je répète les termes de notre accord, afin que les choses soient claires une fois pour toutes. D'abord, tu gagneras la confiance des déchus, tu rejoindras leurs rangs...

— Je te tuerai, menaça l'ange calmement.

Cinq hommes le ceinturaient, mais il ne se débattait plus. Il se tenait immobile, raide comme la mort, et dans ses yeux sombres brûlait le feu de la vengeance. Comme une étincelle, Hank sentit une brève angoisse l'étreindre. Mais il afficha une parfaite indifférence.

— Ensuite, tu les surveilleras et m'informeras directement de leurs intentions.

— J'en fais le serment, répliqua son adversaire, le souffle court mais posé, que ces hommes m'en soient témoins : je ne m'arrêterai pas avant de te voir expirer.

— Tu gaspilles ta salive. Tu ne peux pas me tuer. Aurais-tu oublié de qui les néphils tiennent leur immortalité ?

Un rire étouffé parcourut son groupe de néphils, mais Hank les fit taire d'un geste.

— Lorsque tu m'auras fourni suffisamment d'informations et que je serai en mesure d'empêcher les déchus de posséder les néphils au prochain Heshvan...

— Dès que tu poseras la main sur elle, je te le ferai payer au centuple.

Les prémices d'un sourire se dessinèrent sur les lèvres de la Main noire.

— Une intention tout à fait inutile, tu ne crois pas ? Quand j'en aurai fini avec elle, elle aura oublié jusqu'à ton nom.

— Souviens-toi de ce moment, il reviendra te hanter.

— Assez, coupa Hank en se dirigeant vers la voiture avec un geste agacé. Ramenez-le au parc de Delphic. Je veux qu'il rejoigne les déchus le plus vite possible.

— Je t'offre mes ailes.

Hank s'immobilisa, certain d'avoir mal compris. Un rire rauque lui échappa.

— Quoi ?

— Fais le serment de relâcher Nora immédiatement et elles sont à toi.

Le ton défait de l'ange trahissait pour la première fois sa détresse. Une douce musique aux oreilles de Hank.

— Que ferais-je de tes ailes ?

Il conservait un air détaché, mais l'ange avait attisé sa curiosité. À sa connaissance, aucun néphil n'avait jamais arraché les ailes d'un ange. C'était une punition que ces créatures s'infligeaient entre elles, et l'idée qu'un néphil puisse jouir de cette puissance était inédite. Et infiniment tentante. Un tel fait d'armes se répandrait parmi les néphils comme une traînée de poudre.

— Tu trouveras bien, répliqua l'autre, de plus en plus désespéré.

— Je jure de la relâcher avant Heshvan, proposa Hank, tâchant de dissimuler sa convoitise, conscient qu'elle pourrait bien le perdre.

— Ça ne me suffit pas.

— Tes ailes feraient un joli trophée, mais mes projets sont plus importants. Je la libérerai à la fin de l'été et c'est ma dernière offre, annonça-t-il avant de tourner les talons, ravalant son enthousiasme grandissant.

— J'accepte, dit son adversaire d'un ton résigné.

Hank poussa un bref soupir de soulagement et se retourna.

— Comment procède-t-on ?

— Tes hommes vont les arracher.

Hank s'apprêtait à répliquer, mais l'ange l'interrompit :

— Ils sont suffisamment forts. Puisque je ne me défendrai pas, neuf ou dix d'entre eux devraient faire l'affaire. Je regagnerai les souterrains de Delphic et prétendrai que les archanges m'ont privé de mes ailes. Mais pour que cela fonctionne, toi et moi ne devrons avoir aucun lien apparent.

Sans attendre, Hank versa quelques gouttes de sang de sa main mutilée sur le sol.

— Je fais le serment de relâcher Nora à la fin de l'été. Si je manque à ma parole, puissé-je mourir dans l'instant et retourner à la poussière.

L'ange se débarrassa de son tee-shirt et posa ses mains sur ses genoux. Sa poitrine se soulevait à intervalles réguliers.

— Finissons-en, dit-il avec un courage que Hank enviait et haïssait tout à la fois.

Il aurait aimé ouvrir lui-même les hostilités, mais il était à bout de forces. De plus, il redoutait que la présence du démonium soit encore visible sur son corps. Si les rumeurs étaient vraies, l'emplacement des ailes était infiniment sensible et le moindre effleurement pourrait le trahir. Il avait trop misé pour échouer si près du but. Ravalant sa frustration, Hank se tourna vers ses hommes.

— Arrachez-lui ses ailes et ne laissez aucune trace. Vous l'abandonnerez aux portes de Delphic, afin d'être certain qu'on le retrouve. Et surtout, ne vous faites pas repérer.

Il leur aurait volontiers ordonné de marquer l'ange de son signe – un poing fermé. Ce symbole de triomphe aurait accru son autorité chez les néphilims, mais son adversaire avait raison : pour que le plan fonctionne, il ne pouvait se permettre de divulguer leur relation.

Arrivé devant la voiture, Hank jeta un regard au cimetière. C'était déjà fini. L'ange, torse nu, gisait prostré à terre. Il n'avait rien senti, mais après une telle mutilation, son corps paraissait en état de choc. Toujours d'après les rumeurs, les ailes des anges étaient leur talon d'Achille.

— On rentre ? demanda Blakely qui s'avançait vers lui.

— Je dois passer un dernier coup de fil, répondit Hank d'un air entendu. À la mère de la gamine.

Il composa le numéro et se racla la gorge, adoptant un ton inquiet et contrit :

— Blythe, ma chérie, je viens d'avoir ton message. J'étais en vacances avec la famille et je suis en route pour l'aéroport. Je rentre par le premier avion. Raconte-moi tout. Comment ça, « kidnappée » ? Tu en es sûre ? Et que dit la police ?

Il s'interrompit, écoutant ses sanglots.

— Blythe, reprit-il d'un ton déterminé. Tu peux compter sur moi. Je mettrai tous mes moyens à ta disposition, s'il le faut. Si Nora est quelque part dans les environs, nous la retrouverons.

1.

Avant même d'avoir ouvert les yeux, je sentis le danger.

Des pas se rapprochaient et je sortis de ma torpeur, encore prisonnière d'un demi-sommeil. J'étais allongée sur le dos. Un froid glacial s'insinuait sous mes vêtements. Prenant conscience de ma nuque renversée, douloureuse, j'entrouvris les paupières. Des formes oblongues se dressaient dans le brouillard opaque et bleuté. Je crus apercevoir, l'espace d'un instant, une mâchoire déformée, mais je finis par discerner les silhouettes. Des tombes.

Je tentai de me redresser, mais mes mains glissèrent sur le sol détrempé. Engourdie par les brumes du sommeil, je roulai sur le côté pour m'extraire d'une dénivellation. À tâtons, je rampai entre les stèles et les monuments, sentant l'humidité imprégner mon jean. L'endroit m'était vaguement familier, mais une douleur fulgurante résonnait dans ma tête et m'empêchait de penser clairement.

Longeant la grille du cimetière, je pataugeai dans un amas de feuilles mortes qui stagnaient probablement

21

depuis des années. Un cri lugubre retentit au-dessus de moi, mais ces bruits de pas m'effrayaient davantage. J'étais incapable de déterminer s'ils se rapprochaient. Je perçus un éclat de voix dans le brouillard. Mon instinct me disait de me cacher, mais j'étais désorientée, comme hypnotisée par cette brume bleutée qui projetait des mirages dans le noir.

Plus loin, prisonnier d'arbres noueux et touffus, j'aperçus un caveau de pierre blanche, nimbé d'un halo blafard. Je me relevai et me mis à courir. Je me faufilai entre deux stèles de marbre, mais il m'attendait de l'autre côté. Une silhouette élancée se dressait devant moi, le bras levé, prêt à frapper. Dans un mouvement de recul, je trébuchai et compris alors ma méprise : une statue ! Sur son piédestal, un ange veillait sur les morts. Un rire nerveux m'échappa, mais ma tête heurta au même instant quelque chose de dur et le monde parut basculer. Tout devint noir.

Je ne dus m'évanouir que quelques secondes, car j'étais encore essoufflée lorsque je repris mes esprits. Je savais que je devais me relever, mais j'ignorais pourquoi. Immobile, je sentis l'humidité du sol rafraîchir mon corps en sueur. Je finis par cligner des yeux et remarquai la tombe la plus proche. Les lettres gravées dans le marbre s'alignèrent distinctement :

ICI REPOSE
HARRISON GREY
UN PÈRE ET UN ÉPOUX DÉVOUÉ
DÉCÉDÉ LE 16 MARS 2008

Je me mordis les lèvres pour ne pas fondre en larmes. Je reconnaissais à présent cette sensation morbide et familière, omniprésente depuis mon réveil. Ce cimetière était celui de Coldwater, où était enterré mon père.

C'est un cauchemar, pensai-je, je suis encore endormie. Ce n'est qu'un rêve atroce...

Sous ses ailes ébréchées, l'ange m'observait. Son bras droit pointait dans la direction opposée. Malgré son expression détachée, prudente, sa bouche moqueuse n'évoquait rien de bienveillant. L'espace d'un instant, j'aurais pu croire qu'il était réel et que je n'étais plus seule.

Je lui souris et mes lèvres tremblèrent. Sans même réaliser que je pleurais, j'essuyai mes larmes du revers de ma manche. J'aurais voulu me lover dans ses bras et sentir le battement de ses ailes tandis qu'il s'élèverait au-dessus des grilles pour nous emmener loin d'ici.

Un écho me sortit de ma stupeur. De nouveau, des pas foulaient le sol à une cadence accrue. En me retournant, je fus aveuglée par une lueur qui clignotait dans la brume épaisse. Le faisceau se balançait en rythme avec le bruit de la course, balayant les ténèbres à chaque foulée... une lampe torche.

Je plissai les yeux lorsqu'on la braqua sur moi. Soudain tout me parut terriblement réel.

— Hé, toi, pesta un homme que je ne discernai pas. Tu n'as rien à faire ici. Le cimetière est fermé !

Je me détournai. Des points incandescents parsemaient mon champ de vision.

— Vous êtes combien, là, exactement ?

— Que... quoi ? demandai-je d'une voix éraillée.

— Vous êtes combien à vous balader derrière les tombes ? reprit-il d'un ton plus agressif. Vous pensiez vous amuser un peu de nuit, c'est ça ? Une partie de cache-cache pour se faire peur ? Oh non ! Pas de ça avec moi.

Que faisais-je dans un endroit pareil ? Étais-je venue me recueillir sur la tombe de mon père ? J'eus beau chercher, ma mémoire paraissait curieusement vide. Je ne me rappelais pas être entrée dans le cimetière. D'ailleurs, je ne me rappelais pas grand-chose. Comme si toute cette nuit avait été effacée. Pire, ma matinée m'échappait elle aussi... Je ne me revoyais pas m'habiller, prendre mon petit-déjeuner ou aller au lycée. Avais-je seulement eu cours, aujourd'hui ?

Oubliant quelques instants mon angoisse croissante, je tentai d'abord de retrouver l'équilibre. Acceptant la main tendue de l'inconnu, je me redressai pour m'asseoir.

— Quel âge as-tu ? demanda-t-il en pointant une nouvelle fois sa lampe vers moi.

Enfin une question à laquelle je pouvais répondre !

— Seize ans.

Presque dix-sept, d'ailleurs. Mon anniversaire était en août.

— Et on peut savoir ce que tu fiches ici toute seule ? Tu as vu l'heure ?

— Je..., balbutiai-je avec un regard éperdu autour de moi.

— Tu n'as pas fugué, au moins ? Tu as quelque part où aller ?

— Oui.

Notre ferme. Le souvenir intact de notre maison me soulagea quelques instants, avant que la panique ne reprenne le dessus. Quelle heure était-il exactement ? J'essayai de ne pas songer à la fureur de ma mère en me voyant rentrer à la nuit.

— « Oui », c'est-à-dire ? Tu as une adresse ?

— Hawthorne Lane.

Je tentai de me lever, mais la tête me tournait. Pourquoi étais-je incapable de me rappeler comment j'avais atterri dans ce cimetière ? Je ne pouvais être venue qu'en voiture. Mais où avais-je garé la Fiat ? Et où était mon sac ? Mes clés ?

— Tu es soûle, ou quoi ? demanda-t-il d'un air suspicieux.

Je secouai la tête, toujours aveuglée par la lampe torche.

— Attends un peu, reprit-il d'une voix qui ne me plaisait guère. Tu ne serais pas cette fille, par hasard ? Cette... Nora Grey, ânonna-t-il comme s'il récitait une leçon.

— Comment... connaissez-vous mon nom ? m'exclamai-je avec un mouvement de recul.

— On a parlé de toi à la télé... Hank Millar a promis une récompense...

Je n'entendis rien d'autre que « Millar ». Marcie Millar était en quelque sorte mon ennemie jurée. Que venait faire son père dans cette histoire ?

— Ils te cherchent depuis le début du mois de juin.

— Juin ? répétai-je, abasourdie et paniquée. Comment ça, juin ? Nous sommes en avril.

Pourquoi Hank Millar aurait-il tenté de me retrouver ?

— Avril ? Faut se réveiller, petite ! Nous sommes en septembre !

Septembre ? Impossible ! Je ne me rappelais pas avoir achevé mon année de première. J'aurais des souvenirs de vacances... J'étais peut-être groggy, mais pas folle.

Mais pourquoi cet homme m'aurait-il menti ?

Lorsqu'il baissa sa torche électrique, je l'observai pour la première fois et remarquai son jean taché, sa figure sale, mal rasée et ses ongles longs et crasseux. Il ressemblait à ces vagabonds qui traînaient habituellement du côté de la voie de chemin de fer et s'établissaient l'été sur les berges de la rivière. Tout le monde savait qu'ils étaient armés.

— Vous avez raison, je ferais mieux de rentrer chez moi, dis-je en m'éloignant à reculons.

J'effleurai la poche de mon jean, mais n'y sentis pas mon portable. De l'autre côté, mes clés de voiture avaient également disparu.

— Attends un peu, où tu vas, comme ça ? lança-t-il en me suivant.

Son mouvement brusque me fit l'effet d'une gifle et je détalai. Je courus dans la direction qu'indiquait l'ange, espérant trouver une issue au sud. Ce type louche me barrait la route de l'entrée nord, dont j'avais l'habitude. Le sol défilait sous mes yeux tandis que je dévalais la pente. Les branches griffaient mes bras et mes pieds glissaient sur le terrain inégal et graveleux.

— Nora ! cria l'homme.

Quelle idiote ! Je lui avais donné mon adresse ! Et s'il me suivait jusque-là ?

Ses foulées étaient plus longues que les miennes et je l'entendis se rapprocher. Je gesticulai dans tous les sens pour écarter les branches qui agrippaient mes vêtements. Il me saisit par l'épaule, mais je me dégageai.

— Ne me touchez pas !

— Attends une seconde. Il y a toujours la récompense et je compte bien l'empocher ! ragea-t-il en essayant de m'attraper par le bras.

Sous l'effet de l'adrénaline, je lui décochai un furieux coup de pied dans le tibia. Poussant un cri, il se tordit de douleur, une main sur la jambe. La violence de mon geste me surprit moi-même, mais je n'avais pas eu le choix. Je reculai en jetant un regard angoissé autour de moi pour tâcher de m'orienter. La sueur perlait dans mon dos et me donnait la chair de poule. Quelque chose clochait. Même sonnée, je connaissais parfaitement la disposition du cimetière, où je venais fréquemment sur la tombe de mon père. Chaque détail m'était familier : l'odeur caractéristique de végétation en décomposition et de l'eau croupissante de la mare. Mais aujourd'hui, quelque chose ne collait pas.

Enfin, je réalisai.

Sur les arbres, les feuilles commençaient à jaunir. L'automne approchait. C'était pourtant impossible. Nous étions en avril ! Comment la nature pouvait-elle déjà changer ? L'inconnu m'avait-il dit la vérité ?

Jetant un regard en arrière, je l'aperçus. Il me suivait en boitant, le téléphone contre l'oreille.

— C'est elle, l'entendis-je expliquer, j'en suis certain. Elle quitte le cimetière, par le sud.

Mon angoisse redoubla et je repris ma course. *Saute par-dessus la grille. Trouve un endroit bien éclairé, plein de monde. Appelle la police. Appelle Vee...*

Vee. Ma meilleure amie, en qui j'avais toute confiance. Sa maison était plus proche d'ici que la mienne. Il me suffisait de la rejoindre. Sa mère préviendrait les secours. Je leur donnerais le signalement de cet homme et ils pourraient le retrouver. Ils s'assureraient qu'il me laisse tranquille. Puis ils me ramèneraient sur les lieux. En revenant sur mes pas, les souvenirs referaient surface et je pourrais repartir de zéro. Je me débarrasserais enfin de cette sensation d'isolement, de cette impression de n'être plus que l'ombre de moi-même dans un univers pourtant familier.

Je stoppai ma course et entrepris d'escalader la grille. Un peu plus loin, je reconnus un champ, de l'autre côté du pont Wentworth. Il me suffirait ensuite de traverser le quartier en coupant par les ruelles et les cours intérieures jusqu'à rejoindre le domicile des Sky.

Je me dirigeais vers le pont lorsqu'une sirène stridente résonna à l'angle de la rue, et deux phares me clouèrent sur place. Avec un grand coup de frein, une berline munie d'un gyrophare bleu s'immobilisa à l'extrémité du pont.

Mon premier réflexe aurait été de me précipiter vers le policier, pour réclamer son aide et lui décrire mon agresseur du cimetière, mais je n'étais plus sûre de rien, ni de personne.

Et si ce n'était pas un policier ? Si son gyrophare était un leurre ? N'importe qui pouvait s'en procurer un. Le reste de la voiture semblait parfaitement banalisé et, à y regarder de plus près, son occupant ne paraissait pas porter d'uniforme.

Tout cela m'avait traversé l'esprit en quelques secondes et je ralentis aussitôt pour m'arrêter au pied du pont. J'ignorais si le conducteur m'avait vue, mais je préférai me glisser entre les arbres qui bordaient la berge. Du coin de l'œil, je surveillais les eaux sombres du fleuve Wentworth. Enfants, Vee et moi venions ici pêcher des écrevisses, à l'aide de morceaux de viande piqués sur des bâtons en guise d'appât.

Le fleuve au lit profond serpentait entre des secteurs peu développés de la ville, où personne n'avait cru bon de faire installer un éclairage. À l'autre bout du champ, le cours d'eau se perdait dans la zone industrielle, zigzaguant entre les usines abandonnées, avant de continuer vers la mer.

Aurais-je le courage de sauter ? J'avais le vertige et la sensation de la chute me terrifiait, mais j'étais bonne nageuse. Il fallait seulement que j'arrive à plonger...

Le claquement d'une portière me fit bondir. Le conducteur sortait de sa voiture. Aucun signe vraiment distinctif. Des cheveux frisés bruns et des vêtements stricts : chemise noire, cravate noire et pantalon noir.

Quelque chose chez lui me parut brièvement familier, mais je n'eus pas le temps de savoir quoi. Ma mémoire se referma comme une huître, me laissant tout aussi perplexe.

Je baissai les yeux, cherchant de quoi me défendre. Parmi les branches et brindilles qui jonchaient le sol, j'en choisis une large comme mon poignet.

Le soi-disant policier fit mine de ne pas voir mon gourdin, mais j'étais certaine que mon geste ne lui avait pas échappé. Il accrocha son badge à sa chemise et leva les mains à la hauteur de ses épaules pour signifier qu'il ne me voulait pas de mal.

Je n'y crus pas une seconde.

Il fit quelques pas dans ma direction, sans mouvement brusque.

— Nora, c'est moi.

En entendant cette voix inconnue prononcer mon nom, je grimaçai. Les battements de mon cœur devinrent si sourds qu'ils résonnèrent jusqu'à mes oreilles.

— Es-tu blessée ? reprit-il.

Je l'observai avec une angoisse croissante et mes pensées se dissipèrent. Le badge aurait aussi bien pu être un faux. J'étais déjà convaincue que le gyrophare l'était. Mais s'il n'était pas de la police, que me voulait-il ?

— J'ai appelé ta mère, dit-il en descendant le monticule de terre. Elle doit nous rejoindre à l'hôpital.

Je ne lâchai pas mon bâton. Je sentais mes épaules se soulever à chaque respiration et l'air siffler entre mes dents. Une goutte de sueur roula sous mes vêtements.

— Tout ira bien, Nora. C'est fini. Je ne laisserai plus personne te faire de mal. Tu es à l'abri, à présent.

Je n'aimais ni sa démarche, trop leste et trop assurée, ni ses familiarités. Mon bâton glissait entre mes paumes déjà moites.

— N'approchez pas !

— Nora...

Ma main trembla.

— Comment connaissez-vous mon nom ?

Je tâchai de conserver un ton ferme, pour dissimuler ma peur, mais il me terrorisait. Il scrutait mon expression, comme s'il s'attendait à ce que je le reconnaisse.

— C'est moi, répéta-t-il. L'inspecteur Basso.

— Je ne vous connais pas.

Après un silence, il tenta une autre approche :

— Te souviens-tu où tu étais ?

Je lui jetai un regard méfiant. J'avais beau fouiller chaque recoin, même les plus sombres, de ma mémoire, son visage ne me disait toujours rien. J'aurais pourtant voulu me le rappeler. Trouver un élément connu, familier, auquel me raccrocher pour enfin remettre un peu d'ordre dans ce monde qui n'avait plus aucun sens.

— Comment t'es-tu retrouvée là-bas ? demanda-t-il avec un mouvement de tête à peine perceptible dans la direction du cimetière. Quelqu'un t'a déposée à cet endroit ? Tu es venue à pied ? J'ai besoin que tu me l'expliques, Nora. C'est très important. Que s'est-il passé ce soir ?

Ça, j'aurais bien aimé le savoir.

— Je veux rentrer chez moi, gémis-je, soudain prise de nausée.

Je perçus un choc sur le sol et compris trop tard que j'avais lâché mon arme. Je sentis une brise glaciale sur mes mains. Que faisais-je dans un endroit pareil ? Toute cette nuit était une erreur... une énorme erreur.

Ou plutôt non. Pas toute la nuit. Car une grosse partie manquait. Je ne me rappelais rien avant ce moment, relativement proche, où je m'étais réveillée sur cette tombe, perdue et gelée.

Je songeai à notre maison et le sentiment de chaleur, de sécurité qu'elle m'évoquait m'émut aux larmes.

— Je vais te ramener chez toi, reprit-il d'un air plus doux. Mais d'abord, je dois te conduire à l'hôpital.

Je fermai les yeux et pleurai malgré moi. Je ne voulais pas lui montrer à quel point j'étais terrifiée. Il poussa un soupir, à peine audible, comme s'il préférait m'épargner ce qu'il était sur le point de m'annoncer.

— Nora, tu as disparu depuis près de trois mois. Est-ce que tu comprends ? On ignore où tu as passé toutes ces semaines et il faut qu'on t'examine, afin de s'assurer que tu vas bien.

Je l'observai sans vraiment le voir. Des sons, pareils à des grelots, tintaient à mes oreilles, mais parurent lointains. Un haut-le-cœur me saisit, mais je le maîtrisai. Pas question de me montrer encore plus vulnérable.

— On pense que tu as été enlevée, ajouta-t-il.

Son expression fermée ne dévoilait rien. Il s'était approché et se tenait maintenant bien trop près de moi, m'expliquant des choses que je ne comprenais pas.

— Kidnappée.

Je clignai des yeux. Je ne pouvais rien faire d'autre. Une sensation affreuse me remuait le cœur. Mes membres se raidirent et je chancelai. L'éclat jaunâtre et flou des lampadaires, le grondement du courant sous le pont, l'odeur de gaz d'échappement qui émanait de sa voiture... tout me parut distant, aussi vague qu'une pensée après coup.

Et sans crier gare, mon corps se mit à tanguer, tanguer lentement. Il glissa vers le vide. Avant même d'avoir touché le sol, j'avais perdu connaissance.

2.

À mon réveil, j'étais à l'hôpital.

Je discernai un plafond blanc, puis des murs d'un bleu paisible. Il régnait dans la pièce une odeur de lys, d'adoucissant et d'ammoniac. Près de mon lit, deux gros bouquets enveloppés d'un papier irisé étaient disposés sur une table roulante et on y avait accroché des ballons qui portaient l'inscription « Prompt rétablissement ». D'abord flous, les noms sur les cartes devinrent progressivement plus nets. « DOROTHEA ET LIONEL » puis « VEE »

Je perçus un mouvement dans le coin de la pièce.

— Oh, mon poussin ! s'exclama une voix familière.

Je vis une ombre se redresser sur le fauteuil et se précipiter vers moi.

— Ma chérie, souffla-t-elle en s'asseyant sur mon lit avant de me serrer très fort dans ses bras. Je t'aime, reprit-elle dans un sanglot, je t'aime tellement.

— Maman.

Prononcer son nom suffit à dissiper mes cauchemars. Une sensation de calme emplit ma poitrine, levant l'angoisse qui la comprimait.

Blottie contre elle, je devinai qu'elle pleurait. Son corps fut d'abord parcouru de légers frémissements qui se transformèrent en secousses brutales.

— Tu te souviens de moi, gémit-elle, la voix brisée par le soulagement. J'ai eu si peur. J'ai pensé... oh, ma chérie, j'ai imaginé le pire !

Le cauchemar réapparut, cette fois plus insidieux.

— Est-ce que c'est vrai ? demandai-je, l'estomac noué. Ce qu'a dit le policier ? Est-ce qu'on m'a... et pendant trois mois...

Je ne pus prononcer le mot. *Kidnappée*. Il paraissait si froid, presque impossible.

Ma mère étouffa un gémissement désespéré.

— Que m'est-il arrivé ?

Elle sécha ses larmes. Je compris qu'elle se maîtrisait pour mieux me rassurer et me préparai au pire.

— La police a tout mis en œuvre pour rassembler les pièces du puzzle.

Son sourire vacilla aussitôt et elle serra ma main dans la sienne, comme pour se raccrocher à quelque chose.

— Le plus important est qu'on t'ait retrouvée. Nous allons rentrer à la maison. Le reste est derrière nous. Nous allons nous en sortir.

— Quand et comment m'a-t-on enlevée ?

C'était davantage à moi-même que je posais la question. Comment une telle chose avait pu se produire ? Qui m'aurait kidnappée ? Une voiture s'était-elle arrêtée à ma hauteur, sur le bord de la route ? M'avait-on poussée dans le coffre pendant que je traversais un parking ? Était-ce aussi simple que cela ? Non... Car je me serais enfuie, débattue ! Pourquoi ne m'étais-je pas échappée plus tôt ? Était-ce vraiment ainsi que les choses s'étaient déroulées ? Peut-être pas. L'absence de réponse me rendait folle.

— De quoi te souviens-tu ? L'inspecteur Basso dit que le moindre détail peut être utile. Réfléchis. Essaie de te rappeler. Comment es-tu arrivée jusqu'au cimetière ? Où étais-tu avant cela ?

— Je ne me souviens de rien. C'est comme si ma mémoire...

Je n'achevai pas ma phrase. C'était comme si on m'avait dérobé ma mémoire. Qu'on me l'avait arrachée en y laissant un vide terrifiant. Je ressentis un terrible choc, comme si on me précipitait dans le néant, et cette sensation m'effrayait davantage que l'impact. La chute était sans fin... seule la gravité s'imposait et me dominait.

— Quelle est la dernière chose dont tu te souviennes ? demanda ma mère.

— Le lycée.

La réponse me vint automatiquement. Lentement, mon passé refaisait surface, des fragments se remettaient en place pour former peu à peu une base plus solide.

— Je préparais une interro de biologie, mais je l'ai sans doute manquée, ajoutai-je en prenant soudain la mesure des semaines qui s'étaient écoulées.

Je me revoyais assise au cours de McConaughy. Je discernais encore l'odeur de la craie, des produits de nettoyage, de l'atmosphère étouffante de la salle qui sentait le fauve. Vee était installée à côté de moi et nous travaillions en binômes. Nos manuels étaient ouverts sur les paillasses, mais Vee feuilletait discrètement un exemplaire d'*US Weekly* dissimulé entre les pages du sien.

— Tu veux dire de chimie, me reprit ma mère. Pendant les cours d'été ?

Déconcertée, je levai les yeux vers elle.

— Je n'ai jamais suivi de cours d'été...

Livide, ma mère pressa sa main contre sa bouche. Dans la pièce, seul résonna l'écho de la pendule qui tinta doucement, dix fois, avant que je ne retrouve ma voix.

— Quel jour sommes-nous ? Quel mois ?

Je repensai au cimetière. Aux feuilles mortes qui s'amoncelaient dans le fossé, au vent curieusement froid. L'homme à la lampe électrique avait parlé de septembre. Mais je ne pouvais y croire. Non, me répétai-je. Plusieurs mois de mon existence n'avaient pas pu disparaître ainsi, sans raison. Je réfléchis, à la recherche d'un indice pouvant relier le moment présent au cours de biologie. Mais je ne trouvais rien. Le moindre souvenir de l'été semblait s'être volatilisé.

— Ça va aller, ma chérie, murmura ma mère. Tu retrouveras la mémoire. D'après le Dr Howlett, la plupart des patients remarquent une nette amélioration au fil du temps.

Je voulus m'asseoir, mais plusieurs fils et cathéters me reliaient au moniteur de surveillance.

— Quel mois sommes-nous ? m'écriai-je, proche de l'hystérie.

— Septembre, répondit-elle d'un air décomposé que je ne pouvais supporter. Le 6 septembre.

Je me laissai retomber sur l'oreiller, déboussolée.

— J'étais persuadée que nous étions en avril. Je ne me rappelle rien depuis.

Redoutant une crise de panique, je tentai vainement de me ressaisir.

— Est-ce que l'été est vraiment terminé ? Comme ça ?

— Comme ça ? répéta-t-elle amèrement. Pour moi, il n'en finissait pas ! Chaque jour, chaque heure passaient sans que j'aie de nouvelles. Onze semaines sans rien savoir... L'angoisse permanente, l'inquiétude, la peur et le désespoir omniprésents !

Je fis un rapide calcul.

— Si nous sommes le 6 septembre et qu'on m'a cherchée pendant onze semaines, ça veut dire que j'ai disparu...

— Le 21 juin, répondit ma mère du tac au tac. Le soir du solstice.

— Mais je n'ai aucun souvenir du mois de juin ! Ni même du mois de mai !

Nous échangeâmes un regard qui en disait long. Mon amnésie pouvait-elle remonter plus loin que mon enlèvement, jusqu'au mois d'avril ? Comment était-ce possible ?

— Qu'a dit le médecin ? repris-je en humectant mes lèvres, qui me paraissaient affreusement sèches. C'est un traumatisme crânien ? Est-ce que j'ai été droguée ? Pourquoi est-ce que je ne me souviens de rien ?

— D'après le Dr Howlett, il s'agit d'une amnésie rétrograde. Elle empiète sur une période antérieure à ta disparition, mais nous ignorions jusqu'où elle remonterait. Avril…, murmura-t-elle pour elle-même, avec un regard abattu.

— Amnésie ? Comment ça, amnésie ?

— C'est sans doute psychologique.

Je passai mes mains dans mes cheveux, sales au toucher. Où avais-je bien pu me trouver durant tous ces mois ? Je ne m'étais même pas encore posé la question… M'avait-on séquestrée dans une cave sordide ? Attachée au fond d'un bois ? Visiblement, je n'avais pas pris de douche depuis plusieurs jours. Mes bras étaient couverts de traces de boue, d'égratignures et de bleus.

Que m'était-il arrivé ?

— Psychologique ?

Il était facile de céder à la paranoïa et d'imaginer toutes sortes de scénarios. Cependant, je devais rester calme. Si je voulais trouver des réponses, je ne pouvais pas me permettre de craquer maintenant.

Je devais parvenir à me concentrer, mais de curieuses ombres dansaient devant mes yeux…

— Il pense que tu refoules ces souvenirs pour occulter quelque chose de traumatisant.

— Je ne refoule rien du tout ! m'exclamai-je en fermant les paupières, incapable de retenir mes larmes.

J'inspirai profondément, les poings serrés pour ne pas trembler.

— Pour oublier cinq mois de ma vie, il faudrait d'abord que je comprenne pourquoi, repris-je plus calmement. Je veux savoir ce qui m'est arrivé.

Je craignis de m'être montrée trop dure. En tout cas, ma mère ne réagit pas.

— Essaie de te souvenir, poursuivit-elle doucement. Était-ce un homme ? Y avait-il un homme avec toi durant tout ce temps ?

Comment le saurais-je ? Jusque-là, je n'avais pas songé à mettre un visage sur le ravisseur. La seule image qui se formait dans mon esprit était celle d'un monstre, tapi dans l'ombre. L'ignorance pesait sur moi comme un nuage noir et menaçant.

— Tu n'as pas besoin de protéger qui que ce soit, insista ma mère. Si tu sais qui était avec toi, tu peux me le dire. Peu importe ce qu'on a pu te raconter, tu es en sécurité à présent. On ne peut plus te faire de mal. Ce qu'on t'a fait subir est terrible, traumatisant et ce n'est pas ta faute. Tu m'entends, Nora ? Ce n'est *pas* ta faute.

Un sanglot rageur m'échappa. Jamais l'expression « faire table rase du passé » ne m'avait paru aussi appropriée. J'allais évoquer mon sentiment d'impuissance lorsqu'une ombre grandit dans l'encadrement de la porte. L'inspecteur Basso s'avança sur le seuil de la chambre, les bras croisés et l'air vigilant.

Aussitôt, je me figeai. Ma mère dut s'en apercevoir, car elle suivit mon regard.

— J'ai pensé qu'en tête-à-tête, Nora se rappellerait peut-être quelque chose, s'excusa-t-elle. Je sais que vous souhaitiez l'interroger vous-même, mais j'ai cru bon de...

Il la rassura d'un signe de tête, puis s'approcha du lit et m'observa attentivement.

— Tu disais ne pas avoir d'image claire, mais le plus petit détail, même imprécis, pourrait nous aider.

— Comme... une couleur de cheveux, intervint ma mère. Il était... peut-être brun ?

J'aurais voulu lui répondre que tout m'échappait, jusqu'à la moindre couleur ou forme, mais en présence de l'inspecteur Basso, je me tus. Je n'avais aucune confiance en lui. Instinctivement, je décelais chez lui quelque chose de suspect. Lorsqu'il s'approcha, un frisson glacial me parcourut le dos.

— Je veux rentrer chez moi.

Basso et ma mère échangèrent un regard inquiet.

— Le Dr Howlett doit encore faire quelques examens.

— De quel genre ?

— Eh bien, tout ce qui touche à ton amnésie. Ça ne sera probablement pas long. Lorsque tout sera terminé, nous rentrerons à la maison.

Son air évasif ne fit qu'accroître ma méfiance. Je me tournai vers Basso, qui paraissait décidément tout savoir.

— Qu'est-ce que vous me cachez, exactement ?

Le policier demeura de marbre. Ses années d'expérience lui avaient sans doute appris à ne rien dévoiler.

— Nous attendons les résultats des examens. Afin de s'assurer que tout va bien.

Bien ?

Qui était censé aller bien, au juste ?

3.

Ma mère et moi habitons une ancienne ferme, à la périphérie de Coldwater, qui jouxte l'une des zones les plus rurales du Maine. Il suffit de regarder par la fenêtre pour avoir l'impression de remonter le temps : d'un côté, de vastes prairies vierges ; de l'autre, d'immenses champs blonds bordés d'arbres centenaires. La maison se situe au bout de Hawthorne Lane, et nos plus proches voisins sont à plus d'un kilomètre de là. La nuit, lorsque les lucioles scintillent entre les branches touffues et que la senteur musquée et résineuse des pins embaume l'atmosphère, il devient facile de se croire revenu à une époque lointaine. En fermant les yeux, j'imagine une grange aux murs rouges et un troupeau de moutons dans le pré contigu.

Autour de la vieille bâtisse blanche aux volets bleus court une véranda à balustrades dont le dénivelé est visible à l'œil nu. Les fenêtres sont hautes, étroites et gémissent dès que l'on tente de les ouvrir. Mon père en riait, disant qu'il était inutile de faire installer une alarme dans ma chambre. C'était une plaisanterie entre nous : il savait pertinemment que je n'étais pas du genre à faire le mur.

Peu avant ma naissance, mes parents avaient eu le coup de foudre pour ce qui s'était depuis transformé en gouffre financier. Leur désir était simple : rendre progressivement à la maison son charme d'origine (1771, environ), pour un jour convertir les lieux en chambres d'hôtes, où ma mère servirait à ses convives la meilleure bisque de homard de toute la côte du Maine. Mais le rêve prit fin un soir de mars, dans une rue sombre de Portland où mon père fut assassiné.

Après une batterie d'examen, j'avais finalement pu quitter l'hôpital quelques heures plus tard. Seule dans ma chambre, allongée sur mon lit, je serrais mon oreiller contre moi et observais la série de photos accrochées sur le mur. Il y avait quelques clichés de mes parents, après une excursion à Raspberry Hill ; Vee, moulée dans son catastrophique costume de Catwoman, qu'elle avait elle-même réalisé pour Halloween, quelques années plus tôt. Puis venait la photo de ma classe de seconde. J'examinai nos visages souriants, tâchant de me persuader que j'étais désormais saine et sauve dans mon univers. Mais la vérité, c'était que jamais je ne retrouverais un sentiment de sécurité ou un semblant de normalité tant que j'ignorerais ce que j'avais vécu durant les cinq derniers mois, et en particulier pendant les onze semaines de ma disparition. Au fond, cinq mois ne représentaient que peu de chose face à dix-sept années d'existence. Mais cette absence m'obsédait. Comme un cratère sur ma route, il me bloquait la vue et m'empêchait d'aller plus loin. Je n'avais plus de passé et pas d'avenir. Rien qu'un grand vide, qui me hantait.

Les analyses du Dr Howlett avaient confirmé que « tout allait bien ». De l'avis général, outre quelques égratignures et ecchymoses, j'étais aussi en forme que le jour de ma disparition.

Mais au plus profond de moi, l'invisible, ce qui se trouvait sous la surface et qu'aucun examen n'aurait pu évaluer, mettait ma raison à rude épreuve. Qui étais-je, à présent ? Qu'avais-je enduré durant tous ces mois ? Le traumatisme subi m'avait-il transformée sans que je comprenne comment ? Pire, m'en remettrais-je un jour ?

Ma mère, soutenue par le Dr Howlett, avait interdit toute visite durant mon séjour à l'hôpital. Leurs inquiétudes étaient naturelles et ma mère ne voulait que mon bien, mais maintenant que j'étais de retour et en quête de repères, pas question de me laisser emmurer vivante. Les choses avaient peut-être changé, mais pas moi. J'avais l'habitude de tout dire à ma meilleure amie.

Je me faufilai jusqu'à la cuisine pour subtiliser le Black-Berry de ma mère avant de regagner discrètement ma chambre. Privée de téléphone portable, j'étais contrainte de faire quelques emprunts. Je pianotai sur le clavier.

C'EST NORA. TU PEUX PARLER ?

Il était tard et chez les Sky le couvre-feu était fixé à vingt-deux heures. Je ne pouvais prendre le risque de l'appeler et de lui causer des ennuis. Au bout de quelques instants, un signal de réponse retentit.

MA BELLE ? !!! J'ANGOISSE À MORT. LA RUINE TOTALE. T OÙ ?

APPELLE-MOI SUR CE N°

Le portable posé sur les genoux, je me mordillai nerveusement un ongle. Mon appréhension était absurde. Vee était ma meilleure amie. Mais après plusieurs mois de séparation involontaire et dont je n'avais même pas eu conscience, comment les choses se dérouleraient-elles ? Avais-je brillé par mon absence ou serait-ce plutôt « loin des yeux, loin du cœur » ?

J'avais beau l'attendre, la sonnerie du téléphone me fit sursauter.

— Allô ? Nora, c'est toi ?

Le son de sa voix m'émut aux larmes.

— C'est moi, soufflai-je, étranglée par les larmes.

— Il était temps ! grommela-t-elle, chevrotante. J'ai passé la journée à l'hôpital hier, mais on ne m'a pas laissée entrer dans ta chambre. J'ai faussé compagnie à la sécurité, alors ils ont déclenché l'alerte rouge et ça s'est terminé en course-poursuite dans les couloirs. La police m'a sortie de là manu militari et avec les menottes. Et quand je dis « manu militari », je sous-entends que les coups de pied et les insultes ont fusé des deux côtés. Si tu veux mon avis, la criminelle dans l'histoire, c'est ta mère. Visites interdites ? Elle est au courant que je suis ta meilleure amie ou quelqu'un a oublié de lui faxer le mémo durant les onze dernières années ? La prochaine fois que je viens chez toi, je te jure, je lui passe un savon.

Prise entre les rires et les larmes, je pressai le téléphone contre ma poitrine pour dissimuler mon émotion. Comment avais-je pu douter de Vee ? La certitude d'avoir à mes côtés la plus formidable des amies éclipsait tous les traumatismes de cette soirée. Le reste avait peut-être changé, mais notre complicité était indéfectible. Nous étions inséparables et rien ni personne n'en viendrait à bout.

— Vee…, soufflai-je avec un soupir de soulagement.

Je savourai ce moment de normalité. La clandestinité familière de ces conversations nocturnes, alors que nous étions censées dormir. L'année précédente, Mme Sky avait surpris sa fille au téléphone avec moi en dehors des heures dites réglementaires et jeté son portable à la poubelle. Le lendemain matin, sous les regards médusés des voisins, Vee avait plongé dans la benne à ordures pour le récupérer. Elle n'en avait jamais changé depuis et le téléphone avait écopé du surnom d'Oscar, car son sauvetage en méritait un.

— J'espère au moins que les médicaments qu'ils te donnent valent le détour. Apparemment, le père d'Anthony Amowitz est pharmacien, alors je pourrais t'avoir quelques trucs détonants.

— Hein ? m'exclamai-je en haussant les sourcils. Anthony et toi... ?

— Ouh la, non ! Ne va rien imaginer ! J'ai définitivement renié les garçons. Et quand je suis en manque de romantisme, il y a toujours les vidéos à la demande.

J'attends de le voir pour y croire, pensai-je avec un sourire en coin.

— Allô ? Qui êtes-vous et qu'avez-vous fait de Vee ?

— Je suis en désintox. C'est comme mes régimes, mais cette fois c'est de ma santé émotionnelle qu'il s'agit. Et puis zut ! Ne bouge pas, j'arrive ! J'étais séparée de ma meilleure amie depuis trois mois et les retrouvailles par téléphone, c'est nul. Ma belle, prépare-toi à recevoir un gros câlin.

— Bon courage pour échapper à ma mère, répondis-je. Elle a déclenché le plan Vigipirate parental.

— Celle-là ! siffla Vee. Je te jure, il va falloir la combattre avec de l'ail.

J'ignorais si ma mère s'était transformée en vampire et de toute façon, j'avais plus important à discuter.

— Vee, j'ai besoin d'un résumé des derniers jours avant ma disparition, repris-je d'un ton plus grave. J'ai la conviction qu'on ne m'a pas enlevée au hasard. Il y a certainement eu des signes avant-coureurs, mais je ne me souviens de rien. D'après le médecin, mon amnésie est temporaire, mais jusqu'à ce que j'aie retrouvé la mémoire, tu dois me donner tous les détails : les lieux où je me trouvais, ce que j'ai fait, et qui j'ai vu durant la semaine précédente. Un récapitulatif, quoi.

— Tu es sûre que c'est une bonne idée ? répondit Vee après une hésitation. Il est encore un peu tôt pour t'angoisser à ce sujet. Ta mère m'a dit pour ton amnésie et...

— Sérieusement ? Tu vas prendre son parti ?

— Arrête ! grommela-t-elle, prête à céder.

Pendant vingt minutes, Vee me décrivit dans les moindres détails la dernière semaine avant mon enlèvement. Mais plus elle parlait, plus je me décourageais. Aucun coup de fil bizarre. Aucun inconnu surgi de nulle part. Aucune voiture suspecte qui nous aurait suivies en ville.

— Et la nuit où j'ai disparu ? l'interrompis-je finalement.

— Nous étions au parc d'attractions de Delphic. Je suis partie acheter des hot-dogs et c'est là que tout a basculé. J'ai entendu un coup de feu et une bousculade s'est déclenchée. J'ai tourné en rond pour tenter de te retrouver, mais tu t'étais volatilisée. J'ai d'abord cru que tu avais suivi la foule et fiché le camp. Mais tu ne m'attendais pas sur le parking. J'ai voulu retourner te chercher, mais la police était déjà sur les lieux et a fichu tout le monde dehors. J'ai bien essayé de leur expliquer que tu te trouvais certainement encore à l'intérieur, mais ils n'étaient pas d'humeur à m'écouter. Ils ont dispersé les derniers badauds. J'ai laissé un million de messages sur ton répondeur, mais tu n'as plus jamais donné signe de vie.

J'accusai le coup, péniblement. Une fusillade ? Delphic avait mauvaise réputation, mais pas à ce point-là... C'était tellement étrange, dérangeant même, que je n'aurais pu y croire si quelqu'un d'autre que Vee me l'avait raconté.

— Je ne t'ai pas retrouvée, ajouta Vee. Plus tard, j'ai appris qu'on t'avait retenue en otage.

— Quoi ???

— Apparemment, le cinglé à l'origine des coups de feu t'a enfermée dans un local technique, au sous-sol d'une attraction. Personne ne sait pourquoi. Il a fini par te relâcher avant de filer.

J'ouvris la bouche et la refermai. Il me fallut quelques secondes pour retrouver ma voix.

— Hein ?

— Quand la police t'a délivrée, ils ont pris ta déposition puis t'ont ramenée chez toi vers deux heures du matin. Plus personne ne t'a revue après ça. Quant au type qui t'a menacée…, il s'est évanoui dans la nature.

D'un seul coup, tous les éléments semblaient converger.

— C'est donc qu'on m'a enlevée dans la maison, conclus-je en replaçant peu à peu les pièces du puzzle. Après deux heures, j'ai dû aller me coucher. Celui qui m'a prise en otage m'aura suivie jusque chez moi. J'ignore ce qu'il voulait faire à Delphic, mais puisqu'il n'y est pas parvenu, il est revenu me chercher. Il a dû s'introduire par effraction.

— C'est justement le plus bizarre. Chez toi, on n'a retrouvé aucune trace de lutte. Les portes et les fenêtres étaient toutes verrouillées.

Découragée, je pressai ma main sur mon front.

— La police avait-elle des pistes ? Ce… type n'était quand même pas un fantôme.

— Dans ta déposition, tu l'avais identifié : un certain Rixon. Mais d'après les enquêteurs, c'était sûrement un pseudonyme.

— Rixon ? Je ne connais personne de ce nom.

— C'est bien le problème, soupira Vee. Personne ne le connaît. Et il y a autre chose, ajouta-t-elle après un silence. Parfois, j'ai l'impression que ce nom m'est familier, mais quand j'essaie de réfléchir, ma tête se vide. C'est comme un souvenir que je ne parviens pas à atteindre. Comme si... il ne restait qu'un trou à la place de ce nom. C'est une sensation vraiment effrayante. C'est sans doute de la frustration. J'aimerais tellement me le rappeler, qu'on puisse coincer ce type et le mettre au frais. Oui, ça serait trop simple, je sais... Et il faut que j'arrête de dire n'importe quoi. Pourtant, reprit-elle plus doucement, j'aurais pu jurer que...

Au même instant, la porte de ma chambre grinça et ma mère passa la tête dans l'entrebâillement.

— Je vais me coucher, annonça-t-elle en jetant un regard appuyé au BlackBerry. Il est tard et nous avons toutes les deux besoin de repos.

Message reçu.

— Vee, je dois te laisser. Je t'appelle demain.

— Embrasse le vampire de ma part, siffla-t-elle avant de raccrocher.

— Tu as tout ce qu'il te faut, demanda ma mère en récupérant son bien. Veux-tu un verre d'eau ? Une couverture supplémentaire ?

— Non, tout va bien. Bonne nuit, Maman, dis-je avec un sourire forcé.

— Tu as fermé ta fenêtre ?

— J'ai vérifié à trois reprises.

Elle traversa la pièce pour s'en assurer. En voyant le verrou poussé, elle laissa échapper un petit rire.

— Ça ne coûte rien de regarder une dernière fois, non ? Bonne nuit, ma chérie.

Elle passa tendrement la main dans mes cheveux et déposa un baiser sur mon front.

Lorsqu'elle sortit, je me glissai sous les draps, éteignis ma lampe et réfléchis à ce que Vee venait de m'apprendre. Une fusillade à Delphic ? Mais pourquoi ?

Quelles étaient les intentions du tireur ? Et pourquoi, parmi les milliers de gens présents sur les lieux ce soir-là, m'avait-il choisie comme otage ? Ce n'était peut-être qu'une terrible coïncidence, mais quelque chose ne collait pas. Cette sensation d'inconnu m'obséda jusqu'à ce que la fatigue l'emporte.

Si seulement...

Si seulement je pouvais me souvenir.

Je bâillai et résolus de dormir.

Quinze minutes s'écoulèrent. Puis vingt. Allongée sur le dos, les yeux rivés au plafond, je tâchais de prendre ma mémoire par surprise. N'obtenant aucun résultat, je tentai une approche plus directe. Je tapai ma tête contre l'oreiller, dans l'espoir de débloquer une image. Une parole. Un parfum qui aurait pu déclencher quelque chose. N'importe quoi. Mais je dus vite me rendre à l'évidence : pas le moindre détail, rien qu'un grand vide.

Le matin, en quittant l'hôpital, j'étais persuadée d'avoir perdu la mémoire pour de bon. Mais passé le choc initial, maintenant que j'avais les idées plus claires, je n'en étais plus aussi certaine. Je voyais mon passé comme un pont rompu et la vérité se trouvait de l'autre côté. Or, si j'avais moi-même créé cette béance par un mécanisme d'autodéfense, j'étais sans doute capable de la combler. Il me fallait simplement découvrir comment.

Tout commençait par une couleur. Le noir. Profond, insondable, mystérieux. Je n'en avais parlé à personne, mais cette couleur me venait à l'esprit aux moments les plus inattendus. Et dans ces instants, j'étais parcourue d'un délicieux frisson, comme si le noir me caressait la joue et glissait sous mon menton pour me relever le visage.

Personnifier à ce point une couleur paraissait absurde, mais à une ou deux reprises, j'étais presque certaine

47

d'avoir vu quelque chose prendre corps derrière l'impression. Des yeux. L'intensité d'un regard qui me dévorait.

Mais un souvenir de cette période traumatisante aurait dû induire de la peine et non du plaisir.

Je poussai un long soupir. J'éprouvais le désir irrépressible de suivre cette couleur, où qu'elle me mène. Je rêvais de retrouver ces yeux noirs, de les contempler face à face. Je devais découvrir à qui ils appartenaient. Le noir m'hypnotisait, m'attirait vers lui. D'un point de vue rationnel, cela n'avait aucun sens. Mais c'était une idée fixe. J'étais obsédée, envoûtée par l'envie de me laisser guider. Son magnétisme était si puissant que même la logique ne pouvait le combattre.

Elle s'insinuait en moi jusqu'à devenir épidermique. Mes couvertures m'étouffaient. Je les rabattis. Tout se bousculait dans ma tête et je tournai et retournai dans mon lit. La chaleur me donnait des sueurs froides. Une étrange fièvre montait en moi.

Le cimetière, pensai-je. Tout a commencé au cimetière.

Une nuit noire, un brouillard noir. L'herbe noire, les tombes noires. Les eaux noires du fleuve qui scintillent dans l'obscurité. Et à présent, deux yeux noirs m'observent. Je ne pouvais ignorer les visions ténébreuses qui m'invitaient à agir. Je ne pourrais trouver le sommeil avant de l'avoir fait.

Je bondis hors de mon lit et passai un tee-shirt, un jean et un gilet. Devant la porte de ma chambre, j'hésitai. Dans le couloir régnait un silence total, à l'exception du tic-tac de l'horloge qui montait depuis le rez-de-chaussée. Ma mère n'avait pas complètement fermé sa porte, mais la lumière était éteinte et, en tendant l'oreille, je perçus un léger ronflement.

Je me glissai sans bruit au bas des escaliers, saisissant au passage une lampe électrique et mes clés avant de sortir par la porte de derrière. Je craignais que les planches vermoulues de la véranda ne me trahissent. Sans parler du policier en uniforme stationné aux abords de la maison. Il était censé éloigner les reporters et les curieux, mais n'aurait pas manqué d'avertir l'inspecteur Basso en me voyant filer.

Une petite voix me disait qu'il n'était pas prudent de traîner dehors à une heure pareille, mais j'étais mue par une étrange force, proche d'un état second. *La nuit noire, le brouillard noir. Les herbes noires, les tombes noires. Le fleuve noir qui scintille. Ce regard noir qui m'observe.*

Je devais trouver ces yeux. Eux connaissaient les réponses.

Quarante minutes plus tard, je franchis le porche du cimetière de Coldwater. Les feuilles des arbres tournoyaient dans la brise comme des moulinets. Je me dirigeai d'abord vers la stèle de mon père. Le froid humide me faisait frissonner, mais je finis tant bien que mal par retrouver cette tombe affaissée où tout avait commencé.

Je m'accroupis et passai mon doigt le long du marbre érodé par le temps. Les yeux fermés, j'occultai les bruits nocturnes, à la recherche des yeux noirs. Et je posai ma question, espérant qu'elle serait entendue. Comment en étais-je venue à me réveiller dans un cimetière, après avoir disparu durant onze semaines ?

Je promenai mon regard autour de moi, les sens en alerte, consciente de tout ce qui m'entourait. L'odeur caractéristique de l'automne, la végétation en décomposition, le parfum de l'herbe fraîchement coupée, le battement d'ailes des insectes... Cependant, rien de tout cela ne me donnait la réponse dont j'avais tant besoin. Une boule se forma dans ma gorge et je tentai vainement de ravaler ma déception. Cette couleur noire, qui ne cessait de me tourmenter, m'avait abandonnée. J'enfonçai mes mains dans mes poches et tournai les talons.

Mais du coin de l'œil, je perçus une tache sur le sol. Je me penchai et saisis une plume noire, longue comme mon avant-bras. Fronçant les sourcils, je me demandai à quel genre d'oiseau elle pouvait bien appartenir. Elle était bien trop grande pour être celle d'un corbeau. Bien trop grande pour n'importe quel oiseau, d'ailleurs. J'effleurai du doigt le contour velouté des barbes, qui en s'agitant parurent remuer un souvenir.

Mon ange, sembla chuchoter une voix suave. *Tu es à moi.*

Ma réaction fut instantanée, aussi déroutante que ridicule : je rougis. Je jetai un regard autour de moi, pour m'assurer que la voix n'était pas réelle.

Je ne t'ai pas oubliée.

Parfaitement immobile, j'attendis qu'elle se manifeste à nouveau, mais le murmure s'évanouit, emporté par le vent. Tous les souvenirs qu'il aurait pu déclencher disparurent avant que j'aie pu les saisir au vol. J'étais déchirée entre la volonté de me débarrasser de cette plume et le désir éperdu de l'enterrer là où personne ne la trouverait. J'avais la sensation d'avoir découvert un objet secret, intime, qui ne devait pas tomber entre n'importe quelles mains.

Une voiture fit marche arrière dans le parking qui surplombait le cimetière, la musique à plein volume. En entendant des cris et des éclats de rire, je n'aurais pas été surprise de me retrouver nez à nez avec des gens du lycée. Cette partie boisée de la ville, à l'écart de l'agitation du centre, était un lieu tranquille et discret où traîner les soirs et les week-ends. Je n'avais aucune envie de croiser des têtes connues, particulièrement maintenant que ma soudaine réapparition faisait la une des médias locaux. Je glissai la plume sous mon bras et pressai le pas le long de l'allée de graviers qui menait jusqu'à la route.

Vers deux heures trente du matin, je rentrai à la ferme sur la pointe des pieds et, après avoir verrouillé la porte, grimpai jusqu'à ma chambre. Indécise, je demeurai quelques instants immobile au milieu de la pièce puis cachai la plume dans le deuxième tiroir de ma commode, parmi les chaussettes, leggings et écharpes. À bien y réfléchir, j'ignorais pourquoi je l'avais rapportée chez moi. Je n'avais pas pour habitude de ramasser ce genre de choses et encore moins de les dissimuler entre mes vêtements. Cependant, la plume avait presque déclenché un souvenir...

Je me déshabillai et étouffai un bâillement. En m'approchant de mon lit, je m'arrêtai net. Une feuille de papier était posée sur l'oreiller. Or j'étais certaine qu'elle n'y était pas lorsque j'avais quitté ma chambre.

Je me retournai, pensant trouver ma mère derrière moi, furieuse et inquiète. Mais je l'imaginais mal exprimer sa colère par écrit, après tout ce qui était arrivé.

Les mains tremblantes, je pris le morceau de papier. C'était une feuille de carnet similaire à celle dont je me servais en cours. Le message avait été tracé à la hâte, au marqueur noir.

Tu es peut-être rentrée, mais tu n'es pas hors de danger.

4.

Je froissai la feuille et la jetai rageusement contre le mur. En premier lieu, je m'assurai que la fenêtre était bien verrouillée. Je n'osai la rouvrir pour observer le jardin, mais pressai mes mains contre la vitre et tentai de distinguer quelque chose entre les ombres qui s'étendaient sur la pelouse, aussi longues et fines que des couteaux. Une chose était certaine, j'avais fermé la porte en quittant la maison. Et plus tôt dans la soirée, avant de rejoindre ma chambre, j'avais vu ma mère vérifier les loquets de chaque ouverture au moins trois fois.

Alors qui avait pu déposer cette missive et par où l'intrus était-il passé ?

Et que signifiait ce message cryptique, exactement ? S'agissait-il d'une plaisanterie malsaine et cruelle ? Pour l'instant, je ne voyais aucune autre hypothèse.

Je me glissai jusqu'à la chambre de ma mère et entrebâillai la porte.

— Maman ?

— Nora ? marmonna-t-elle en se dressant immédiatement dans son lit. Que se passe-t-il ? Que t'est-il arrivé ? Un mauvais rêve ? Tu... Tu te rappelles quelque chose ?

J'allumai sa lampe de chevet, soudain terrifiée par l'obscurité et ce qu'elle cachait.

—J'ai découvert un papier sur mon lit. Il m'avertit que même de retour chez moi, je ne suis pas hors de danger.

Aveuglée par l'éclat de l'ampoule, elle cligna des yeux et je la vis accuser le coup. Le choc acheva de la réveiller.

—Où l'as-tu trouvé ?

—Je...

Je craignais de tout lui avouer. À bien y réfléchir, j'avais pris un risque énorme avec cette escapade nocturne. Mais comment redouter un second enlèvement lorsqu'on ne se rappelle même pas le premier ? Il avait fallu que je retourne au cimetière, pour ne pas perdre la raison. La couleur noire m'y avait conduite. C'était peut-être idiot, irrationnel, mais vrai.

—Il était sous mon oreiller. Je ne l'avais sans doute pas remarqué avant d'aller me coucher, mentis-je. J'ai dû remuer dans mon sommeil et le bruit du papier froissé m'a réveillée.

Elle enfila sa robe de chambre et se précipita pour examiner mon lit.

—Où est cette feuille ? s'exclama-t-elle. Je veux la voir ! Il faut immédiatement prévenir l'inspecteur Basso.

Déjà, elle composait de mémoire un numéro sur son portable. Je n'avais pas réalisé que ces semaines d'angoisse durant ma disparition les avaient sans doute rapprochés.

—Qui d'autre a la clé de la maison ? demandai-je.

Elle me fit signe d'attendre.

—Répondeur, me souffla-t-elle, avant de laisser un message : C'est Blythe. Rappelez-moi dès que possible. Nora a retrouvé un papier dans sa chambre. Il pourrait venir du ravisseur, ajouta-t-elle en me jetant un regard en coin. Je me suis assurée que toute la maison était bien fermée, avant de monter me coucher. On a forcément déposé cette feuille avant notre retour de l'hôpital.

Elle raccrocha et se tourna vers moi.

— Il va vite rappeler. Je devrais remettre ce papier au policier de garde. Il voudra sans doute fouiller les pièces. Qu'en as-tu fait ?

Immobile, je fis un geste en direction du papier froissé au pied du mur. Je refusais de revoir cette inscription, qui pouvait être une farce, autant qu'une réelle menace.

Tu es peut-être rentrée, mais tu n'es pas hors de danger.

La tournure de la phrase était volontairement intimidante.

Ma mère défroissa la feuille en la pressant contre le mur.

— Nora... cette feuille est vierge.

— Quoi ?

Elle disait vrai. Le message avait disparu. Je retournai vivement la feuille, mais le verso était lui aussi entièrement blanc.

— C'était là, insistai-je d'un ton éperdu. Je t'assure.

— Tu l'as sans doute imaginé. La projection d'un rêve, suggéra doucement ma mère en m'attirant contre elle pour passer sa main dans mon dos.

Son geste ne m'offrit cependant aucun réconfort. Était-il possible que j'aie tout inventé ? Que je sois victime d'un accès de paranoïa ? D'une crise d'angoisse, peut-être ?

— Je ne l'ai pas imaginé, affirmai-je d'un ton qui trahit pourtant mon incertitude.

— Ça ne fait rien, murmura ma mère. Le Dr Howlett m'avait avertie de ce genre de choses.

— Quel genre de choses ?

— Selon lui, il y a de fortes probabilités pour que tu entendes des choses qui n'existent pas.

— Comme ?

— Des voix, ou d'autres sons, poursuivit-elle calmement. Il n'avait pas parlé de visions, mais tout peut arriver, Nora. Ton corps lutte pour se remettre. Il est soumis
à un stress énorme et nous devons nous montrer
patientes.

— Donc d'après lui, je serais sujette aux hallucinations ?

— Chhhut, souffla-t-elle en prenant mon visage dans
ses mains. Il faut peut-être en passer par là pour te réta-
blir. Ton mental cherche à retrouver ses repères et il faut
lui laisser le temps nécessaire, comme pour n'importe
quelle blessure. Ensemble, nous y arriverons.

Des larmes me picotaient les yeux, mais je les retins.
Pourquoi moi ? Pourquoi moi, parmi tant d'autres ? Qui
m'avait fait cela ? En vain mon esprit décrivait des cercles
autour d'un coupable sans visage. Je n'avais rien : ni traits
distincts, ni voix, pas même un petit bout de certitude.

— Est-ce que tu as peur ? murmura ma mère.

— Je suis furieuse, répondis-je en détournant le
regard.

Je regagnai mon lit et, curieusement, je m'endormis
très vite. Prise dans cette zone étourdissante et confuse
qui sépare la conscience du rêve, j'arpentai un long tunnel
obscur qui paraissait se rétrécir à chaque pas. Je plongeai
dans les limbes d'un sommeil profond, bienvenu après une
telle nuit.

Une porte apparut au bout du tunnel. Elle s'ouvrit de
l'intérieur. De l'autre côté, une faible lumière brillait,
éclairant un visage si familier qu'en le voyant, je manquai
de trébucher. Je reconnus ses mèches brunes, encore
humides et plaquées autour de ses oreilles. Je reconnus
la peau lisse, ferme et ambrée ; cette silhouette élancée
qui dépassait le mètre quatre-vingt-cinq. Le jean tombant

sur ses hanches, une serviette négligemment jetée sur les épaules, il était pieds et torse nus. Nos regards se croisèrent et ses yeux sombres scrutèrent les miens avec un mélange de surprise et de méfiance.

— Qu'est-ce que tu fais ici ? demanda-t-il d'une voix grave.

Patch, pensai-je, le cœur battant. C'est... Patch.

J'étais incapable de me rappeler comment, mais j'étais certaine de le connaître. Dans ma tête, ce pont était toujours rompu, mais en l'apercevant de petites pièces du puzzle se remirent en place. Ils évoquaient des souvenirs, palpitants et électrisants. Des images brèves me traversèrent l'esprit : il s'installait à côté de moi en cours de biologie, il se penchait tout contre moi pour m'apprendre à jouer au billard. Un autre flash brûlant me revint, où ses lèvres effleuraient les miennes.

Les réponses que je cherchais m'avaient menée jusqu'ici. Jusqu'à Patch. J'avais trouvé un moyen de détourner l'amnésie. Ce n'était pas un simple rêve, mais une façon pour mon subconscient de retrouver Patch, qui qu'il fût. Je comprenais enfin ce manque effrayant qui me submergeait constamment. Au plus profond de moi, je devinai ce que mon cerveau était incapable d'analyser. J'avais besoin de Patch. Et sans savoir si le destin, la chance ou ma seule volonté m'avaient conduite jusqu'à lui, je venais de le rejoindre.

En dépit du choc, je retrouvai ma voix :

— À toi de me le dire.

Il passa la tête par la porte, inspectant le tunnel.

— Tu réalises que tu es en train de rêver, non ?

— Alors pourquoi crains-tu qu'on m'ait suivie ?

— Tu ne devrais pas être ici.

— On dirait, rétorquai-je d'une voix blanche, que j'ai trouvé le moyen de communiquer avec toi. Pourtant l'accueil n'est pas aussi chaleureux que prévu. Dis-moi, c'est toi qui détiens toutes les réponses, pas vrai ?

Il passa ses doigts sur ses lèvres, sans jamais me quitter des yeux.

— J'espère surtout te garder en vie.

Mes pensées se bousculaient et, incapable de comprendre entièrement les enjeux, je ne saisis pas le sous-entendu. Une idée fixe dont j'ignorais l'origine m'obsédait. *Je l'ai retrouvé. Après tout ce temps, j'ai retrouvé Patch. Et loin de partager mon enthousiasme, la seule chose qu'il semble éprouver c'est... de l'indifférence. De la froideur.*

— Pourquoi est-ce que je ne me rappelle rien ? demandai-je, réprimant la boule qui se formait dans ma gorge. Pourquoi est-ce que je ne me souviens pas du moment ou de la façon dont tu m'as quittée ?

Car c'est sans doute ce qui s'est produit. S'il ne m'avait pas laissée, nous serions encore ensemble.

— Pourquoi n'as-tu pas tenté de me retrouver ? Qu'est-ce qui m'est arrivé ? Qu'est-ce qui nous est arrivé ?

Patch croisa ses mains derrière sa nuque et ferma les yeux. Il se tenait parfaitement immobile, mais je décelai un frémissement, une émotion qui l'ébranlait.

— Pourquoi m'as-tu abandonnée ?

— Tu crois vraiment que j'aurais fait ça ? demanda-t-il en se redressant.

Sa réaction ne fit qu'accentuer mon malaise.

— Qu'est-ce que je suis censée croire ? Tu disparais pendant des mois et quand enfin je te retrouve, tu ne peux même pas me regarder en face ?

— Je n'avais pas le choix. Si je voulais te sauver, je devais renoncer à toi, lâcha-t-il, la mâchoire crispée. Ça n'a pas été une décision facile, mais c'était la bonne.

— Renoncer à moi ? Comme ça, sans hésitation ? Combien de temps t'a-t-il fallu pour t'en convaincre ? Quelques secondes ?

Un souvenir parut éteindre son regard.

— C'est à peu près ce qu'on m'a laissé pour trancher.

D'autres pièces se remettaient en place.

— Qu'essaies-tu de me dire ? Qu'on t'a obligé à m'abandonner ?

Il se tut, mais j'avais ma réponse.

— Qui t'a forcé ? Qui t'effrayait à ce point ? Le Patch que j'ai connu ne craignait personne. Et je me serais battue pour toi, Patch, lançai-je en élevant la voix pour mieux combattre la soudaine douleur qui éclatait en moi. J'aurais tout tenté !

— Et tu aurais échoué. Ils étaient trop nombreux. Il t'a menacée et il aurait mis sa menace à exécution. Puisqu'il te tenait, il me tenait moi aussi.

— Il ? Qui ça, « il » ?

Mais une fois de plus, il garda le silence.

— As-tu seulement essayé de me retrouver ? Ou bien était-ce si facile de m'oublier ?

Patch tira la serviette d'un coup sec et la jeta de côté. Son regard lançait des éclairs et ses épaules se soulevaient par saccades, mais j'avais comme l'impression que sa colère n'était pas dirigée contre moi.

— Tu ne peux pas rester ici, dit-il durement. Tu ne dois pas chercher à me revoir. Reprends ta vie et vis-la du mieux que tu pourras. Pas pour moi, ajouta-t-il, sentant ma répartie venir, mais pour toi. J'ai fait tout mon possible pour l'éloigner de toi et j'ai l'intention de continuer, mais tu dois m'y aider.

— T'y aider comme tu m'as aidée ? répliquai-je. C'est maintenant que j'ai besoin de toi, Patch ! Je suis perdue et terrifiée. Savais-tu que je ne me souviens de rien ?

Évidemment que tu le sais, poursuivis-je amèrement. Et c'est pour ça que tu n'as pas cherché à me retrouver. Mon amnésie t'offrait une porte de sortie. Je n'aurais jamais cru que tu te défilerais aussi lâchement. Eh bien je ne t'ai pas oublié, Patch. Je te vois partout, dans chaque petite chose. Ces visions de noir, de la même couleur que tes yeux, tes cheveux. Je sens encore tes doigts sur moi, je n'ai pas oublié la façon dont tu me serrais dans tes bras...

Je ne pus poursuivre, étouffée par mes sanglots. Sa réponse fut catégorique :

— Mieux vaut que tu ne saches rien. C'est sans doute la plus mauvaise raison que je puisse te donner, mais pour ta propre sécurité, il y a des choses que tu ne peux pas savoir.

J'éclatai d'un rire forcé et désespéré.

— Alors, c'est fini, c'est ça ?

Il s'approcha de moi. Je crus qu'il allait me serrer contre lui, mais il se reprit et s'arrêta. Avec un soupir, je ravalai mes larmes. Il appuya son coude contre le chambranle de la porte, juste au-dessus de mon oreille. Son parfum me bouleversa... cette odeur familière de savon, d'épices était si capiteuse que la cohorte de souvenirs qu'elle déclencha fut plus pénible encore. J'éprouvais une irrésistible envie de le toucher. De promener mon doigt sur sa peau et de sentir l'étreinte rassurante de ses bras. Je voulais qu'il enfouisse son visage au creux de mon cou et l'entendre murmurer à mon oreille des mots secrets qui n'appartenaient qu'à moi. Je voulais le tenir tout près, tout contre moi, et ne plus jamais le lâcher.

— Ça n'est pas terminé, dis-je. Après tout ce que nous avons vécu ensemble, tu n'as pas le droit de te débarrasser de moi comme ça. Tu ne t'en sortiras pas aussi facilement.

Était-ce une menace, une ultime bravade, ou mon cœur en lambeaux me dictait-il ces paroles insensées ? Je l'ignorais.

— Je ne cherche qu'à te protéger, répondit-il simplement.

Il était si près de moi... Il irradiait une puissance, une chaleur et un pouvoir obsédants. Je ne pourrais pas lui échapper, ni maintenant ni jamais. Sa présence demeurerait intacte, hanterait chacune de mes pensées et emprisonnerait mon cœur. J'étais attirée vers lui par des forces que je ne pouvais comprendre et encore moins combattre.

— Et pourtant, tu ne l'as pas fait.

Avec une insoutenable tendresse, il glissa ses doigts sous mon menton.

— C'est vraiment ce que tu crois ?

Je fis une vaine tentative pour me dégager. Mais, comme toujours, j'étais incapable de lui résister.

— Je ne sais plus quoi penser. Ça te surprend ?

— Mon histoire est longue et peu glorieuse. Je ne peux pas revenir en arrière, mais j'ai l'intention de ne plus commettre d'erreur. Surtout pas avec des enjeux aussi importants et surtout pas si tu es concernée. J'ai un plan, mais il nécessitera du temps.

Cette fois, il me prit dans ses bras et écarta quelques mèches de mon visage. Sous ses caresses, quelque chose en moi parut se briser. De grosses larmes brûlantes roulèrent sur mes joues.

— Si je te perds, je perds tout, murmura-t-il.

— De qui as-tu si peur ? demandai-je une fois encore.

Il posa ses mains sur mes épaules et appuya son front contre le mien.

— Tu es à moi, mon ange. Et rien ni personne n'y changera rien. Tu as raison : ce n'est pas terminé. Ce n'est que le début et ce qui se prépare ne sera pas facile, poursuivit-il avec un soupir las. Tu ne te rappelleras pas cette rencontre et tu ne reviendras pas. J'ignore comment tu m'as retrouvé, mais je dois m'assurer que tu ne recommenceras pas. Je vais effacer ce rêve de ta mémoire. Pour ta propre sécurité, tu ne dois pas me revoir.

Aussitôt, je me dégageai, avec l'intention de protester, mais la détermination que je lus sur son visage me terrifia. J'allais ouvrir la bouche, mais le rêve s'effrita tout autour de moi et m'ensevelit comme du sable.

5.

Le lendemain matin, je me réveillai avec un torticolis et la vague impression d'avoir fait un rêve étrange et terne. Après ma douche, j'enfilai une robe avec des leggings et des bottines. Extérieurement au moins, je renvoyais un semblant de normalité. Il m'aurait été difficile de remettre de l'ordre dans mon équilibre intérieur en moins de quarante-cinq minutes.

Je trouvai ma mère dans la cuisine, penchée sur une marmite de porridge maison. Jamais, depuis la mort de mon père, je ne l'avais vue préparer quelque chose d'aussi élaboré pour le petit-déjeuner. Je devinai sans peine, après la nuit précédente, que le porridge était censé me réconforter.

— Déjà debout ? demanda-t-elle en coupant des fraises.

— Il est huit heures passées. Est-ce que l'inspecteur Basso a rappelé ?

Je brossai un pan de ma robe, feignant le détachement.

— Je lui ai expliqué qu'il s'agissait d'une erreur. Il s'est montré compréhensif.

Ils avaient donc décrété que j'avais rêvé. Désormais, je serais la mythomane de service. *Pauvre petite. Ne faites pas attention…*

— Pourquoi ne pas te recoucher ? Je t'apporte le petit-déjeuner au lit ? suggéra ma mère en continuant à jouer du couteau.

— Pas la peine, je suis déjà habillée.

— Après tout ce qui est arrivé, je pensais que tu préférerais prendre un peu de recul. Faire la grasse matinée, lire un bon roman, peut-être te prélasser dans un bain.

De mémoire, c'était la première fois que ma mère me proposait de sécher les cours. Habituellement, nos échanges durant le petit-déjeuner se limitaient à « As-tu terminé ta dissertation ? », « As-tu préparé ton déjeuner ? », « Est-ce que tu as fait ton lit ? » ou encore « Peux-tu poster le chèque pour la facture d'électricité sur le chemin du lycée ? »

— Alors ? insista ma mère. Le petit-déjeuner au lit, c'est le rêve, non ?

— Et les cours ?

— Les cours peuvent attendre.

— Jusqu'à quand ?

— Eh bien, je n'en sais rien, dit-elle d'un ton guilleret. Peut-être une semaine ou deux. Le temps que tu retrouves une vie normale.

Visiblement, elle n'y avait pas vraiment réfléchi. Pour ma part, il ne me fallut pas plus de quelques secondes pour me décider. J'aurais pu profiter de son laxisme, mais la question n'était pas là.

— J'ai donc une ou deux semaines pour retrouver une vie normale. C'est gentil de me prévenir du délai.

— Nora…, dit-elle en lâchant le couteau.

— Oublions que je ne me rappelle rien des cinq derniers mois. Oublions qu'à partir de maintenant, dès qu'un étranger aura le malheur de poser les yeux sur moi, je me demanderai si c'est lui. Oh, et je garde le meilleur pour la fin : mon amnésie est à la une de tous les journaux locaux, ce qui doit bien le faire rire. Il sait que je suis incapable de l'identifier. Mais ne nous affolons surtout pas, parce que d'après le Dr Howlett « tout va bien », rien de terrible ne m'est arrivé durant tout ce temps. Qui sait, je me suis peut-être doré la pilule sur une plage, au Mexique. Après tout, pourquoi pas ? Mon ravisseur a pu vouloir donner dans l'original. Faire ce que personne n'attendait et gâter sa victime. Désolée de te l'annoncer, Maman : le retour à la normale pourrait prendre des années. Il n'y aura peut-être jamais de retour à la normale. Mais une chose est certaine, ça n'est pas en traînant devant la télé, à oublier de vivre ma vie, que ça arrivera. Alors aujourd'hui, je vais au lycée, conclus-je fermement, même si cette perspective m'angoissait grandement.

Je ravalai mon anxiété et tentai de me persuader que c'était l'unique moyen pour reprendre le cours de mon existence.

— Au lycée ? s'exclama ma mère, laissant ses fraises et son porridge.

— D'après le calendrier, nous sommes le 9 septembre. Les cours ont commencé depuis deux jours, ajoutai-je, lorsque ma mère ne répondit pas.

— Je suis au courant, répliqua-t-elle d'un air pincé.

— Alors, est-ce que ma place n'est pas là-bas ?

— Si, quand le moment sera venu.

Elle essuya longuement ses mains sur son tablier, soit à court d'arguments, soit choisissant soigneusement ses mots. Quoiqu'il en soit, j'aurais préféré qu'elle se montre directe. Une dispute m'aurait paru plus saine que cette molle empathie dont elle faisait preuve.

— Depuis quand tu approuves l'absentéisme ?

— Nora, je n'ai pas à te dicter ta conduite, mais je crois que tu ferais bien de lever le pied.

— Lever le pied ? Alors que cinq mois de mon existence ont disparu de ma mémoire ? Je n'ai pas l'intention de lever le pied, ni de risquer de perdre définitivement mes souvenirs. Mon unique chance de m'en sortir, c'est de reprendre ma vie là où je l'avais laissée. Je vais au lycée. Et après les cours, j'ai prévu de voir Vee. Elle aura certainement envie d'un donut ou d'une quelconque pâtisserie bien grasse. Ensuite, je rentrerai pour travailler, et une fois mes devoirs terminés, je m'endormirai en écoutant les vieux disques de Papa. J'ai perdu presque tous mes repères et le peu qu'il me reste est ma planche de salut.

— Beaucoup de choses ont changé depuis ta disparition...

— Merci, je suis au courant.

J'avais conscience de m'en prendre injustement à elle, mais je ne supportais pas sa façon stoïque de dispenser des conseils. Elle n'avait aucune idée de ce que je pouvais vivre et n'avait pas le droit de me dicter mon attitude.

— Crois-moi, poursuivis-je plus posément, j'en suis parfaitement consciente. Et ça me terrifie. Je ne peux pas revenir en arrière, et ça aussi, ça me terrifie. Mais d'un autre côté...

Comment aurais-je pu lui expliquer ce que j'étais moi-même incapable de comprendre ? Avant, j'étais en sécurité. Avant, j'avais le contrôle de la situation. J'étais censée faire un grand bond dans le présent, mais le sol venait de s'écrouler sous mes pieds.

Ma mère poussa un soupir résigné.

— Hank Millar et moi sommes ensemble.

Ses mots me parurent lointains. Je la regardai, ahurie.

— Pardon ?

— C'est arrivé après ta disparition, expliqua-t-elle en posant une main sur la table, comme pour se raccrocher à quelque chose.

— Hank Millar ? bredouillai-je, avec la nette impression d'avoir trop entendu ce nom au cours des derniers jours.

— Il est divorcé, maintenant.

— Divorcé ? En moins de trois mois ?

— Nora, tu ne peux pas comprendre ce que j'ai vécu. Ces journées interminables, où j'attendais en vain des nouvelles, sans même savoir si tu étais encore en vie. Je n'avais plus que lui.

— Le père de Marcie ? répétai-je, hébétée.

La stupéfaction paralysait ma réflexion. Ma mère avait entamé une relation avec le père de l'unique fille que je haïssais ? Une fille qui avait rayé ma voiture à coups de clé, bombardé mon casier avec des œufs et lancé la mode du surnom « Nora Mort-aux-rats » ?

— Nous... étions ensemble. Au lycée, puis à la fac. Avant que je rencontre ton père, ajouta-t-elle un peu trop rapidement.

— Toi, vociférai-je soudain, et Hank Millar ?

Elle débita son discours à une vitesse hallucinante :

— Je sais que tu seras tentée de le juger d'après Marcie, mais c'est vraiment un homme adorable. Il est si attentionné, si généreux et si romantique, acheva-t-elle avec un sourire béat, avant de piquer un fard.

J'étais scandalisée. Voilà comment ma mère s'était consolée de mon absence.

— C'est ça.

Je saisis une banane dans le compotier et tournai les talons. Tandis que je me dirigeais vers la porte, les pas pressés de ma mère résonnèrent sur le parquet.

— Nora, est-ce qu'on peut en discuter ? Tu ne veux pas au moins m'écouter ?

— C'est un peu tard. Visiblement, on ne m'a pas conviée à la réunion d'information.

— Nora !

— Quoi ? m'écriai-je en me retournant. Que veux-tu que je te dise ? Que je suis heureuse pour toi ? Eh bien non ! Tu as oublié toutes les fois où nous nous moquions des Millar, de leur arrogance ? Tu te rappelles : on disait que la méchanceté de Marcie était due au mercure, car voilà ce qui arrive quand on mange trop de saumon fumé. Et à présent, tu sors avec lui ?

— Oui, Nora. Avec lui, pas avec Marcie !

— C'est pareil ! Dis-moi : as-tu au moins attendu que les papiers du divorce soient signés ? Ou t'es-tu jetée sur lui alors qu'il était encore marié à la mère de Marcie ? Parce que trois mois, ça paraît franchement court.

— Je... n'ai pas à répondre à cette question.

Elle dut réaliser qu'elle rougissait, car elle ferma les yeux et se massa la nuque.

— Tu as l'impression que je trahis ton père, c'est ça ? Crois-moi, je me suis suffisamment torturée à ce sujet. Quel est le délai raisonnable pour passer à autre chose ? L'éternité, peut-être ? Mais Nora, ton père aurait souhaité me voir heureuse. Il n'aurait pas voulu que je le pleure durant le restant de mes jours.

— Est-ce que Marcie est au courant ?

Ma question la prit de court.

— Hein ? Non... Je ne crois pas que Hank lui en ait parlé.

En d'autres termes, je pouvais respirer, sans craindre que la décision de nos parents ne me retombe dessus. Car dès qu'elle apprendrait la nouvelle, Marcie m'en tiendrait responsable et rendrait ma vie impossible.

—Je suis en retard, repris-je en remuant le contenu du vide-poches, dans l'entrée. Où sont mes clés ?

—Là, répondit ma mère en pointant un trousseau.

—C'est celle de la maison. Je parlais des clés de ma voiture.

—J'ai vendu la Fiat, dit-elle en se pinçant l'arête du nez.

—Pardon ? demandai-je en la fusillant du regard. Tu veux répéter ?

Certes, j'avais souvent critiqué la Fiat : sa peinture marron écaillée, le cuir de ses sièges usé jusqu'à la corde, et son levier de vitesse qui avait la fâcheuse habitude de me rester dans la main. Mais tout de même, c'était *ma* voiture ! Ma mère s'était-elle si vite résignée à ma disparition qu'elle avait aussitôt bradé toutes mes affaires ?

—Quoi d'autre, encore ? m'emportai-je. Qu'as-tu vendu durant mon absence ?

—Je l'ai vendue avant ton enlèvement, murmura-t-elle, les yeux baissés.

Ma gorge se serra. J'avais un jour su que cette voiture avait été vendue. Peut-être avions-nous déjà eu cette conversation. Mais aujourd'hui, ces détails avaient disparu de ma mémoire. La mesure de mon impuissance me revint en pleine figure. Je ne pouvais même plus discuter avec ma mère sans passer pour une idiote. Incapable de m'excuser, j'ouvris rageusement la porte d'entrée et descendis les marches du perron d'un pas lourd.

—Et cette voiture, à qui est-elle ? m'exclamai-je en apercevant une Volkswagen décapotable blanche dans l'allée.

Vu la couche de poussière sur la carrosserie, elle devait se trouver là depuis un moment. Encore déboussolée, je ne l'avais sûrement pas remarquée la veille, en rentrant de l'hôpital. Et lors de ma promenade nocturne, j'étais sortie par la porte de derrière...

— À toi.

— Comment ça, à moi ? m'emportai-je en protégeant mes yeux du soleil éblouissant.

— Scott Parnell te l'a offerte.

— Qui ?

— Sa famille est revenue habiter ici au début de l'été.

— Scott ?

Ce nom vaguement familier sollicitait ma mémoire ancienne.

— Le garçon qui était avec moi en maternelle ? Qui a déménagé à Portland il y a des années ?

Ma mère hocha la tête d'un air las.

— Pourquoi m'aurait-il payé une voiture ?

— Je n'ai jamais eu l'occasion de te poser la question. Tu as disparu le soir où il est venu te l'apporter.

— On m'enlève le soir où ce Scott m'offre une voiture sans raison apparente et ça n'a interpellé personne ? Un ado qui paie une décapotable à une fille qu'il connaît à peine et qu'il n'a pas revue depuis des années, ça ne paraît pas un peu bizarre ? Quelque chose cloche dans cette histoire. Imagine que cette voiture soit une preuve incriminante et qu'il ait dû s'en débarrasser. Ça ne t'a jamais traversé l'esprit ?

— La police a fouillé le véhicule et interrogé le précédent propriétaire. Mais je crois que Basso a exclu son implication lorsque tu lui as donné ta version des événements de la soirée. Tu avais été blessée et l'inspecteur Basso avait d'abord suspecté Scott d'être l'agresseur, mais tu lui as expliqué que c'était en fait...

— Blessée ? demandai-je, stupéfaite. Comment ça, blessée ?

— On t'a tiré dessus, souffla-t-elle en fermant brièvement les paupières.

— Quoi ?

Comment Vee avait-elle pu omettre un détail pareil ?

— Ça s'est passé au parc de Delphic. Rien qu'en y repensant, j'en tremble encore, murmura-t-elle d'une voix brisée. J'étais en déplacement quand on m'a prévenue. Je ne suis pas rentrée à temps. Je ne t'ai pas revue et cela m'a hantée chaque jour de ta disparition. Avant ton enlèvement, tu as expliqué à Basso qu'un homme nommé Rixon t'avait tiré dessus dans l'une des attractions. D'après ce que tu lui as révélé, Scott était présent et Rixon l'a blessé, lui aussi. La police a recherché ce Rixon, mais il s'est volatilisé. L'inspecteur est convaincu qu'il s'agissait d'une fausse identité.

— Où ai-je été blessée ?

Un frisson désagréable me parcourut. Je n'avais pourtant remarqué aucune cicatrice.

— À l'épaule gauche, souffla ma mère, qui semblait souffrir à cette seule évocation. La balle a traversé la chair de part en part et n'a touché que du muscle. Nous avons eu beaucoup, beaucoup de chance.

Je tirai sur le col de ma robe et jetai un regard à mon épaule. Effectivement, une cicatrice indiquait la présence d'une ancienne blessure.

— La police a recherché ce Rixon pendant des semaines. Ils ont examiné ton journal intime, mais tu avais arraché plusieurs pages et ils n'ont retrouvé aucune mention de ce nom. Vee a assuré ne pas le connaître et le lycée n'avait aucune trace de lui. Ils ont cherché un véhicule, un permis sous ce nom, sans succès.

— J'ai arraché des pages de mon journal ? l'interrompis-je.

Ça ne me ressemblait absolument pas. Pourquoi aurais-je fait une chose pareille ?

— Te souviens-tu de ce que tu en as fait ? De ce qu'elles pouvaient contenir ?

Je secouai distraitement la tête. Que voulais-je cacher pour m'acharner à ce point ? Ma mère parut déçue.

— Ce Rixon était un vrai fantôme, Nora. Et où qu'il ait disparu, il a emporté toutes les réponses avec lui.

— Ça ne me suffit pas, répliquai-je. Et Scott ? Qu'a-t-il dit quand Basso l'a interrogé ?

— L'inspecteur a concentré son investigation sur Rixon, pour tenter de le retrouver. Je ne pense pas qu'il ait parlé à Scott. La dernière fois que j'ai eu des nouvelles de Lynn Parnell, Scott avait déménagé. Je crois qu'il est dans le New Hampshire à présent et qu'il travaille pour une entreprise de pesticides.

— Et c'est tout ? m'exclamai-je, incrédule. Basso n'a même pas cherché à connaître sa version des faits ?

Mon esprit s'emballait. Quelque chose chez ce Scott me paraissait curieux. D'après ce que venait de m'expliquer ma mère, j'avais dit à la police que ce Rixon l'avait blessé, lui aussi. C'était donc l'unique témoin de l'existence de Rixon. Et quel était le rapport avec cette voiture ? Il manquait sûrement un morceau du puzzle.

— Il avait sans doute de bonnes raisons pour ne pas l'interroger.

— Oh, je n'en doute pas, grinçai-je. Son incompétence, par exemple ?

— Si tu lui laissais une chance, tu verrais qu'il est extrêmement perspicace. C'est un excellent policier.

Je ne voulais rien entendre de tout cela.

— Et maintenant ? répliquai-je.

— Il n'y a qu'une seule chose à faire. Essayer de passer à autre chose.

L'espace d'un instant, j'oubliai mes doutes au sujet de Scott Parnell. J'avais tant de choses à affronter. Combien de centaines de détails resteraient pour toujours dans l'ombre ? Était-ce ce qui m'attendait dorénavant ? Endurer l'humiliation perpétuelle d'avoir à réclamer un récapitulatif de ma propre histoire ? J'imaginais d'ici ce que me réserverait le lycée. La pitié, les regards détournés, les silences gênés et les gestes vagues. Ou, plus simple, on m'éviterait totalement.

La colère montait en moi. Je refusais de me transformer en phénomène de foire, de devenir l'objet de spéculations sordides. Quel genre de rumeurs glauques circulaient déjà au sujet de mon enlèvement ? Comment me verraient les gens, à présent ?

— Si tu aperçois Scott, n'oublie pas de me le montrer afin que je puisse le remercier pour la voiture. J'en profiterai pour lui demander la raison d'une telle générosité. L'inspecteur Basso et toi semblez convaincus de son innocence, mais son attitude me paraît louche.

— Nora...

— Je voudrais la clé, dis-je en tendant la main.

Après une hésitation, ma mère ôta une clé de son trousseau et me la donna.

— Sois prudente.

— Oh, rien à craindre. La seule chose que je risque, c'est de passer pour une imbécile. Y'a-t-il encore beaucoup de gens que je pourrais croiser sans les reconnaître ? C'est une chance que je me rappelle le chemin du lycée. Ça alors, je crois que je me souviens même comment conduire, dis-je en ouvrant la portière de la voiture avant de me glisser derrière le volant.

—Ce n'est peut-être pas le bon moment de te l'annoncer, mais nous sommes invitées à dîner ce soir.

—Ah oui ? répliquai-je avec un regard froid.

—Hank voudrait nous emmener chez *Coopersmith*. Pour fêter ton retour.

—Comme c'est charmant.

J'enfonçai la clé dans le contact et démarrai. Au toussotement du moteur, je compris qu'il n'avait sans doute pas tourné depuis le jour de ma disparition.

—Il fait son possible, lança ma mère par-dessus le vrombissement plaintif. Il fait tout ce qu'il peut pour que les choses collent.

Je ravalai la répartie cinglante que j'avais sur le bout de la langue et optai pour une confrontation directe, sans me soucier des conséquences :

—Et toi ? Tu veux que ça colle ? Alors je vais être franche avec toi : c'est lui, ou c'est moi. Maintenant si tu veux bien m'excuser, j'ai une vie à retrouver.

6.

Quand j'arrivai au lycée, le parking était déjà bondé. Je trouvai une place au fond et coupai par le jardin pour atteindre l'entrée secondaire. Cette dispute avec ma mère m'avait définitivement mise en retard et après avoir quitté la maison, pied au plancher, je m'étais arrêtée une quinzaine de minutes sur le bord de la route pour tenter de retrouver mon calme. Une relation avec Hank Millar ? Ma mère était-elle sadique ? Voulait-elle me pourrir la vie ? Peut-être les deux...

Je sortis le BlackBerry que je lui avais une fois de plus subtilisé et réalisai que j'avais manqué la première heure de cours. Il me restait dix minutes avant la sonnerie.

J'appelai Vee, pensant tomber sur sa messagerie.

— Âllôôô ? répondit-elle de sa voix la plus suave. C'est toi, mon ange ?

Elle plaisantait, mais je faillis trébucher.

Mon ange.

Les mots, comme une douce chaleur, coururent le long de ma peau. Une fois encore, le noir m'enveloppait comme un ruban brûlant, mais il ne s'arrêta pas là. L'intensité de la sensation me cloua sur place : je perçus une irrésistible caresse sur ma joue, suivie d'un effleurement enjôleur sur mes lèvres...

Tu es à moi, mon ange. Et je suis à toi. Rien ne peut changer cela.

— C'est dingue, soufflai-je.

L'obsession du noir était une chose, mais sentir ses caresses en était une autre. Je devais cesser de me torturer de la sorte, ou j'allais finir par en perdre la raison.

— Tu peux répéter ? demanda Vee.

— Euh, le parking, repris-je hâtivement. J'ai eu du mal à trouver une place.

— Devine qui commence sa matinée par un cours de sport ? Tu le crois, ça ? Je transpire comme un éléphant en rut et je dois passer le reste de la journée comme ça. Les gens qui décident des emplois du temps n'ont aucun respect pour l'hygiène, je te jure. Ni pour les frisottis.

— Pourquoi ne m'as-tu rien dit au sujet de Scott Parnell ?

J'avais opté pour une entrée en matière neutre avant de la cuisiner davantage. Son silence fut éloquent et confirma mes soupçons : elle m'avait volontairement caché certains éléments.

— Ah, oui, Scott, répondit-elle, embarrassée. Il y a Scott...

— La nuit où j'ai disparu, il a laissé une Volkswagen chez moi. C'est un détail qui t'a échappé, hier soir ? Ou bien tu n'as pas trouvé la chose suffisamment importante, curieuse même, pour m'en parler ? Je n'aurais jamais cru ça de toi, Vee !

Je l'entendis presque se mordre les lèvres.

— J'ai... peut-être omis quelques détails.

— Comme le fait qu'on m'ait tiré dessus, par exemple ?

— Je voulais t'épargner un choc, répliqua-t-elle. Tu as vécu quelque chose de traumatisant. C'est pire que ça, d'ailleurs. Et tu penses vraiment qu'en bonne copine, j'avais envie d'en remettre une couche ?

— Alors ?

— D'accord, d'accord. J'ai entendu dire que Scott t'avait offert cette voiture. Sans doute pour s'excuser de s'être comporté comme un sale macho.

— Développe, tu veux ?

— Tu te rappelles, à l'école, quand nos mères nous expliquaient que si un garçon nous embêtait, c'est parce qu'au fond, il nous aimait bien ? Il faut croire que sur le plan émotionnel, Scott n'a jamais dépassé le stade du CM2.

— Tu veux dire que je lui plaisais ? demandai-je d'un air dubitatif.

Maintenant que je l'avais prise sur le fait, je l'imaginais mal me mentir à nouveau. Cependant ma mère lui avait bourré le crâne avec l'idée que j'étais trop fragile pour entendre la vérité. Et Vee cherchait à gagner du temps.

— Assez pour te payer une voiture, oui.

— Étais-je en contact avec lui la semaine avant ma disparition ?

— La veille de ton enlèvement, tu t'es introduite chez lui pour fouiller sa chambre. Mais en dehors d'un plant de marijuana desséché, tu n'as rien découvert d'intéressant.

Enfin, on avançait !

— Qu'est-ce que je cherchais ?

— Je ne t'ai pas posé la question. Tu m'avais dit que ce Scott était cinglé, il ne m'en fallait pas davantage pour te suivre.

Je n'en doutais pas. Vee ne ratait jamais une occasion de faire des bêtises. Moi non plus d'ailleurs et c'était bien le problème.

— Je ne sais rien de plus, insista-t-elle. Je te le jure. Juré, craché.

— Ne t'avise plus de me cacher quoi que ce soit.

— Ça veut dire que tu me pardonnes ?

J'étais agacée, mais malgré moi je comprenais pourquoi elle m'avait menti. Il est normal qu'elle cherche à préserver sa meilleure amie, pensai-je. Dans d'autres circonstances, j'aurais peut-être admiré son geste et à sa place, j'aurais été tentée d'en faire autant.

— Ça va, ça va.

Au secrétariat, je m'apprêtais à me battre pour justifier ma première heure d'absence, mais la réaction de la surveillante me surprit.

— Nora ! minauda-t-elle après m'avoir observée des pieds à la tête. Comment vas-tu ?

— Je viens chercher mon emploi du temps, répondis-je, ignorant l'intonation mielleuse.

— Ah. Mon dieu, déjà ? Tu n'es pas obligée de te précipiter, tu sais, ma chérie. Nous en discutions avec les collègues ce matin même : tu devrais t'accorder une semaine ou deux pour...

Elle tenta vainement de formuler une expression politiquement correcte, faute de terme approprié. Me remettre ? M'adapter ? Pas vraiment...

— T'acclimater, articula-t-elle enfin.

Je voyais presque un néon clignoter au-dessus de sa tête. *Quel drame ! Pauvre petite ! Mieux vaut prendre des gants !*

Je posai mon coude sur le bureau et me penchai vers elle.

— Je sais que je suis prête, c'est ce qui compte, non ? Heureusement, dans ce lycée, on nous apprend à être indépendant, ajoutai-je avec humeur.

Elle ouvrit la bouche, puis se ravisa avant de retourner plusieurs dossiers sur sa pile.

— Attends, je suis certaine de l'avoir par ici... Ah ! Nous y voilà, reprit-elle en me tendant une feuille. Ça te paraît normal ?

J'observai l'emploi du temps, truffé d'options supplémentaires : histoire des États-Unis, littérature, santé, journalisme, anatomie et physiologie, cours de musique et maths intensives ? Quelle mouche m'avait piquée ? Avais-je souhaité ma propre perte en choisissant mes cours, l'année précédente ?

— C'est très bien, répliquai-je en soulevant mon sac avant de tourner les talons.

Je rejoignis le couloir mal éclairé. Les néons projetaient sur le sol une lueur blafarde. Je me répétai que j'étais en terrain connu. C'était mon lycée et j'y avais ma place. Je devais constamment me remémorer que j'étais en première, car je n'avais pas le souvenir d'avoir terminé mon année de seconde. Mais je me persuadai que cette sensation bizarre finirait par disparaître. Il le fallait.

La sonnerie retentit. Presque instantanément, les portes des salles s'ouvrirent et un flot d'élèves s'engouffra dans le couloir, se dirigeant vers les toilettes, les distributeurs de boissons ou les rangées de casiers. Je suivis le mouvement, la tête aussi haute que possible, regardant droit devant moi. Mais je sentis toutes les têtes se tourner vers moi. Tous me dévisageaient, clairement surpris. Ils savaient sans doute qu'on m'avait retrouvée, car la nouvelle s'était répandue dans les environs et le fait de me voir en chair et en os donnait corps à l'information. La curiosité se lisait dans leurs yeux. *Où était-elle ? Qui l'a kidnappée ? Quel genre de sévices sordides, inavouables a-t-elle subis ? Est-ce qu'elle ne se rappelle vraiment rien ?*

devait être la plus brûlante des questions. Elle fait semblant, c'est certain, devaient-ils se dire. *Comment peut-on
oublier plusieurs mois de sa vie ?*

J'ouvris le carnet que je tenais serré contre moi et fis
mine d'y chercher quelque chose d'important, comme
pour leur dire : je ne vous ai même pas remarqués. Je
me redressai, affichant une expression détachée. Presque
indifférente. Mais j'avais du mal à ne pas trembler. Je
pressai le pas, obnubilée par un seul objectif : les toilettes.
Je m'y faufilai et m'enfermai derrière la dernière porte
libre. Brusquement saisie de nausée, je m'adossai au mur
et me laissai glisser jusqu'au sol. Je ne sentais plus mes
bras, ni mes jambes. Mes lèvres demeuraient figées. Les
larmes coulaient sur mon menton, mais j'étais incapable
de faire un geste pour les essuyer.

J'avais beau fermer les yeux, tenter de chasser ces
visions, je revoyais leurs visages moqueurs, inquisiteurs.
Je n'étais plus l'une d'entre eux. Sans que je comprenne
pourquoi, ou comment, on m'avait mise à l'index.

Je demeurai quelques minutes immobile, afin de
retrouver mon calme et de contenir mes sanglots. Je
n'avais aucune envie d'aller en cours, mais je ne voulais
pas non plus rentrer chez moi. Ce que je voulais vraiment,
c'était l'impossible. Remonter le temps et obtenir une
deuxième chance. Repartir de zéro, depuis la nuit de mon
enlèvement.

Je m'étais à peine redressée qu'un murmure se glissa
à mon oreille, comme un souffle glacial.

Au secours.

La voix était faible, à peine audible. Je crus d'abord
l'avoir rêvée. Après tout, les hallucinations devenaient ma
spécialité.

Viens à mon secours, Nora.

En entendant mon nom, j'en eus la chair de poule. Figée, je tendis l'oreille. Le bruit semblait proche, mais j'étais seule dans les toilettes et il ne paraissait pas non plus provenir de l'extérieur.

Lorsqu'il en aura fini avec moi, je serai comme morte. Jamais je ne pourrai rentrer.

Cette fois, le gémissement se fit plus intense et plus désespéré. Je levai la tête vers la grille d'aération.

— Qui est là ? appelai-je d'une voix méfiante.

N'obtenant pas de réponse, je songeai aussitôt aux hallucinations annoncées par le Dr Howlett. En proie à une angoisse grandissante, je sus qu'il me fallait sortir de là. Refouler mes démons avant qu'ils ne me dépassent.

Je voulus repousser le loquet, mais une image se forma dans mon esprit, brouillant mon champ de vision. Un changement radical d'environnement s'opéra devant mes yeux. Je n'étais plus dans les toilettes du lycée, les carreaux au sol avaient disparu, laissant place à du béton. Au-dessus de moi, des poutres métalliques s'entrecroisaient au plafond, comme une toile d'araignée. Un pan de mur était occupé par des quais de chargement pour poids lourds.

Mon délire m'avait conduite dans... un entrepôt.

Il m'a coupé les ailes, gémit la voix. *Je ne peux plus voler, ni rentrer.*

Mais je ne voyais personne. Une ampoule nue pendait au-dessus d'un tapis roulant au centre de la pièce. À l'exception de cette machine, l'endroit était désert.

Un grondement résonna subitement et le tapis se mit en route. À l'autre extrémité du mécanisme, un fracas métallique se rapprochait.

— Non, soufflai-je, car je ne savais plus quoi dire d'autre.

J'agitai les mains devant moi, cherchant la porte des toilettes. J'étais victime d'une hallucination, exactement comme ma mère l'avait annoncé. Je devais l'ignorer et retrouver le monde réel. Mais le terrible cliquètement se rapprochait toujours.

Je m'écartai du tapis et battis en retraite jusqu'à heurter le mur en béton. Acculée, sans nulle part où me réfugier, je vis une cage en fer sortir de l'ombre. Elle tressautait au gré des vibrations du tapis et avança sous un flot de lumière. Une lueur bleutée, spectrale, nimbait ses barreaux, mais ce ne fut pas ce qui retint mon attention. Quelqu'un était accroupi à l'intérieur. Une fille, recroquevillée dans l'espace exigu qui pouvait à peine la contenir, agrippait les barreaux. Ses cheveux d'un noir bleuté étaient emmêlés, tombant en rideaux devant son visage. Derrière ses mèches en bataille, je distinguai ses yeux, comme deux orbes incolores. Une corde de ce même bleu étrange était attachée autour de son cou.

Aide-moi, Nora.

Je cherchais une échappatoire. Je songeai à passer par les plateformes de chargement, mais je craignais de m'empêtrer plus profondément encore dans ce cauchemar. Il fallait que je trouve ma propre porte de sortie. Celle que j'allais moi-même créer pour quitter cette vision et retourner dans les toilettes du lycée.

Ne lui donne pas la chaîne, implora la jeune fille en secouant violemment les barreaux de la cage. *Il pense qu'elle est en ta possession. S'il met la main sur cette chaîne, plus rien ne pourra l'arrêter. Je n'aurai plus le choix. Je devrai tout lui dire !*

J'étais en nage. Une chaîne ? Quelle chaîne ?

Il n'y a pas de chaîne, me persuadai-je. Cette fille et ce qu'elle raconte sont le fruit de ton imagination trop fertile. Refoule-les. REFOULE-LES !

Une sonnerie stridente retentit.

Aussitôt, mon rêve s'évanouit. Juste devant mon nez se trouvait la porte des toilettes, constellée de graffitis : M. *SARRAFF EST NUL. B.L. + J.F = ?* Je tendis la main et effleurai les sillons creusés au stylo. Ils étaient réels. Submergée par le soulagement, je m'effondrai.

Des voix résonnèrent alors du côté des lavabos. Ces intonations normales, joyeuses et bavardes ne firent qu'accentuer mon malaise. Par un interstice, je vis trois filles se placer devant les miroirs, pour se recoiffer ou remettre une touche de gloss.

— Ça vous dirait de louer un film et de commander des pizzas, ce soir ? proposa l'une d'elles.

— Pas possible, les filles. Ce soir, c'est juste Susanna et moi, répondit celle du milieu.

Je reconnus cette voix. Marcie Millar réajustait sa queue-de-cheval à l'aide d'un élastique à fleurs.

— Tu nous laisses tomber pour ta mère ? Pas cool.

— Il va falloir t'y faire, répliqua Marcie.

Les deux filles qui l'entouraient affichèrent un air boudeur. Il me sembla apercevoir Addyson Hales et Cassie Sweeney. Addyson, comme Marcie, faisait partie de l'équipe des pom-pom girls. Quant à Cassie, j'avais un jour entendu Marcie prétendre que leur amitié était basée sur le simple fait qu'elles habitaient le même quartier. En d'autres termes, elles avaient le même style de vie... de pestes trop gâtées.

— Arrêtez, les filles, coupa Marcie, clairement flattée par leur insistance. Ma mère a besoin de moi en ce moment. C'est une soirée entre filles.

— Elle doit être complètement déprimée, observa celle que je pensais être Addyson.

— Tu plaisantes ? Elle a gardé la maison, elle est toujours membre du club nautique. Et elle a réussi à se faire offrir par mon père une Lexus SC10. Cette voiture est a-do-raaable. Je vous jure, la moitié des célibataires de la ville ont déjà trouvé le moyen de l'appeler ou de passer chez nous, énuméra Marcie en comptant sur ses doigts, comme si elle récitait une leçon.

— Elle est tellement belle, soupira Cassie.

— Exactement. Même si mon père retrouve quelqu'un, il perdra au change.

— Il sort avec quelqu'un ?

— Pas encore. Ma mère a des copines dans chaque recoin de la ville et personne n'a rien remarqué. Au fait, ajouta-t-elle d'un air conspirateur. Vous savez la nouvelle ? Au sujet de Nora Grey ?

En l'entendant prononcer mon nom, je sentis mes genoux se dérober et m'appuyai contre le mur.

— Ils l'ont retrouvée dans le cimetière et il paraît qu'elle ne se souvient de rien, reprit Marcie. Elle est tellement perturbée qu'elle a même tenté de fuir la police... pensant qu'ils la poursuivaient.

— D'après ma mère, son ravisseur a dû lui laver le cerveau, ajouta Cassie. Imagine un cinglé, qui la persuaderait qu'ils sont mariés...

— Beuuuurk ! s'écrièrent les filles à l'unisson.

— Enfin, quoi qu'il en soit, elle se traîne une sacrée casserole, observa Marcie. Elle prétend qu'elle ne se rappelle rien, mais inconsciemment, elle sait ce qui lui est arrivé. Elle gardera ce poids le restant de sa vie, c'est comme si elle avait une pancarte sur le front : « attention, fille paumée ».

Elles éclatèrent de rire.

— Les filles, conclut Marcie, on ferait mieux d'y aller. La surveillante ne veut plus me donner de billets de retard et elle les garde dans un tiroir fermé à clé. La garce.

J'attendis quelques minutes, le temps de m'assurer qu'elles étaient retournées en cours et ne traîneraient plus dans les couloirs, puis je filai vers la sortie. Je quittai le bâtiment d'un pas pressé et franchis le portail, avant de traverser en courant le parking.

Une fois dans la voiture, je me demandai comment j'avais pu imaginer arriver au lycée comme une fleur et reprendre ma vie là où je l'avais laissée.

Car c'était bien le problème. La vie n'était plus là où je l'avais laissée.

Elle avait continué sans moi.

7.

Pour le dîner au restaurant, je choisis une robe ample à motifs et des ballerines.

C'était faire beaucoup d'honneur à Hank, mais j'avais un plan et deux objectifs. D'abord, leur faire regretter de m'avoir invitée et ensuite leur expliquer tout le bien que je pensais de leur relation. Je préparai mentalement un monologue acerbe, que je comptais débiter debout et tout fort, avant de jeter le contenu de mon verre à la figure de Hank. Ce soir, au mépris de la bienséance, j'allais voler à Marcie son titre de reine des pestes.

Mais avant cela, il me fallait amadouer les deux tourtereaux et les persuader que j'étais dans de bonnes dispositions. Si je sortais de ma chambre l'écume aux lèvres, vêtue d'un tee-shirt scandant un message haineux, mon plan tomberait immédiatement à l'eau.

Je passai plus d'une demi-heure sous la douche, gommage et épilation compris, et dorlotai ma peau encore couverte d'égratignures en l'enduisant d'huile corporelle. Les petites coupures et les bleus cicatrisaient rapidement, mais ces marques dérangeantes me rappelaient sans cesse ce que j'avais pu vivre durant ma captivité. À mon arrivée à l'hôpital, l'état crasseux de mes vêtements semblait indiquer qu'on m'avait retenue prisonnière dans un bois.

Dans un endroit si reculé qu'aucun promeneur n'aurait pu me retrouver. Dans un environnement si hostile que mes chances de survie auraient été quasi nulles si j'avais tenté de fuir.

Pourtant, il avait fallu que je m'échappe. Sinon, comment serais-je rentrée chez moi ? Comme pour étayer mes spéculations, je visualisai les immenses forêts denses qui s'étendaient à la frontière du Maine et du Canada. Je n'avais aucune preuve de ce que j'avançais, mais cela me paraissait logique. Je m'étais enfuie et, contre toute attente, je m'en étais sortie. C'était la seule théorie plausible.

Avant de quitter la salle de bains, j'hésitai devant le miroir et relevai finalement mes cheveux. Plus longs, ils m'arrivaient dans le dos. Le soleil d'été avait éclairci les mèches, leur donnant une couleur caramel. J'avais donc passé du temps à l'extérieur. Et mon léger hâle n'était certainement pas dû à un séjour prolongé dans une cabine d'UV. Je songeai brièvement à racheter du maquillage, mais me ravisai aussitôt. Je ne voulais pas d'une nouvelle apparence, mais plutôt retrouver l'ancienne.

Je rejoignis Hank et ma mère en bas, dans l'entrée. Un rapide regard me conforta immédiatement dans mon opinion : Hank était un Ken grandeur nature avec ses yeux bleus et froids, un bronzage factice et une raie de côté impeccable. Seule sa silhouette frêle détonnait. Dans un combat à mains nues, Ken l'aurait emporté haut la main.

— Tu es prête ? demanda ma mère qui s'était mise sur son trente-et-un.

Je remarquai le pantalon à pince, le chemisier et le châle en soie, mais surtout l'absence flagrante de son alliance à l'annulaire, où l'on ne devinait plus qu'une auréole blanche.

— Je prends ma voiture, décidai-je soudain.

— Marcie est pareille, déclara Hank en serrant affectueusement mon épaule, sans que je puisse me dégager. Maintenant qu'elle a son permis, on ne l'arrête plus. Ta mère et moi te retrouverons sur place, ajouta-t-il avec un geste compréhensif.

Je me retins de répliquer que l'obtention de mon permis n'avait rien à voir là-dedans et que sa seule présence suffisait à m'indisposer, et je me tournai vers ma mère.

— Tu me prêtes un peu d'argent pour faire le plein ? Le réservoir est presque vide.

— À vrai dire, reprit ma mère avec un regard appuyé à Hank, j'aurais aimé que nous profitions du trajet pour discuter un peu. Viens avec nous et je te donnerai de quoi faire le plein demain.

Elle n'éleva pas la voix, mais le ton était clair : elle ne me laissait pas le choix.

— Sois gentille et fais plaisir à ta mère, intercéda Hank avec un sourire d'une blancheur éclatante.

— Nous aurons tout le temps de bavarder durant le dîner, je ne vois pas en quoi m'y rendre seule peut être gênant.

— Certes, mais tu vas quand même monter avec nous. Parce que je n'ai plus un centime sur moi. Pour mémoire, je viens de te racheter un mobile et ça n'était pas vraiment donné.

— Tu n'as qu'à me passer ta carte de crédit, proposai-je, bien que je connusse déjà la réponse.

Contrairement à la mère de Vee, la mienne ne me laissait jamais sa carte bleue et je n'avais pas le culot de la lui « emprunter ». J'aurais pu payer l'essence moi-même, mais je n'avais pas l'intention de céder. Avant qu'elle ait pu refuser, je tentai autre chose :

— Hank pourrait certainement me prêter vingt dollars. Pas vrai, Hank ?

Rejetant la tête en arrière, il éclata de rire, mais son regard trahit son agacement.

— Ta fille est dure en affaires, Blythe. Quelque chose me dit qu'elle n'a pas hérité de ton caractère facile et réservé.

— Nora, ne te montre pas grossière ! Et cesse de monter cette histoire en épingle. Un trajet en voiture avec nous ne te tuera pas.

N'en sois pas si sûre, grinçai-je intérieurement en toisant Hank, regrettant qu'il ne puisse lire dans mes pensées.

Avant que j'aie pu répliquer, il ouvrit la porte et nous entraîna à l'extérieur.

— C'est ta voiture, Nora ? La Volkswagen ? Quand tu voudras en changer, passe donc au garage. Pour le même prix, j'aurais pu t'avoir une Celica décapotable.

— C'était un cadeau de l'un de ses amis, expliqua ma mère.

Hank émit un sifflement admiratif

— Tu as des amis généreux, on dirait.

— Il s'appelle Scott Parnell. Un vieil ami de la famille.

— Scott Parnell, tu dis ? demanda Hank en tapotant ses doigts sur ses lèvres. Ce nom m'est familier. Ses parents sont de Coldwater ?

— Sa mère, Lynn, habite Deacon Road, mais Scott a quitté la ville durant l'été.

— Intéressant. Sais-tu où il est allé ?

— Quelque part dans le New Hampshire. Pourquoi, tu le connais ?

Hank répondit par un signe de tête négatif.

— Le New Hampshire, c'est un petit coin de paradis, murmura-t-il d'un air songeur.

Sa voix suave me tapait sur les nerfs. Sans parler du fait qu'il aurait pu passer pour le jeune frère de ma mère. C'était troublant. Sous une barbe naissante, qui couvrait le bas de son visage, je devinais un teint clair et quelques rares rides d'expression. J'avais déjà envisagé que ma mère puisse fréquenter quelqu'un, ou même se remarier, mais j'aurais préféré la voir au bras d'un homme distingué. Dans son costume gris, Hank Millar avait plutôt des airs de gigolo.

Hank trouva une place derrière le restaurant. Tandis que je descendais, la sonnerie stridente de mon portable flambant neuf retentit. J'avais envoyé mon nouveau numéro à Vee, déjà sur le pied de guerre.

MA BELLE ! JE SUIS CHEZ TOI. T OÙ ?

—Je vous rejoins, annonçai-je en levant mon téléphone. J'ai un message à envoyer.

Avec un regard noir, ma mère m'avertit de me dépêcher et prit le bras de Hank.

DEVINE OÙ JE SUIS ? tapai-je sur le clavier.

1 INDICE ?

TU JURES DE NE RIEN DIRE ?

POURQUOI DEMANDER ?

AU RESTO AVEC LE PÈRE DE MARCIE

?#?@#$?!!!

MA MÈRE SORT AVEC LUI

VENDUE ! IMAGINE S'ILS SE MARIENT, TOI & MARCIE...

MERCI DE ME REMONTER LE MORAL !

ILS SONT AVEC TOI, LÀ ?

NON. ILS SONT RENTRÉS. SUIS SUR LE PARKING DE COOPERSMITH.

COOPERSMITH, CARRÉMENT ! IL EST TROP SNOB POUR LA PIZZERIA.

JE VAIS FAIRE EXPLOSER L'ADDITION. SI TT VA BIEN, JE LUI JETTE SON VERRE À LA FIGURE D'ICI LA FIN DU REPAS.

OUBLIE-LE. JE VIENS TE CHERCHER. IL FAUT QU'ON PARLE. ÇA FAIT TROP LONGTEMPS. JE VEUX TE VOIR !

PEUX PAS. DOIS RESTER AVEC EUX SINON MA MÈRE PIQUE UNE CRISE.

TU ME LAISSES TOMBER ?

OBLIGATION FAMILIALE. PEUX PAS Y COUPER.

J'AI DIT : VEUX TE VOIR !

MOI AUSSI. T'ES LA MEILLEURE, TU LE SAIS ?

Y'A INTÉRÊT !

RDV @ ENZO DEMAIN POUR DÉJ. À MIDI ?

ÇA MARCHE.

Je rangeai mon portable et traversai l'allée de gravillons pour rejoindre le restaurant. À l'intérieur, l'ambiance était rustique, virile avec des lumières tamisées, des murs de brique, des banquettes en cuir rouges et des appliques en bois de cerfs. Une odeur de grillades régnait dans la salle et, du côté du bar, la télévision allumée diffusait à plein volume les résultats sportifs. Je m'approchai de la réceptionniste.

— Excusez-moi, je rejoins deux personnes qui viennent de s'installer. La réservation est au nom de Millar.

— Bien sûr, répondit-elle avec un large sourire. Hank vient d'arriver. C'est un vieil ami de ma famille : mon père et lui jouaient ensemble au golf. Nous sommes très proches... Je suis ravie qu'il se remette à voir des gens. Son divorce l'a sans doute miné...

Le commentaire de Marcie me revint en mémoire. Si elle disait vrai et que sa mère avait des amis dans tous les coins de la ville, j'espérais que ce restaurant échapperait à leur surveillance et que la nouvelle de ce dîner avec ma mère ne s'ébruiterait pas.

— Ça dépend du point de vue..., marmonnai-je.

— Oh, bien sûr, se reprit la jeune femme. C'est mal venu de ma part. Je suis certaine que son ex-femme ne voit pas les choses de la même manière. Ma remarque était déplacée. Par ici, je vous prie.

Elle m'avait mal comprise, mais mieux valait ne pas relever. Je la suivis le long du bar et, descendant quelques marches, je rejoignis la salle du restaurant en contrebas. Des clichés en noir et blanc de gangsters célèbres ornaient les murs. En guise de décoration, des écoutilles en cuivre étaient encastrées dans les tables et, à en croire les rumeurs, le sol en ardoise avait été chiné en France, dans un château du XVIe siècle. Hank semblait apprécier les antiquités.

En me voyant arriver, il se leva. Quel gentleman ! Si seulement il avait su ce que je lui réservais...

— C'était Vee ? demanda ma mère.

Je me laissai tomber sur mon siège et, pour éviter le regard de Hank, me plongeai dans la lecture de la carte.

— Oui.

— Comment va-t-elle ?

— Bien.

— Elle n'a pas changé, je parie.

J'acquiesçai vaguement.

— Vous devriez vous voir, ce week-end, suggéra-t-elle.

— Déjà prévu.

Ma mère examina à son tour le menu.

— Eh bien, tout me paraît succulent. Difficile de choisir ! Sais-tu ce que tu vas prendre, Nora ?

J'épluchais la colonne de prix, cherchant le plus exorbitant, lorsque Hank se mit à toussoter en desserrant sa cravate, comme s'il avait avalé de travers. Je suivis son regard éberlué et aperçus Marcie Millar à l'entrée du restaurant en compagnie de sa mère. Susanna Millar accrocha sa veste au porte manteau et suivit avec sa fille la réceptionniste qui les installa quelques tables plus loin.

Susanna nous tournait le dos. J'étais presque certaine qu'elle ne nous avait pas remarqués. Marcie en revanche, assise en face de sa mère, leva les yeux et faillit lâcher le verre d'eau qu'on venait de lui apporter. Son regard sidéré passa de son père à ma mère avant de s'arrêter sur moi.

Elle se pencha en avant et murmura quelques mots à Susanna, qui parut se raidir.

Saisie d'un mauvais pressentiment, j'observai Marcie repousser violemment sa chaise. Sa mère tenta de la retenir par le bras, mais elle fut trop rapide.

— Alors ? s'exclama-t-elle en s'approchant. On passe une bonne soirée ?

Hank s'éclaircit la gorge, puis jeta à ma mère un regard contrit.

— Tu veux que je te dise, Papa ? poursuivit sa fille d'une voix curieusement guillerette.

— Marcie, coupa Hank d'un ton de reproche.

— Maintenant que tu es de nouveau célibataire, tu vas devoir surveiller tes fréquentations.

Malgré ses bravades, je notai que le bras de Marcie tremblait légèrement. De colère peut-être, mais je penchais plutôt pour la peur.

— Marcie, je te demande de rejoindre ta mère et de profiter de votre dîner, siffla son père sans desserrer les dents. Nous parlerons de tout cela plus tard.

Mais Marcie ne s'avoua pas vaincue et poursuivit, les yeux rivés sur ma mère :

— Écoute, Papa, cela va sans doute te paraître injuste, mais je dis cela pour ton bien. Certaines femmes sont des croqueuses de diamants. Elles s'intéressent à toi uniquement pour ton argent.

J'étais outrée. À l'entendre, on aurait pu croire que sa famille avait un pedigree et une fortune colossale, mais son père n'était qu'un simple concessionnaire ! Il y avait peut-être de quoi impressionner la population de Coldwater, mais certainement pas ma mère. Si elle avait été véritablement motivée par l'argent, elle aurait pu faire mieux, beaucoup mieux que ce vulgaire vendeur de voitures.

— Et chez *Coopersmith*, en plus ! renchérit Marcie qui ne cachait plus son dégoût. Quelle mesquinerie ! C'était notre restaurant. Nous y avons fêté des anniversaires, des soirées avec tes employés, toutes sortes d'occasions particulières. Vraiment, c'est de mauvais goût.

Hank ferma les yeux, excédé.

— C'est moi qui ai choisi cet endroit, Marcie, intervint calmement ma mère. J'ignorais qu'il avait autant d'importance pour ta famille.

— Restez en dehors de ça, rétorqua Marcie. C'est une conversation entre mon père et moi. Mêlez-vous de vos affaires.

Je me levai brusquement.

— Où sont les toilettes ? demandai-je avec un regard complice à ma mère.

Je lui offrais l'occasion de s'éclipser, car tout cela ne nous concernait pas. Si Marcie et son père voulaient en découdre, c'était leur problème, mais je n'avais pas l'intention de me donner en spectacle. Mais Marcie me prit de court :

— Je viens avec toi.

Avant que j'aie pu trouver une excuse, elle m'attrapa par le bras et m'entraîna vers le fond de la salle.

—Tu peux m'expliquer à quoi tu joues ? demandai-je, lorsque nous nous fûmes éloignées.

—Disons que c'est une trêve, déclara-t-elle.

Cette conversation devenait surréaliste.

—Une trêve ? Et combien de temps va-t-elle durer ?

—Jusqu'à ce que mon père rompe avec ta mère ?

—Bon courage, grommelai-je.

Elle lâcha mon bras et nous pénétrâmes dans les toilettes du restaurant. Une fois la porte fermée, elle s'assura que nous étions seules avant de poursuivre :

—Ne fait pas semblant. Je t'ai bien vue, avec eux. Tu paraissais prête à vomir dans ton assiette.

—Où veux-tu en venir ?

—Nous avons un intérêt commun.

J'éclatai de rire.

—Tu as peur de t'allier avec moi ?

—Disons que je me méfie. Je n'aime pas particulièrement me faire poignarder dans le dos.

—Je ne ferais pas ça. Pas dans une situation aussi grave, ajouta-t-elle avec un geste impatient.

—Note pour plus tard : Marcie ne trahit les gens que sur des points de détail.

Elle se hissa sur le rebord du lavabo et m'observa de haut, avec un regard condescendant.

—C'est vrai que tu ne te souviens de rien ? Cette histoire d'amnésie, c'est sérieux ?

Reste calme, pensai-je.

—Tu m'as traînée jusqu'ici pour parler de nos parents, ou c'est moi qui t'intéresse ?

—Donc s'il s'était passé quelque chose, entre nous, ça t'échapperait, n'est-ce pas ? demanda-t-elle d'un air songeur. Ça serait comme si... ça n'était jamais arrivé. Du moins, pour toi...

Elle me fixait, guettant ma réaction. Je levai les yeux au ciel, de plus en plus agacée.

— Alors, crache le morceau ! Que s'est-il passé « entre nous » ?

— C'est purement hypothétique.

Je n'y crus pas une seconde. Avant ma disparition, Marcie m'avait certainement humiliée une fois de plus et maintenant qu'elle avait besoin de moi, elle espérait s'en tirer à bon compte. Quoi qu'elle ait pu me faire, j'étais presque soulagée de ne pas m'en souvenir. J'avais des problèmes bien plus importants à régler que ses mesquineries.

— Alors, c'est vrai, conclut-elle sans triomphe ni regret. Tu ne te rappelles vraiment rien ?

J'hésitai, à court de répartie. Et je préférais éviter qu'elle me surprenne à mentir.

— Mon père dit que tu as complètement oublié les cinq derniers mois. Pourquoi ton amnésie remonte-t-elle si loin ? Pourquoi ne se limite-t-elle pas à la période de ton enlèvement ?

Marcie était bien la dernière personne avec qui j'aurais voulu discuter de ce sujet.

— Je n'ai pas le temps pour ce genre de bavardages, répliquai-je, perdant patience. Je retourne à ma table.

— Je m'informe, rien de plus.

— Tu réalises que tout cela ne te regarde absolument pas ? grinçai-je en me dirigeant vers la porte.

— Donc, tu prétends ne pas te souvenir de Patch ?

Patch.

À peine eut-elle prononcé ce nom que le noir emplit mon champ de vision. L'image s'évanouit presque instantanément, mais me laissa une étrange impression, cuisante et choquante. Comme une gifle, si violente qu'elle me coupa le souffle et résonna dans tout mon corps. Je connaissais ce nom. Il m'était familier...

— Qu'est-ce que tu as dit ? murmurai-je en me retournant lentement.

— Tu m'as bien entendu : Patch.

Je tentai vainement de dissimuler ma surprise et ma perplexité.

— Ah ah...

Devant ma vulnérabilité, elle ne jubilait pourtant pas. J'aurais dû m'en aller, mais cette vague sensation de déjà-vu me clouait sur place. En poursuivant cette conversation, avais-je une chance de me souvenir ? En faisant durer l'impression, un indice pourrait me revenir.

— Tu vas continuer longtemps avec tes « ah ah », ou tu comptes m'expliquer ?

— Patch t'a donné quelque chose, cet été, déclara-t-elle sans détour. Quelque chose qui m'appartient.

— Qui est Patch ? demandai-je enfin.

Marcie cherchait à me manœuvrer, c'était évident. Je devais obtenir quelques éléments de réponse, même s'il m'était difficile de rattraper cinq mois d'ombre entre deux portes.

— Un type avec qui je sortais. Une histoire de vacances, quoi.

Une émotion nouvelle, curieusement proche de la jalousie, me submergea, mais je la refoulai obstinément. Marcie et moi ne pourrions jamais nous intéresser au même garçon ! Elle était attirée par les gens superficiels, médiocres et égocentriques, ce qui n'était pas vraiment ma tasse de thé.

— Et que m'a-t-il donné ?

L'idée paraissait aberrante. Je m'imaginais mal avoir un quelconque contact avec le petit ami de Marcie. Nous n'avions ni les mêmes amis, ni les mêmes centres d'intérêt, ni les mêmes activités. En résumé, nous n'avions rien à nous dire.

— Une chaîne en argent.

Oubliant ma méfiance, je savourai mon triomphe en lui servant un sourire compatissant.

— Ma pauvre Marcie. Navrée d'être franche, mais un garçon qui offre des bijoux à une autre fille, c'est mauvais signe...

Elle éclata d'un rire si narquois qu'il me mit une fois de plus mal à l'aise.

— Tu es tellement à côté de la plaque, je n'arrive pas à décider si c'est triste ou simplement comique.

Je croisai les bras, feignant l'agacement, mais à la vérité, j'eus soudain très froid. Un froid glaçant et qui n'était pas dû à la température de la pièce. Cette confrontation avec Marcie me donnait un avant-goût de ce qui se préparait.

— Je n'ai pas cette chaîne.

— C'est ce que tu crois, parce que tu ne t'en souviens pas. Mais je suis certaine que tu l'as gardée. Elle se trouve probablement dans ta boîte à bijoux. Tu avais promis à Patch de me la rendre, ajouta-t-elle en me tendant un morceau de papier. Voilà mon numéro. Appelle-moi quand tu l'auras retrouvée.

Je pris le papier, mais ne comptais pas me laisser embobiner aussi facilement.

— Pourquoi ne te l'a-t-il pas remise lui-même ?

— Nous étions toutes les deux amies avec lui. Quoi ? rétorqua-t-elle en voyant mon air sceptique. Il faut une première à tout.

— Je n'ai pas ce collier, répétai-je fermement.

— Si et je veux le récupérer.

Pourquoi se montrait-elle aussi catégorique ?

— Si j'ai un peu de temps ce week-end, je jetterai un œil.

— Si tu pouvais le faire rapidement, ça m'arrangerait.

— Je suis très occupée. C'est à prendre ou à laisser.

— Tu te prends un peu au sérieux, non ? répliqua-t-elle en agitant les bras.

Je la regardai avec un sourire insistant, réprimant un geste plus grossier.

— Tu sais Marcie, j'ai peut-être oublié les cinq derniers mois, mais les seize années précédentes sont limpides. Particulièrement celles où j'ai dû te supporter.

— Ah, donc tu cherches à te venger. Que c'est puéril !

— C'est une question de principe. Je n'ai aucune confiance en toi, car tu n'as jamais rien fait pour cela. Si tu veux que ça change, il va falloir me persuader.

— Ce que tu peux être cruche ! Essaie de te rappeler ! Patch avait réussi à nous rapprocher. Tu es même venue à ma fête, juste avant l'été ! Renseigne-toi, on te le confirmera. Je t'avais invitée en tant qu'amie. Patch m'a fait voir une facette de ta personnalité que je ne connaissais pas.

— J'étais présente à l'une de tes soirées ? demandai-je, de plus en plus sceptique.

Cependant, pourquoi m'aurait-elle menti ? Il me suffisait effectivement d'interroger quelques personnes. Pourquoi raconter une histoire qu'il était si facile de démentir ?

— Je t'assure, ajouta-t-elle comme si elle devinait mes pensées, vérifie ! Appelle les gens du lycée, tu verras bien.

Là-dessus, elle passa son sac sur son épaule et quitta les toilettes d'un pas chaloupé.

Médusée, je considérai une hypothèse aussi surprenante que démoralisante. Marcie avait-elle dit vrai ?

Ce Patch était-il parvenu à effacer des années d'inimitié pour nous rapprocher l'une de l'autre ? L'idée paraissait grotesque et il allait me falloir des preuves. Plus que jamais, la mémoire me faisait défaut et cette absence de souvenir m'irritait d'autant plus qu'elle donnait l'avantage à Marcie.

Et si ce Patch était à la fois une histoire de vacances et un ami commun, où était-il à présent ?

En regagnant la salle, je remarquai que Marcie et sa mère avaient disparu. Avaient-elles changé de place ou quitté purement et simplement le restaurant ?

Je m'approchai de notre table, mais m'arrêtai net en voyant Hank et ma mère échanger un regard tendre, main dans la main. Autour d'eux, le monde avait cessé d'exister. Lorsque Hank tendit le bras pour repousser l'une de ses mèches derrière son oreille, ma mère rougit de plaisir.

Sans même m'en rendre compte, je m'étais éloignée à reculons, écœurée. Cette scène était un insupportable cliché, mais elle n'en était pas moins réelle. Jeter le verre à la figure de Hank ne m'aurait avancée à rien. Sinon à devenir moi-même une petite peste prête à leur gâcher la soirée.

Sans réfléchir, je me dirigeai vers la porte du restaurant. En croisant une serveuse, je lui demandai à la hâte d'avertir ma mère, prétextant que mon amie Vee me ramenait chez moi. Les yeux embrumés par les larmes, je sortis en courant dans la nuit.

Après quelques profondes inspirations, je sentis mon cœur retrouver un rythme normal et ma vue redevint plus nette. Au-dessus de moi, quelques timides étoiles scintillaient tandis que les dernières lueurs du jour disparaissaient à l'ouest. L'air était frais, suffisamment pour me faire regretter ma veste, oubliée sur mon siège. Mon téléphone se trouvait dans la poche, mais je n'avais pas l'intention de retourner les chercher. Puisque j'avais survécu trois mois sans portable, une nuit de plus ne changerait pas grand-chose.

Au loin, j'aperçus l'enseigne lumineuse d'une supérette. Il n'était guère prudent d'arpenter les rues seule le soir, mais je ne pouvais pas passer le restant de mes jours dans la peur. Si certaines victimes d'attaques de requin pouvaient remettre un pied dans l'océan, j'étais parfaitement capable de parcourir quelques centaines de mètres. Cette partie de la ville était sûre et bien éclairée, soit le parfait environnement pour affronter mes angoisses.

La clochette tinta lorsque je poussai la porte du magasin, perdue dans mes pensées. Plusieurs secondes s'écoulèrent avant que je réalise que quelque chose n'allait pas. La boutique était étrangement calme. Je savais pourtant que je n'étais pas seule, car en traversant le parking, j'avais cru apercevoir quatre silhouettes au travers de la vitrine. Comment avaient-elles pu disparaître aussi rapidement ? Il n'y avait plus personne derrière la caisse. Jamais je n'avais vu un magasin laissé sans surveillance. De nuit, c'était presque une incitation au cambriolage.

— Bonsoir ? appelai-je.

J'arpentai les allées mal rangées, où l'on trouvait pêle-mêle paquets de gâteaux et articles de parapharmacie.

— Il y a quelqu'un ? J'ai besoin de monnaie pour la cabine téléphonique.

Un murmure étouffé me parvint du fond du magasin. Je m'approchai du couloir obscur, qui menait sans doute vers les toilettes. Je tendis l'oreille, pensant avoir mal entendu. Depuis que les fausses alertes se multipliaient, je redoutais constamment de nouvelles hallucinations.

Silence

Puis je perçus un autre bruit. Le léger grincement d'une porte qu'on ferme. Certaine que le son était réel, je compris que quelqu'un était caché au fond de la boutique.

Saisie par l'angoisse, je me précipitai à l'extérieur vers la cabine et composai le numéro d'urgence. J'eus à peine le temps d'entendre la tonalité qu'une main surgie de nulle part coupa la communication.

8.

Je me retournai brusquement. Il me dépassait d'une bonne tête et comptait quelques kilos de muscles de plus que moi. Les lumières du parking éclairaient faiblement ce coin de la rue, mais je notai quelques signes distinctifs.

D'abord, des cheveux blonds tirant sur le roux, coiffés en piques, des yeux d'un bleu limpide, des piercings aux deux oreilles et un pendentif en dent de requin. Ensuite, une légère acné sur la partie inférieure du visage et un tatouage sur le biceps représentant un dragon crachant des flammes.

— Besoin d'aide ? susurra-t-il du bout des lèvres.

Il me tendit son portable et se pencha vers moi en s'appuyant contre la cabine, me collant d'un peu trop près. Son sourire narquois, presque condescendant, n'augurait rien de bon.

— Je ne vais pas laisser une jolie fille gâcher son argent pour un coup de fil.

Je ne répondis rien et il fronça les sourcils.

— À moins bien sûr que ce ne soit un appel gratuit, observa-t-il en se frottant la joue d'un air songeur. Or le seul numéro gratuit qu'on peut joindre d'une cabine, c'est... la police.

Son expression angélique s'évanouit aussitôt. J'osais à peine respirer.

— Je n'ai vu personne derrière la caisse dans le magasin. J'ai pensé qu'il y avait un problème.

Car à l'évidence, un problème se posait. Si ce type voulait m'empêcher d'appeler la police, c'est parce qu'il redoutait qu'on le surprenne... en plein braquage, peut-être ?

— Je vais tâcher d'être clair, énonça-t-il lentement en approchant son visage du mien, comme s'il parlait à une enfant. Tu remontes dans ta voiture et tu files loin d'ici.

Je compris qu'il ne m'avait pas vue arriver à pied. Mais ce détail m'échappa lorsque des bruits de pas résonnèrent dans la ruelle. Une volée de jurons précéda un grognement de douleur.

J'évaluai mes options. J'aurais pu écouter Dent de requin et m'esquiver en feignant de n'avoir rien vu ni entendu. J'aurais pu rallier la station-service la plus proche et prévenir la police. Mais le temps d'arriver jusque-là, il serait peut-être trop tard. Si ce type et ses acolytes braquaient véritablement la supérette, ils ne s'attarderaient sans doute pas. La troisième possibilité était de tenir ma position et de faire une tentative de diversion. Une idée aussi stupide que courageuse.

— Qu'est-ce que vous fabriquez, là-bas ? demandai-je innocemment, avec un signe de tête en direction du magasin.

— Jette un œil autour de toi, murmura-t-il d'une voix doucereuse. L'endroit est désert. Personne ne sait que tu es là et personne ne t'a vue passer. Maintenant, sois une gentille fille et remonte dans ta voiture.

— Je..., bafouillai-je.

Il posa un doigt sur mes lèvres.

— Je ne te le redirai pas.

L'intonation suave, proche du flirt, détonnait avec son regard glaçant.

Je pris le premier prétexte qui me traversa l'esprit :

— J'ai oublié mes clés près de la caisse, quand je suis entrée.

Il me saisit par le bras et m'entraîna vers la supérette. J'avais du mal à suivre son pas de géant et cherchais désespérément une excuse à lui servir lorsqu'il s'apercevrait que j'avais menti. J'ignorais comment il réagirait et je préférais ne pas le savoir, car mon estomac faisait déjà des bonds.

Il poussa violemment la porte et la clochette trembla. M'attirant vers la caisse, il balaya d'un revers de main un présentoir de baumes à lèvres et un bol en plastique rempli de porte-clés. Ne trouvant pas de trousseau, il passa à la deuxième caisse et répéta l'opération avant de soudain s'immobiliser.

— Tu voudrais me dire où sont ces clés ? me lança-t-il en se retournant lentement vers moi.

Si je partais en courant, parviendrait-il à me rattraper ? Quelles étaient les chances qu'une voiture arrive à l'instant précis où je sortirais de la boutique ? Pourquoi, *pourquoi* avais-je quitté le restaurant sans ma veste et mon portable ?

— C'est quoi, ton petit nom ?

— Marcie, répondis-je du tac au tac.

— Laisse-moi t'expliquer, Marcie…, dit-il en accrochant une mèche rebelle derrière mon oreille.

Je tentai de reculer, mais il me saisit par l'oreille. Je demeurai figée, répugnée par son contact, tandis qu'il glissait son doigt le long de ma mâchoire jusque sous mon menton pour m'obliger à le regarder dans les yeux, ces yeux si pâles, presque translucides.

—On ne raconte pas d'histoire à Gabe. Si Gabe demande à une fille de passer son chemin, elle a intérêt à obéir. Sinon, Gabe se fâche et c'est là que ça devient dangereux, parce que Gabe a mauvais caractère. Et quand je dis « mauvais », c'est un euphémisme. Tu piges ?

Si sa tirade à la troisième personne n'avait pas été aussi malsaine, j'aurais éclaté de rire. Mais je m'abstins de tout commentaire. « Gabe » n'aimait pas non plus qu'on le contredise, ni qu'on le pousse dans ses retranchements.

—Je... je suis désolée.

Comme face à un chien enragé, je craignais de lui tourner le dos.

—Je veux que tu disparaisses. Et tout de suite, poursuivit-il de sa voix de velours.

Je hochai la tête et m'éloignai à reculons. Mon bras heurta la porte qui s'ouvrit, laissant passer un courant d'air. Dès que je fus sortie, Gabe, accoudé au comptoir, me lança avec un sourire :

—Dix.

Sans comprendre ce qu'il cherchait à me dire, je continuai à reculer d'un pas plus pressé.

—Neuf.

C'était donc ça. Dix secondes pour filer.

—Huit.

Il s'approcha de la vitrine, avant de poser les mains sur le verre et d'y tracer un cœur invisible du bout du doigt. Voyant mon expression paniquée, il se mit à rire.

—Sept !

Cette fois, je détalai. Un bruit de moteur montait et je hurlai en agitant les bras. Mais j'étais trop loin. La voiture fila sans ralentir, avant de disparaître au coin de la rue.

En atteignant la route, je tournai la tête à droite, puis à gauche. Sans réfléchir, je me dirigeai vers *Coopersmith*.

— Attention, j'arrive ! appela Gabe derrière moi.

De toutes mes forces, j'accélérai la cadence. Les fines semelles de mes ballerines claquaient bruyamment sur le bitume. Hésitant à jeter un regard par-dessus mon épaule, je me concentrai finalement sur la rue et tentai de conserver mon avance. Une voiture sortirait de l'ombre, c'était certain. Il le fallait.

— C'est tout ? Tu ne peux pas courir plus vite ?

Il était sur mes talons. Pire, il ne paraissait absolument pas essoufflé. J'eus soudain la terrible impression qu'il ne forçait même pas et prenait plaisir à ce jeu du chat et de la souris. Si chaque foulée m'épuisait un peu plus, elle ne le rendait que plus enthousiaste.

— Allez, continue ! railla-t-il d'un ton lancinant. Mais ne te fatigue pas trop. Tu devras te défendre un peu quand je t'attraperai. Et je veux m'amuser un peu.

Au loin, le ronronnement d'un moteur monta peu à peu. Soudain, deux phares déchirèrent l'obscurité et je me déportai au milieu de la route, en agitant frénétiquement les bras. Gabe n'oserait pas s'attaquer à moi devant témoin. Du moins, je l'espérais.

— Stop ! criai-je en discernant un pick-up.

Le conducteur s'arrêta à ma hauteur et baissa la vitre. D'âge moyen, il portait une épaisse chemise en flanelle qui suintait l'odeur de la criée.

— Quel est le problème ? demanda-t-il.

Son regard se posa derrière moi. Comme un crépitement glacial dans l'air, la présence de Gabe était palpable.

— On fait une petite partie de cache-cache, intervint ce dernier en m'enlaçant.

— Je ne connais pas ce type, répliquai-je, cherchant à me dégager. Il m'a menacée et je crois que lui et ses copains essayaient de braquer la supérette. J'ai entendu des bruits de lutte dans l'arrière-boutique. Il faut prévenir la police. Avez-vous un téléphone...

Je n'eus pas le temps de lui demander son portable. Sidérée, je le vis tourner la tête et remonter sa vitre, avant de verrouiller ses portières.

— Qu'est-ce que vous faites ? lui criai-je en frappant le carreau.

Mais il gardait les yeux rivés sur la route. Tétanisée, je réalisai qu'il ne ferait rien pour me venir en aide. Il comptait poursuivre son chemin et m'abandonner à Gabe, qui éclata de rire et me singea en tambourinant à la vitre du pick-up.

— Eh, m'sieur, m'sieur ! Gabe et ses petits copains vont braquer la supérette. Il faut m'aider m'sieur ! brailla-t-il.

Aussi mécanique qu'un robot, l'homme tourna machinalement la tête vers nous. Les yeux écarquillés, il ne cillait pas.

— Mais enfin qu'est-ce qui vous prend ? m'emportai-je en tentant vainement d'actionner la portière. Appelez la police !

L'homme enclencha une vitesse. Le pick-up repartit d'abord lentement et je le suivis en courant, agrippant la poignée pour essayer de l'ouvrir. Mais il accéléra d'un seul coup et je fus projetée contre le trottoir. Aussitôt, je me retournai vers Gabe.

— Qu'est-ce que tu lui as fait ?

Ça.

Ses paroles résonnèrent dans mon esprit, comme une présence fantomatique qui me fit grimacer. Ses pupilles changèrent de couleur, soudain si noires que son regard parut vide. Ses cheveux poussaient à vue d'œil, en même temps que ses membres se couvraient d'un duvet sombre, de plus en plus dense. Une fourrure brune, sale et nauséabonde camouflait entièrement son corps. La créature se dressa, menaçante, et j'aperçus ses griffes. Puis elle retomba lourdement à quatre pattes, pointa son museau noir et humide vers mon visage et émit un grognement agressif, caverneux. J'écarquillai les yeux, n'osant y croire. Il s'était transformé en grizzly.

Terrorisée, je trébuchai et tombai à la renverse. Je rampais à tâtons le long du bitume, à la recherche d'un gros caillou. Enfin, j'en saisis un et le lui jetai, mais le projectile le toucha à l'épaule et dévia de côté. J'en pris un autre et, cette fois, visai la tête. La pierre l'atteignit à la truffe et l'ours se détourna brutalement, l'écume aux babines. Il grogna de nouveau et me chargea avant que j'aie pu m'enfuir.

D'un coup de patte, il me cloua au sol, m'écrasant les côtes.

— Arrête !

Je tentai de me dégager, mais il était bien trop fort. Pouvait-il seulement encore m'entendre, ou me comprendre ? Était-ce toujours Gabe sous l'apparence de ce monstre ? Jamais de ma vie je n'avais vu quelque chose d'aussi effrayant.

Le vent se leva et mes cheveux balayèrent mon visage. Entre mes mèches, je vis les rafales emporter avec elles la fourrure de l'ours, qui s'échappait par poignées dans la nuit. En baissant les yeux, je trouvai Gabe penché sur moi. Son sourire sadique semblait m'avertir : je n'étais qu'une marionnette et il ferait de moi ce qu'il voudrait.

J'ignorais qui de l'ours ou de Gabe me terrifiait le plus.

— Allez, lève-toi, dit-il en me remettant sur mes jambes.

Il me poussa le long du trottoir vers la supérette. J'avais l'esprit curieusement embrumé. M'avait-il...

envoûtée ? M'avait-il donné l'illusion de s'être changé en ours ? Pouvait-il y avoir une autre explication ? Je devais me sortir de ce traquenard et chercher du secours, mais comment ?

Ses complices s'étaient réunis à l'angle du bâtiment, dans la ruelle. Deux d'entre eux portaient des vêtements streetwear similaires à ceux de Gabe. Le troisième arborait un polo vert avec le logo du magasin et les initiales « B.J. », sans doute les siennes, brodées sur la poche

À genoux, B.J. se tenait les côtes en poussant des gémissements plaintifs. Ses paupières étaient closes et un filet de salive s'échappait de ses lèvres. L'un des acolytes de Gabe, sous sa veste à capuche grise trop large pour lui, se pencha vers le malheureux, armé d'une barre de fer. Il s'apprêtait à le frapper à nouveau.

Je contemplais la scène, la bouche sèche, les genoux flageolants. Je ne pouvais détacher les yeux de cette tache écarlate qui s'étendait sur le polo de B.J.

— Arrêtez, soufflai-je, épouvantée. Vous allez le tuer !

D'un geste, Gabe réclama l'arme, que son compagnon lui remit aussitôt.

— Quoi ? Avec ça ? ironisa-t-il.

Il lui assena un coup sur le dos et j'entendis un sinistre craquement. B.J. poussa un hurlement avant de s'effondrer sur le côté en se tordant de douleur.

Gabe passa la barre de fer derrière ses épaules, laissant pendre ses bras comme il l'aurait fait avec une batte de baseball.

— Strike ! brailla-t-il.

Les deux autres ricanèrent. J'étais si nauséeuse que j'en avais des vertiges.

— Prenez l'argent ! suppliai-je, presque dans un cri. Vous allez finir par le tuer !

Le cambriolage avait à l'évidence mal tourné. Mais les trois braqueurs échangèrent un rire plein de sous-entendus. La scène cachait-elle autre chose ?

— Le tuer ? Ça m'étonnerait, objecta Gabe.

— Il a déjà perdu énormément de sang.

Gabe haussa les épaules, parfaitement indifférent. Il n'était pas seulement dangereux : il était complètement fou.

— Il s'en remettra.

— Pas si on ne l'emmène pas immédiatement à l'hôpital.

Du bout du pied, Gabe secoua B.J. qui appuyait son front sur la dalle de ciment devant la porte de service du magasin. Tout son corps était parcouru de tremblements et je craignais des convulsions.

— Tu l'as entendue ? hurla Gabe en se penchant sur sa victime. Il faut que tu ailles à l'hôpital. Si tu veux que je t'y emmène et que je te balance à l'entrée des urgences, tu dois prononcer le serment. Jure !

Au prix d'un effort considérable, B.J. parvint à redresser la tête pour jeter un regard meurtrier à Gabe. Il entrouvrit les lèvres et je crus d'abord qu'il allait obtempérer. Au lieu de cela, il cracha sur la jambe de Gabe.

— Vous ne pouvez pas me tuer, souffla-t-il, plein de mépris. La Main noire me l'a dit.

Il semblait sur le point de s'évanouir. Les yeux révulsés, il claquait violemment des dents.

— Mauvaise réponse.

Gabe jongla avec l'arme avant de l'abattre dans un arc parfait sur le dos de B.J., le touchant à la colonne vertébrale. Le jeune homme se raidit en laissant échapper un cri qui me donna la chair de poule.

Je plaquai une main sur ma bouche, figée par l'horreur. Une horreur provoquée à la fois par la scène épouvantable dont j'étais témoin, mais aussi par un étrange mot qui me prit par surprise. Comme si, se détachant de mon inconscient, il avait refait surface.

Néphilim.

B.J. est un néphilim, pensai-je, sans en saisir le sens. Et ils veulent lui faire prêter allégeance.

Cette révélation soudaine m'effrayait d'autant plus que j'ignorais sa signification. D'où me venaient toutes ces idées saugrenues ? Comment pouvais-je comprendre ce qui se jouait devant mes yeux, alors que je n'avais jamais été confrontée à une telle scène ?

Mais je n'eus pas le temps d'y réfléchir, car les phares d'un 4 x 4 blanc illuminèrent la ruelle et nous surprirent. Gabe baissa discrètement son arme et la dissimula derrière sa jambe. Je priai pour que le conducteur fasse aussitôt demi-tour et alerte la police. Je ne tentai même pas de lui faire signe – je savais ce dont Gabe était capable. Les trois braqueurs distraits, j'entrevis brièvement la possibilité de filer en entraînant B.J. avec moi, lorsque le type à la veste grise demanda :

— Des néphilims, tu crois ?

Encore ce mot ! Et cette fois, on l'avait prononcé à voix haute.

Loin de me rassurer, cet écho ne fit qu'accroître mon appréhension. Le mot m'était familier et Gabe et ses acolytes le connaissaient eux aussi. Comment pouvais-je avoir quelque chose en commun avec ces monstres ?

— Non, répondit Gabe en secouant la tête. Il y aurait plus d'un véhicule. La Main noire n'oserait pas nous attaquer sans au moins une vingtaine de renforts.

— La police, alors ? C'est peut-être une voiture banalisée. Je peux y aller, les persuader qu'ils se sont trompés.

Cette dernière phrase acheva de me convaincre : Gabe n'était pas le seul à posséder des pouvoirs hypnotiques.

Celui à la veste grise s'avança, mais Gabe le retint.

— Attends.

Le 4 x 4 s'approcha lentement. Les gravillons crissaient sous ses roues. Dans un sursaut d'adrénaline, je sentis mes jambes fléchir. Si une bagarre éclatait, les braqueurs seraient distraits et j'aurais l'occasion d'empoigner B.J. et de le traîner tant bien que mal hors de cette ruelle. Nous n'avions qu'une toute petite chance, mais il fallait la tenter.

Tout à coup, Gabe laissa échapper un rire franc et donna une tape amicale à son compagnon.

— Eh bien, les gars, regardez un peu qui vient se joindre à la fête !

9.

La voiture s'immobilisa et le bruit du moteur s'évanouit. La porte du conducteur s'ouvrit et, malgré l'obscurité, je distinguai une silhouette sur le trottoir. Un homme. Plutôt grand. Je remarquai son jean baggy, son tee-shirt bleu marine et blanc, dont il avait relevé les manches jusqu'aux coudes. Son visage était dissimulé sous la visière de sa casquette, mais je discernai la mâchoire volontaire et le dessin de ses lèvres. Comme une décharge électrique, les traits me frappèrent. Cette sombre chimère s'emparait une fois encore de mon esprit, si puissante qu'elle brouilla presque ma vision.

— Alors, tu t'es décidé à nous rejoindre ?

Le nouveau venu ne répondit pas.

— Celui-ci se montre coriace, poursuivit Gabe en poussant B.J., toujours recroquevillé sur le sol, du bout du pied. Il ne veut pas jurer. Il s'imagine être trop bien pour moi. Plutôt gonflé, non ? Pour un bâtard...

Un rire gras fusa entre Gabe et les deux autres. Si le conducteur du 4 × 4 comprit l'allusion, il n'en laissa rien paraître. Il enfonça ses mains dans ses poches et nous observa sans un mot. J'ignorais si mes angoisses me jouaient des tours, mais je sentis son regard s'attarder plus longuement sur moi.

— Et elle ? Qu'est-ce qu'elle fait ici ? demanda-t-il en me désignant du menton.

— Mauvais endroit au mauvais moment.

— Mais maintenant, elle vous a vus.

— Je lui ai bien dit de prendre sa voiture et de ficher le camp.

Était-ce moi, ou Gabe semblait sur la défensive ? Pour la première fois depuis mon arrivée, quelqu'un sapait son autorité et, dans l'air, l'antagonisme devenait palpable.

— Et ?

— Eh bien, elle n'a rien voulu savoir.

— Elle se rappellera de tout.

Gabe fit tourner la barre de fer entre ses doigts.

— Je pourrais la convaincre de tenir sa langue.

— Comme tu as réussi à convaincre celui-là de parler ? insista l'inconnu en jetant un regard à B.J.

Gabe fronça les sourcils et agrippa plus fermement son arme.

— Tu as une meilleure idée ?

— Oui : laisse-la filer.

Gabe passa son index sur l'arête de son nez et éclata de rire.

— La laisser filer ? répéta-t-il. Et si elle va tout raconter à la police. Hein, Jev ? Tu y as pensé ?

— Mais tu ne crains pas la police, répondit Jev d'une voix posée, avec un rien de défi.

Une deuxième attaque indirecte envers Gabe.

Je pris le risque de m'immiscer dans la conversation.

— Je... je vous promets de ne rien dire. Laissez-moi simplement l'emmener avec moi, ajoutai-je en m'approchant de la silhouette effondrée de B.J.

Mais il me serait impossible de me taire. Je ne pouvais laisser une telle violence impunie. Rien n'empêcherait

Gabe de continuer à torturer et tourmenter des innocents. Je chassai brusquement ces pensées, craignant qu'il ne voie clair dans mon jeu.

— Tu l'as entendue, insista Jev.

— Non, répliqua Gabe, la mâchoire crispée. Il est à moi. Voilà des mois que j'attends qu'il atteigne enfin ses seize ans. Pas question d'abandonner maintenant.

— Tu en trouveras d'autres, répondit Jev d'un air curieusement détaché, tout en croisant ses mains derrière sa tête. Oublie-le.

— Et faire comme toi ? Tu n'as pas de vassal néphil. Heshvan va te paraître long, mon pote.

— Il reste plusieurs semaines avant Heshvan. Tu as encore le temps. Tu soumettras quelqu'un d'autre. Laisse partir la fille avec le néphil.

Gabe fit un pas vers Jev. Si ce dernier était plus grand, plus malin et savait garder son sang-froid, Gabe avait cependant l'avantage de sa carrure. Avec sa silhouette svelte et gracile, taillé comme un guépard, Jev n'était pas certain de faire le poids devant une telle armoire à glace.

— Tu nous as laissé tomber, tout à l'heure, quelque chose à faire, selon toi. Tu veux que je te dise ? Tout ça ne te regarde plus. J'en ai marre que tu te pointes à la dernière minute pour décider de qui fait quoi. Je ne lâcherai pas ce néphil avant qu'il m'ait juré son serment.

Ce « serment d'allégeance », dont il était beaucoup question, me rappelait vaguement quelque chose, sans pour autant évoquer une réalité tangible. Si j'en avais un jour compris le sens, mon souvenir restait prisonnier de ma mémoire. Je devinais néanmoins que les conséquences seraient dramatiques pour B.J.

— Ce soir, c'est mon soir, conclut Gabe en crachant par terre pour davantage d'effet. Et je compte bien qu'il se termine comme je l'ai décidé.

— Attends un peu, l'interrompit le type à la veste grise d'un air stupéfait. Gabe ! Ton néphil ! Il a disparu.

Ils scrutèrent les alentours, mais B.J. s'était bel et bien volatilisé, ne laissant derrière lui qu'une tache sombre sur les graviers.

— Il n'a pas pu aller bien loin ! Dominic, cherche de ce côté, ordonna Gabe en pointant l'extrémité de la ruelle. Jeremiah, fouille le magasin.

Celui vêtu d'un tee-shirt à logo disparut à l'angle au pas de course.

— Et elle ? demanda Jev en me désignant d'un signe de tête.

— Pour une fois, rends-toi utile et ramène-moi mon néphil, coupa Gabe.

L'estomac noué, je réalisai que c'était la fin. Jev, mon unique espoir de m'en sortir, allait me laisser là. Malgré son lien évident avec mon agresseur, il avait sans que je comprenne pourquoi pris ma défense. S'il disparaissait, je me retrouverais à nouveau seule face à ce malade. Jev était sans doute dangereux, mais il se comportait en meneur et les deux autres ne semblaient pas disposés à lui tenir tête.

— Tu ne vas quand même pas m'abandonner ici ? lançai-je à Jev, qui s'éloignait.

Mais au même instant, je reçus un violent coup de pied derrière le genou et m'effondrai sur le sol. Avant d'avoir pu réagir, j'eus le souffle coupé.

— C'est plus simple si tu ne regardes pas, avertit Gabe. Il suffit de bien viser et tu ne sentiras rien.

Je plongeai vers l'avant pour m'échapper, mais Gabe me rattrapa par les cheveux et me tira brutalement en arrière.

— Tu ne t'en sortiras pas aussi facilement ! criai-je. Tu ne peux pas me tuer comme ça !

— Tiens-toi tranquille, gronda-t-il.

Je ne pouvais pas le voir, mais l'absence de bruit me confirma que Jev n'était pas remonté dans son 4 x 4.

— Jev ! Ne le laisse pas faire ça !

Je me débattis afin de me retourner et de tâcher d'esquiver la barre de fer. Saisissant une poignée de cailloux, je parvins à me contorsionner suffisamment pour apercevoir mon agresseur et viser.

Une main gigantesque me retint par la nuque et mon front heurta le sol. Je sentais mon nez écrasé se tordre et les graviers entailler mes joues et mon menton. Un horrible craquement me souleva le cœur et Gabe s'effondra sur mon dos. Dans un moment de panique, je crus qu'il cherchait à m'étouffer, s'offrant un dernier plaisir sadique avant de m'éliminer pour de bon. À bout de souffle, je luttai bec et ongles pour me dégager.

Une fois debout je me retournai, sur la défensive, me préparant à un nouvel assaut. Mais en baissant les yeux, je le vis étendu sur le sol, son arme plantée dans le dos. On l'avait attaqué par-derrière.

Jev essuya son visage ruisselant de sueur d'un revers de manche. À ses pieds, le corps de Gabe tressautait. Entre ses tremblements convulsifs, il jurait comme un beau diable, parfaitement incohérent. Comment pouvait-il être encore en vie ? La barre de fer avait transpercé la colonne vertébrale.

— Tu... tu l'as tué ? balbutiai-je, horrifiée, en regardant Jev donner un tour supplémentaire à la barre de fer.

— Il ne va pas être content, alors je te conseille de filer d'ici. Et vite, ajouta-t-il, les sourcils levés.

— Et toi ? insistai-je.

Il m'observa longuement, ce qui me parut curieux dans cette situation. Je crus voir l'ombre d'un regret passer dans ses yeux. Envers et contre tout, je tentais de reconstruire ce pont, au bout duquel ma mémoire attendait d'être reconquise. J'ouvris la bouche, mais ma pensée semblait déconnectée de ma parole. J'avais quelque chose à lui dire, mais j'étais incapable de trouver quoi.

— Prends ton temps, mais je suis prêt à parier que notre ami B.J. a déjà prévenu les flics, poursuivit Jev en remuant la barre de fer qui, comme le fil d'une marionnette, animait le corps de Gabe.

À point nommé, le hurlement des sirènes retentit dans la nuit.

Jev saisit Gabe sous les bras et le traîna derrière des buissons, de l'autre côté de la ruelle.

— En suivant les petites routes et en faisant vite, tu gagneras quelques kilomètres d'avance en un rien de temps.

— Je n'ai pas de voiture.

Il leva aussitôt les yeux vers moi.

— Je suis venue à pied.

— Oh, mon ange, souffla-t-il comme s'il espérait sincèrement que je plaisantais.

L'emploi de familiarités entre nous me semblait quelque peu prématuré, mais mon cœur s'emballa lorsqu'il prononça ce surnom. *Mon ange.* Comment aurait-il pu savoir que ces mots me hantaient ? Comment aurais-je pu expliquer les visions noires qui s'intensifiaient à mesure qu'il se rapprochait ?

Et plus encore, si je tentais de relier ces détails entre eux...

Patch, souffla une petite voix dans ma tête. Une simple syllabe qui, au plus profond de moi, ébranlait les barreaux d'une cage invisible. *Tu as éprouvé la même sensation lorsque Marcie a mentionné le nom de Patch.*

Ce nom, si court et si curieux, me laissait en proie à cette déferlante noire, troublante, envoûtante, qui m'assaillait de toute part. En dépit de ce magnétisme oppressant, je gardai les yeux rivés sur Jev, afin d'identifier un sentiment que je ne reconnaissais pas. Il en savait plus long qu'il ne le disait. Peut-être au sujet de ce mystérieux Patch, ou peut-être sur moi. Probablement sur moi. Sa présence réveillait des émotions trop instinctives pour qu'il s'agisse d'une coïncidence.

Mais en quoi Patch, Marcie, Jev et moi étions-nous liés ?

— Est-ce... est-ce qu'on se connaît ? murmurai-je, à court d'explications possibles.

Il soutint mon regard sans broncher.

— Donc, pas de voiture ? insista-t-il sans répondre.

Il renversa la tête en arrière et fixa la lune comme pour lui demander « pourquoi moi » ? Puis il fit un geste en direction du 4 x 4 blanc.

— Monte.

Je fermai les yeux, tâchant de réfléchir.

— Non. Nous devons attendre la police et faire une déposition. Déguerpir maintenant paraîtrait suspect. Je confirmerai que tu as attaqué Gabe pour me défendre. Il faut aussi retrouver B.J. et l'obliger à témoigner, ajoutai-je, soudain inspirée.

— Tout cela serait parfait, répondit-il en ouvrant la portière, si on pouvait compter sur la police.

— Comment ça, « compter sur la police » ? Mais c'est le but ! C'est leur métier d'attraper les criminels. Nous n'avons rien fait de mal. Si tu n'étais pas intervenu, Gabe m'aurait tuée.

— Ça, je n'en doute pas.

— Alors ?

— Alors ce n'est pas exactement le genre de cas que la police est habilitée à traiter.

— Je suis certaine qu'un meurtre tombe sous le coup de la loi.

— Deux choses, expliqua-t-il patiemment. D'abord, je n'ai pas tué Gabe, je l'ai simplement mis K.O. Ensuite, je peux t'assurer que Jeremiah et Dominic ne se laisseront pas embarquer sans résistance, et tout se terminera dans un bain de sang.

J'allais arguer lorsque, du coin de l'œil, j'aperçus Gabe qui remuait. Miraculeusement, il était encore vivant. Je me rappelai la facilité avec laquelle il s'était joué de moi, soit par une puissante technique d'hypnose, soit par un tour de passe-passe. Et à présent, il surmontait une blessure fatale. J'avais la curieuse impression de voir se dérouler sous mes yeux des événements dont l'importance m'échappait. Mais... lesquels, exactement ?

— À quoi penses-tu ? demanda Jev à voix basse.

Je n'avais plus le temps d'hésiter. Si Jev connaissait Gabe aussi bien que je le croyais, il connaissait également ses... capacités.

— Il m'a joué... un tour. C'était surréaliste.

Jev paraissait plus tendu que surpris.

— Il a créé une illusion. Il s'est métamorphosé en ours.

— Quand on sait ce dont il est capable, ce n'est que la partie visible de l'iceberg.

La bouche sèche, j'eus du mal à déglutir.

— Comment a-t-il fait ? Est-ce qu'il m'a ensorcelée ?

— Quelque chose dans ce genre.

— Tu veux dire que c'était de la magie ?

Jusque-là, j'y avais songé sans oser y croire.

— Presque. Mais là, on commence à manquer un peu de temps.

Je jetai un regard aux buissons qui dissimulaient en partie le corps de Gabe. Un prestidigitateur pouvait créer une illusion, pas défier la mort. Il n'y avait aucune explication plausible au fait qu'il soit toujours en vie.

Le bruit des sirènes se rapprochait et Jev m'attira vers le 4 x 4.

— Fini de jouer.

Je ne bougeai pas. Je ne pouvais pas partir. J'avais une obligation morale...

— Si tu restes ici pour bavarder avec la police, avertit Jev, je ne te donne pas une semaine. Et tous les flics impliqués disparaîtront avec toi. Gabe mettra fin à l'enquête avant même qu'elle ait débuté.

J'hésitai encore quelques secondes. Je n'avais au fond aucune raison de lui faire confiance. Mais des intuitions trop compliquées à démêler sur l'instant me poussèrent à céder.

Je grimpai et bouclai ma ceinture, le cœur battant. Il démarra la voiture, dont je reconnaissais à présent le modèle : une Tahoe. Passant le bras derrière mon siège, il enclencha la marche arrière et remonta la ruelle pour regagner l'axe principal. Il repassa la première et accéléra en direction du croisement. J'aperçus un stop, mais il ne ralentit pas. Je me cramponnai à la poignée, redoutant que Jev ne soit pas du genre à respecter les priorités. Une silhouette s'avança sur la route. Dans la lumière crue des phares, je reconnus la barre de fer qui saillait dans son dos, semblable à une aile brisée.

Jev accéléra. Le moteur rugit et la voiture gagna encore de la vitesse. Gabe était trop loin pour que je puisse discerner son visage, mais il s'accroupit au milieu de la chaussée, les genoux repliés et les bras tendus comme s'il comptait nous intercepter.

J'agrippai ma ceinture et m'enfonçai dans le siège.

— Tu vas le percuter !

— Il va s'écarter.

Par réflexe, j'écrasai une pédale de frein imaginaire. Gabe se rapprochait à une vitesse vertigineuse.

— JEV ! ARRÊTE-TOI !

— Ça non plus, ça ne le tuera pas.

Il mit le pied au plancher et tout se passa trop vite. Gabe plongea vers nous et heurta de plein fouet le pare-brise, qui se lézarda comme une toile d'araignée. En une seconde, il avait disparu. Un cri d'épouvante emplit l'habitacle et je réalisai que c'était le mien.

— Il est sur le toit, annonça Jev.

Il prit le trottoir à pleine vitesse, renversa un banc et fonça vers un arbre aux branches basses. D'un mouvement brusque, il se déporta sur la gauche et la voiture retrouva la route.

— Il est tombé ? Où est-il ? Il est toujours là-haut ?

Le visage collé à la vitre, j'essayais d'apercevoir quelque chose.

— Accroche-toi.

— À quoi ? hurlai-je en cherchant désespérément la poignée au-dessus de moi.

Je ne sentis pas le coup de frein, mais Jev avait dû piler, car la Tahoe fit un spectaculaire tête-à-queue avant de s'immobiliser dans un crissement de pneus. Mon épaule heurta la vitre.

Du coin de l'œil, je vis une masse sombre voltiger dans les airs avant de retomber avec l'agilité d'un chat, sur le sol. Gabe demeura quelques instants figé, le dos tourné.

Jev enclencha la première. Gabe jeta un œil par-dessus son épaule. Le visage ruisselant de sueur, ses cheveux humides collés sur les tempes, il croisa mon regard et les coins de sa bouche se relevèrent dans un rictus diabolique. Il remua les lèvres au moment où la voiture repartait et, si je n'entendis pas ses paroles, je les devinais sans peine.

Ce n'est pas fini.

Plaquée contre mon siège, j'étouffai un cri tandis que Jev fonçait, laissant probablement des traces de gomme sur la route.

10.

Jev ne parcourut que quelques kilomètres. Je n'avais même pas songé à lui demander de me ramener chez *Coopersmith* et il avait de toute façon opté pour des rues peu fréquentées. Il gara le 4 x 4 sur le bas-côté d'une route paisible, bordée d'immenses champs de maïs.

— Tu peux rentrer seule, d'ici ?

— Tu comptes m'abandonner sur le bord de la route ?

Mais la question la plus pressante était de savoir pourquoi Jev, l'un d'entre eux, avait tenté l'impossible pour me sauver.

— Si c'est Gabe qui te fait peur, crois-moi, il a d'autres chats à fouetter pour l'instant. D'abord, il va devoir se débarrasser de cette barre de fer. Je suis surpris qu'il ait eu la force de nous poursuivre aussi longtemps. Ensuite, il va souffrir de ce qu'on pourrait décrire comme une monstrueuse gueule de bois. Durant les prochaines heures, il ne fera pas grand-chose à part dormir. Si tu cherchais l'occasion de filer sans danger, tu n'en trouverais pas de meilleure.

Comme je ne bougeais pas, il fit un signe en direction de la route.

— Je dois retourner m'assurer que Dominic et Jeremiah vident les lieux.

Il essayait de se débarrasser de moi, mais je n'étais pas convaincue.

— Pourquoi les couvrir ? demandai-je, sceptique.

Cependant, il avait peut-être raison. Ces deux types ne se rendraient pas sans déclencher une bagarre sanglante. Mais ne valait-il pas mieux courir ce risque, plutôt que de les laisser s'échapper ?

Les yeux rivés sur le pare-brise, Jev semblait scruter les ténèbres.

— Parce que je suis l'un d'entre eux.

— C'est faux, tu n'es pas comme eux. Ils m'auraient tuée et tu es revenu me chercher. Tu as arrêté Gabe...

Pour toute réponse, il sortit de la voiture et fit le tour pour m'ouvrir la portière. Il fit un geste en direction des champs.

— Continue dans cette direction pour te rapprocher du centre. Si ton portable ne passe pas, poursuis ton chemin tout droit jusqu'à ce que la végétation soit moins dense. Tôt ou tard, tu finiras par avoir du réseau.

— Je n'ai pas mon portable sur moi.

Il n'hésita qu'un instant.

— Tu vas croiser Whitetail Lodge. À la réception, demande qu'on téléphone chez toi.

Je descendis de la voiture.

— Merci de m'avoir sauvée, lâchai-je froidement. Et de m'avoir déposée. Mais à l'avenir, sache que je n'aime pas qu'on me mente. Or je suis convaincue que tu ne m'as pas tout dit. Tu crois peut-être que je ne mérite pas de connaître la vérité. Ou, puisque tu ne me connais pas, que je n'en vaux pas la peine. Mais après ce qu'il vient de m'arriver, j'estime avoir le droit de savoir.

À ma grande stupéfaction, il acquiesça, peu enthousiaste, comme s'il comprenait mon point de vue.

— Je les protège parce que je ne peux pas faire autrement. Si la police les surprend en pleine action, notre couverture sera fichue. Et cette ville n'est pas prête pour Dominic, Jeremiah, ni d'aucun de nous, d'ailleurs.

En m'observant, son regard dur parut s'attendrir. Il y avait quelque chose d'envoûtant à sentir ses yeux se poser sur moi, comme une caresse.

— Et je ne suis pas encore décidé à quitter la ville, murmura-t-il sans détourner les yeux.

Il s'approcha et ma respiration s'emballa. À côté de la mienne, sa peau apparaissait plus mate, plus rugueuse. Son physique n'était pas assez lisse pour être parfait. Il était anguleux, taillé à la serpe. Et son comportement le démarquait du lot. Il ne ressemblait en rien aux garçons que je connaissais, mais il y avait autre chose. C'était un être singulier, à part. Je m'accrochai à ce nom étrange, qui avait résonné durant toute cette soirée.

— Es-tu un... néphilim ?

Le mot, comme une décharge électrique, le fit tressaillir. L'instant fut aussitôt brisé.

— Rentre chez toi, reprends ta vie. Suis ce conseil et il ne t'arrivera rien.

Blessée par le ton brusque, je sentis les larmes monter. Lorsqu'il s'en aperçut, il parut s'en vouloir.

— Écoute-moi, Nora, souffla-t-il en posant les mains sur mes épaules.

— Comment connais-tu mon nom ? dis-je en me raidissant contre lui.

Un rayon de lune filtra au travers des nuages et j'aperçus son regard. Sa douceur veloutée avait disparu, remplacée par une impénétrable noirceur. Un regard plein de secrets, qui dupait sans jamais rien trahir. Un regard impossible à fuir dès lors qu'on l'avait croisé

Nous étions tous deux en nage. Je perçus son odeur, probablement celle de son gel douche, teintée de menthe et d'épices. Un souvenir ressurgit si vite qu'il m'étourdit. Sans que je sache comment, ce parfum m'était familier. Plus dérangeant encore, j'étais à présent certaine de connaître Jev.

Qu'il ait joué un rôle insignifiant ou crucial dans ma vie, Jev en avait un jour fait partie. C'était l'unique explication à ces flashs fulgurants induits par sa présence.

Il aurait pu s'agir de mon ravisseur, mais l'idée me parut saugrenue. Je n'y croyais pas. Peut-être parce que je ne voulais pas y croire.

— On se connaissait, c'est ça ? demandai-je, sentant un frisson se répandre jusqu'à mes extrémités. Tu savais pour mon amnésie. Tu savais que je ne me rappelle rien. Et tu pensais pouvoir t'en tirer en faisant mine de ne m'avoir jamais vue.

— Oui…, avoua-t-il d'une voix lasse.

— Pourquoi ? repris-je, le cœur battant.

— Je ne voulais pas faire de toi une cible mouvante. Si Gabe avait compris que nous étions liés, il aurait cherché à m'atteindre à travers toi.

Bon. Une première réponse. Mais ça n'était pas de Gabe dont il était question.

— Comment nous sommes-nous connus ? Pourquoi n'as-tu rien dit plus tôt ? Qu'est-ce que tu me caches ? Tu comptes me l'expliquer ? poursuivis-je impatiemment.

— Non.

— Comment ça, non ?

C'est à peine s'il me regardait.

— Tu veux que je te dise ? Tu n'es qu'un pauvre type égoïste.

Les mots m'avaient échappé, mais je n'avais pas l'intention de me rétracter. Il m'avait peut-être sauvé la vie, mais puisqu'il refusait de m'avouer ce qu'il savait de ces cinq mois oubliés, il perdait toute crédibilité.

— Si j'avais quelque chose de positif à te raconter, crois-moi, je me mettrais à table.

— Les mauvaises nouvelles ne me font pas peur, répliquai-je froidement.

Il secoua la tête et se dirigea vers la portière, mais je le retins par le bras. Il observa ma main d'un air surpris, mais ne se dégagea pas.

— Dis-moi ce que tu sais. Que m'est-il arrivé ? Qui m'a fait ça ? Pourquoi ai-je tout oublié des cinq derniers mois ? Qu'a-t-il pu se produire de si terrible pour qu'inconsciemment, je refoule ces souvenirs ?

Son visage, un masque impassible, dissimulait prudemment la moindre émotion. Seule sa mâchoire crispée semblait indiquer qu'il m'avait entendue.

— Je vais te donner un conseil et, pour une fois, je te demande de m'écouter. Retourne à ta vie et passe à autre chose. Repars de zéro, s'il le faut. Tente l'impossible pour tout laisser derrière toi. Si tu t'obstines à regarder en arrière, ça finira mal.

— Quoi ? Qu'est-ce que ça veut dire ? Je ne peux pas « passer à autre chose ». Je veux comprendre ce qui m'est arrivé. Sais-tu qui m'a enlevée ? Sais-tu où on m'a séquestrée et pourquoi ?

— Est-ce que ça change quelque chose ?

— Comment oses-tu me poser cette question ? m'emportai-je sans mesurer le son de ma voix. Comment peux-tu me regarder en face et prétendre que cela n'a aucune importance !

— Si tu découvres qui t'a kidnappée, tu penses que ça t'aidera à oublier ? Pourras-tu enfin retrouver une vie normale ? Non, conclut-il.

— Si, justement !

Ce que Jev ne comprenait pas, c'est que le moindre détail comptait. Le verre à moitié plein vaut mieux que le verre vide. Pour moi, l'ignorance représentait la forme d'humiliation et de douleur la plus cuisante.

Il poussa un long soupir et passa la main dans ses cheveux.

— Oui, on se connaissait. On s'est rencontrés il y a environ cinq mois et, dès le départ, tu aurais mieux fait de m'oublier. Je me suis servi de toi et je t'ai fait souffrir. Heureusement, tu as eu le réflexe de te débarrasser de moi avant que je puisse remettre ça. La dernière fois que nous nous sommes parlé, tu m'avais juré que si tu me revoyais un jour, tu t'arrangerais pour me tuer. J'ignore si tu étais sérieuse. Mais en tout cas, ton ressentiment était profond et réel. C'est ça que tu voulais entendre ?

Je le regardai, ahurie. Une menace aussi crue ne me ressemblait pas. La seule personne que j'avais réussi à haïr était Marcie Millar et je n'aurais jamais imaginé m'en prendre à elle de cette façon. J'étais parfois faible, c'est vrai, mais je n'étais pas un monstre.

— Pourquoi aurais-je dit une chose pareille ? Qu'avais-tu pu faire de si terrible ?

— J'ai tenté de te tuer.

Je le dévisageai. Son expression, dure mais déterminée, m'assura qu'il ne plaisantait pas.

— Tu voulais la vérité, mon ange. Maintenant il faut l'assumer.

— Assumer quoi ? Ça n'a aucun sens ! Pour quelle raison aurais-tu fait cela ?

— Par jeu, pour tromper l'ennui... quelle importance ? J'ai bien failli te faire disparaître.

Non. Quelque chose ne collait pas.

— Si tu avais vraiment cherché à me tuer, pourquoi m'avoir aidée, ce soir ?

—Là n'est pas la question. J'aurais pu mettre un terme à ta vie, tu entends ? Alors, rends-toi service et prends tes distances. Aussi vite que possible.

Il se détourna et, d'un geste dédaigneux, me fit signe de m'éloigner. Je compris que je ne le reverrais pas.

—Tu n'es qu'un menteur.

Il se tourna, les yeux brillants.

—Je suis un voleur, un joueur, un traître et un meurtrier. Mais pour une fois, je te dis la vérité. Rentre chez toi et estime-toi heureuse de pouvoir faire table rase. Peu de gens ont cette occasion.

Je cherchais à dénouer le mystère, mais il ne faisait que s'épaissir. Comment une première de la classe plutôt coincée comme moi avait-elle pu croiser le chemin d'un type pareil ? Qu'avions-nous en commun ? Sous des dehors aguicheurs, je n'avais jamais rencontré une âme aussi torturée. La colère montait, de plus en plus sourde. Non, nous n'avions rien en commun. Jev était vif, mordant et dangereux. Terrifiant, même. Depuis l'instant où je l'avais vu descendre de son 4 x 4, ce soir-là, mon cœur avait été incapable de retrouver une cadence normale. En sa présence, chaque nerf, chaque synapse se chargeait d'électricité.

—Une dernière chose, ajouta-t-il. Cesse de chercher à me revoir.

—Je ne cherche pas à te revoir, rétorquai-je, outrée.

Il posa son index sur mon front et ma peau se réchauffa aussitôt à son contact. Il ne semblait jamais à court de raison de le prolonger. Quant à moi, je n'essayai pas de l'en empêcher.

—Quelque part là-dedans, une partie de toi se souvient. Et c'est elle qui est venue à ma rencontre, ce soir. Et si tu n'es pas suffisamment prudente, ça pourrait t'être fatal.

Nous nous tenions face à face, le souffle court. Au loin, les sirènes retentissaient encore.

— Qu'est-ce que je suis censée raconter à la police ?

— Tu ne leur raconteras rien du tout.

— Oh, vraiment ? C'est drôle, parce que j'avais justement l'intention de leur expliquer que tu as attaqué Gabe par-derrière, avec une barre de fer. À moins bien sûr que tu ne te décides à répondre à mes questions.

— Du chantage ? lança-t-il, brusquement amusé. Tu as changé, mon ange.

Une fois de plus, il visait mon point faible, volontairement. J'avais beau me creuser la cervelle pour tenter de le replacer dans un contexte, j'échouais lamentablement. Et puisque je ne pouvais compter sur ma mémoire, j'allais devoir jouer sur un autre tableau et prier pour atteindre ma cible.

— Si tu me connais aussi bien que tu le dis, tu dois savoir que je n'abandonnerai pas avant d'avoir identifié mon ravisseur. Quelle que soit la façon dont ça se terminera.

— Laisse-moi t'expliquer comment ça se terminera, attaqua-t-il d'une voix rauque. Dans une tombe. Une fosse creusée à la va-vite dans un coin reculé de la forêt, là où personne ne te retrouvera jamais. Là où personne ne viendra te pleurer. Car aux yeux de l'humanité tout entière, tu te seras purement et simplement volatilisée. Ta mère ne s'en remettra pas. Elle restera dans l'ignorance, constante et menaçante. Et ce sentiment la rongera, lentement, la poussant au bord du gouffre jusqu'à ce qu'elle finisse par basculer. Et au lieu d'être près de toi, là où ceux qui vous aimaient pourraient se recueillir, elle sera seule. Et toi aussi. Pour l'éternité.

Je n'avais pas l'intention de me démonter et j'entendais lui montrer que son petit discours ne me faisait pas peur. Mais, comme une prémonition, un vide s'empara de moi.

— Dis-moi ce que tu sais, grinçai-je violemment, ou je te jure que je te balance aux flics. Je veux savoir où j'étais. Et je veux savoir qui m'a kidnappée.

Caressant sa mâchoire, il laissa échapper un petit rire las, tendu.

— Qui m'a enlevée ? répétai-je, à bout de nerfs.

J'avais décidé de ne pas bouger avant qu'il m'ait tout révélé. Soudain, je lui en voulus de m'avoir sauvée. Je ne lui témoignais que du mépris et de l'animosité. Je le dénoncerais sans remords s'il s'obstinait à garder le silence.

Il leva ce regard insondable vers le mien, avec une moue pincée. Il ne fronçait pas les sourcils et n'en paraissait que plus menaçant.

— Tu n'es plus censée être impliquée. Et même moi, je ne peux plus te protéger.

Il n'avait pas l'intention d'en dire davantage et s'éloigna, mais je n'allais pas me contenter de si peu. C'était peut-être mon unique chance de comprendre ce qui m'était arrivé. Je le rattrapai et agrippai violemment son tee-shirt. Celui-ci se déchira, mais ça m'était égal. J'avais plus important en tête.

— De quel tableau parles-tu ? Et pourquoi en faisais-je partie ?

Mais mes mots ne parvinrent jamais jusqu'à mes lèvres. Ils s'évanouirent au moment même où j'eus la sensation qu'un crochet se logeait dans mon estomac et me retournait tout entière. Avec la sensation d'être projetée dans les airs, je sentis tous les muscles de mon corps se raidir, redoutant l'inconnu. La dernière chose dont j'eus conscience fut le bourdonnement de l'air à mes oreilles et le noir qui engloutit le reste du monde.

11.

Lorsque j'ouvris les yeux, l'environnement avait changé du tout au tout. Le 4 x 4, les champs de maïs et le ciel étoilé avaient disparu. Je me trouvais au centre d'une pièce bétonnée où régnait une odeur de bois mêlée à quelque chose de plus métallique, comme la rouille. Je tremblais et pourtant je n'avais pas froid.

En agrippant le tee-shirt de Jev, j'en avais déchiré le tissu, effleurant son dos. Et à présent... j'étais projetée au milieu d'un hangar désaffecté.

Devant moi, j'aperçus deux silhouettes. Jev et Hank Millar. D'abord soulagée de ne pas me retrouver seule, je m'avançai vers eux, espérant qu'ils me fourniraient une explication.

— Jev ! criai-je.

Ni l'un ni l'autre ne levèrent la tête. Ils m'avaient pourtant forcément entendue ! Un écho atroce résonnait d'un bout à l'autre de la pièce.

Je m'apprêtais à appeler une seconde fois, mais m'arrêtai subitement. Derrière eux, je vis dépasser sous un morceau de toile de jute les barreaux nettement espacés d'une cage. D'un coup, tout me revint. La cage. La fille aux cheveux noirs. Les toilettes du lycée, où j'avais quelques instants perdu tout contact avec la réalité. Les

133

mains moites, je compris qu'il ne pouvait y avoir qu'une explication. Une nouvelle vision.

— Tu m'as fait venir jusqu'ici pour ça ? souffla Jev avec un dégoût maitrisé. Est-ce que tu mesures le risque que je cours pour te retrouver ? Ne m'appelle pas pour bavarder. Ne m'appelle pas pour me raconter tes malheurs et ne m'appelle surtout pas pour me présenter tes dernières conquêtes.

— Pas si vite, gamin. Je t'ai montré l'archange parce que j'ai besoin de ton aide. À l'évidence, nous avons tous les deux des questions auxquelles elle a les réponses, acheva-t-il avec un regard appuyé à la cage.

— Ma curiosité pour cette vie s'est tarie depuis longtemps.

— Que tu le veuilles ou non, « cette vie » est toujours la tienne. J'ai bien essayé de lui délier la langue, mais elle est plutôt « renfermée », si tu me pardonnes ce mauvais jeu de mots, continua Hank d'un air satisfait. Si tu t'arranges pour lui faire dire ce que je désire savoir, elle est à toi. Je n'ai pas besoin de te rappeler ce que tu as subi aux mains des archanges. La possibilité d'une vengeance devrait te tenter... Dois-je poursuivre ?

— Comment as-tu réussi à la retenir captive ? demanda froidement Jev.

Hank eut un sourire amusé.

— J'ai scié ses ailes. Je ne peux certes pas les voir, mais j'avais une vague idée de leur emplacement. C'est d'ailleurs toi qui m'as mis sur la voie, car je n'aurais jamais cru qu'un néphil puisse arracher les ailes d'un ange.

— Une simple scie ne pourrait en venir à bout, observa Jev, le regard sombre.

— Je n'ai pas employé un instrument ordinaire.

— J'ignore à quoi tu es mêlé, Hank, mais je te conseille d'en sortir. Vite.

— Si tu savais à quoi je suis mêlé, tu me supplierais d'en faire partie. Le règne des archanges touche à sa fin. Ce monde recèle des puissances supérieures à la leur. Une puissance qui attend d'être domptée, si on sait où chercher..., conclut-il d'un air sibyllin.

Avec un geste de dégoût, Jev tourna les talons.

— Nous avons un accord, gamin ! lui lança Hank.

— Ça n'en faisait pas partie.

— Nous pourrions peut-être trouver un terrain d'entente. D'après les rumeurs, tu n'as pas retrouvé de néphil pour te jurer allégeance. Et Heshvan approche à grands pas.

Il n'acheva pas sa phrase et Jev se figea.

— Serais-tu en train de m'offrir l'un de tes hommes ?

— Eh bien, dans l'intérêt du plus grand nombre, oui. Et je te laisserais même choisir. C'est une proposition qu'on ne peut pas refuser, tu ne crois pas ?

— Que penseraient tes hommes s'ils savaient que tu les vends au plus offrant ?

— Mets ta fierté dans ta poche. Ça n'est pas en me provoquant que tu auras ta revanche. Permets-moi de t'expliquer comment j'ai survécu toutes ces années : je n'en fais jamais une affaire personnelle. Tu devrais suivre mon exemple. Oublie nos différends passés et concentre-toi sur notre entente. Nous avons un intérêt commun. Aide-moi et je t'aiderai en retour. C'est aussi simple que cela.

Il s'interrompit et laissa à Jev le temps de réfléchir.

— La dernière fois que tu as refusé l'une de mes offres, ça s'est mal terminé, ajouta-t-il avec un sourire menaçant.

— Je ne passerai plus d'accord avec toi, répondit prudemment Jev. Mais je vais te donner un conseil : rends-lui la liberté. Tôt ou tard, les archanges s'apercevront de son absence. L'art du kidnapping n'a sans doute plus de secret pour toi, mais je te suggère de ne pas jouer avec le feu. Nous savons tous deux comment cela finira. Les archanges ne perdent jamais.

— Oh, mais si, rétorqua Hank. Ils ont déjà perdu lorsqu'ils t'ont banni, toi et tes semblables. Ils ont perdu quand les déchus ont engendré les néphilims. Ils peuvent encore perdre et ils perdront. Voilà pourquoi tu devrais dès à présent choisir ton camp. En tenant l'une d'entre eux, nous avons l'avantage. Ensemble, nous pouvons changer la donne. Nous devons agir immédiatement.

Adossée au mur, je me laissai glisser jusqu'au sol et ramenai mes genoux contre ma poitrine. Je renversai la tête jusqu'à ce qu'elle touche le béton. Soudain, j'éprouvais des difficultés à respirer normalement. J'étais déjà parvenue à combattre une hallucination et je pouvais recommencer. Épongeant mon front en sueur, je me concentrai sur la situation réelle avant que la vision ne débute. *Tu dois retrouver Jev – le véritable Jev. Ouvre une porte dans ton esprit et sors de là.*

— Je suis au courant, pour la chaîne.

À ces mots, mes paupières se rouvrirent aussitôt. Je les observai tous les deux et plus particulièrement Hank. Pouvait-il s'agir de la même chaîne ?

Non, c'est impossible. Une hallucination est une chimère, un jeu de l'esprit. Rien n'est réel. Ton subconscient a créé cette scène de toutes pièces. Focalise-toi sur une porte de sortie.

Jev arqua un sourcil interrogateur.

— Je préférerais ne pas révéler ma source, reprit vivement Hank. Tout ce dont j'ai besoin à présent, c'est de la chaîne elle-même. Comme tu es malin, tu te doutes que c'est là que tu interviens. Aide-moi à trouver une chaîne d'archange. N'importe laquelle fera l'affaire.

— Tu ferais mieux de voir ça avec ta « source », répliqua Jev, non sans ironie.

— Deux néphilims, proposa Hank, les lèvres pincées. Tu ferais ton choix, bien entendu. Et tu pourrais alterner...

— Je n'ai plus ma chaîne, l'interrompit Jev d'un geste, si c'est là où tu veux en venir. Les archanges me l'ont confisquée lorsqu'ils m'ont banni.

— Ce n'est pas ce que prétend ma source.

— Alors ta source ment, répondit platement Jev.

— Un autre informateur affirme t'avoir vu la porter cet été.

Quelques secondes s'écoulèrent. Jev, incrédule, secoua la tête avant d'éclater de rire.

— Tu n'as pas fait ça ? demanda-t-il, retrouvant aussitôt son sérieux. Dis-moi que tu n'as pas mêlé ta fille à toute cette histoire !

— Elle a remarqué une chaîne en argent à ton cou. En juin dernier.

Jev scruta son interlocuteur.

— Que sait-elle, exactement ?

— De moi ? Elle commence à apprendre... Ça ne me plaît guère, mais je suis au pied du mur. Si tu acceptais notre arrangement, je n'aurais plus besoin d'elle...

— Tu t'imagines que ta fille m'intéresse ?

— L'une d'elles t'intéresse... Ou t'intéressait.

Hank guetta la réaction de Jev. En voyant ce dernier se raidir, il éclata de rire.

— Après tout ce temps, tu es toujours incapable de te dominer. Et dire que désormais, elle ignore jusqu'à ton existence. En parlant de mon autre fille, on l'aurait elle aussi vue porter ta chaîne en juin. C'est elle qui l'a, n'est-ce pas ?

La question sonnait davantage comme une affirmation. Mais Jev ne trahit rien.

— Non, elle ne l'a pas.

— J'avoue que le plan aurait été parfait, poursuivit néanmoins Hank qui ne paraissait pas dupe. Je ne peux pas m'employer à la faire parler, puisqu'elle ne sait plus rien. Voilà qui est ironique. La seule information dont j'ai besoin se trouve enfouie dans une mémoire que j'ai moi-même entièrement effacée.

— Dommage.

D'un geste théâtral, Hank tira le morceau de toile qui recouvrait la cage. D'un coup de pied, il la poussa sous le faisceau de lumière. Le métal racla bruyamment le sol. Les cheveux emmêlés de la jeune femme cachaient son visage, ses yeux cernés balayaient éperdument l'entrepôt, comme pour en mémoriser chaque détail avant d'être à nouveau plongée dans l'obscurité.

— Alors ? lui demanda Hank. Qu'en dis-tu, petit oiseau ? Penses-tu que l'on pourra te trouver une chaîne d'archange à temps ?

Lorsque le regard de la fille se posa sur Jev, elle écarquilla les yeux. Elle agrippa frénétiquement les barreaux de sa cage, les pressant entre ses poings exsangues. Un cri presque intelligible lui échappa et je crus reconnaître le mot « traître ». Elle observa les deux hommes avant de pousser un hurlement retentissant.

L'intensité du son me projeta en arrière et mon corps traversa le mur du hangar. Catapultée dans les ténèbres, ma chute me parut sans fin. Je sentis mon estomac se soulever, provoquant une vague de nausée.

Brusquement, je basculai la tête la première sur le sol, au bord de la route. Les graviers s'enfonçaient dans la paume de mes mains. Je parvins à m'asseoir et inspirai l'air chargé de l'odeur des champs de maïs. Le bruissement des insectes montait dans la nuit. Tout était exactement tel que je l'avais laissé. Combien de temps avais-je perdu connaissance ? Dix minutes ? Une demi-heure, peut-être ? Une fine pellicule de sueur recouvrait ma peau et, cette fois, je frissonnai pour de bon.

— Jev ? appelai-je d'une voix étranglée.

Il avait disparu.

12.

Sur le conseil de Jev, je marchai droit devant moi jusqu'à Whitetail Lodge. Depuis la réception, je fis appeler un taxi. Ma mère se trouvait peut-être encore au restaurant et, de toute façon, je ne l'aurais pas prévenue. Je n'étais pas en état de parler. Ma tête bourdonnait d'idées qui défilaient, sans logique, et je n'avais pas la force d'y remettre de l'ordre. Terrassée par la fatigue, j'étais trop perturbée pour démêler les événements successifs de cette soirée mouvementée.

Une fois chez moi, je montai aussitôt dans ma chambre. Mécaniquement, je me déshabillai, passai une chemise de nuit et me glissai dans mon lit. Pelotonnée sous les couvertures, je m'endormis instantanément.

Un bruit de pas pressés sur le parquet me réveilla en sursaut. J'avais dû rêver de Jev, car dans un demi-sommeil, je pensai immédiatement : « c'est lui ». Tirant mes draps jusqu'au menton, je me préparais à le voir franchir le seuil de ma chambre.

Ma mère poussa si violemment la porte qu'elle claqua contre le mur.

— Elle est là ! cria-t-elle par-dessus son épaule. Dans son lit !

Elle s'approcha de moi. Le poing pressé contre son cœur, elle semblait craindre qu'il ne lâche.

— Nora ! Pourquoi ne m'as-tu pas dit où tu allais ? Nous t'avons cherchée partout en ville ! s'exclama-t-elle, le souffle court et le regard fou.

— J'ai demandé à la serveuse de t'avertir que Vee me raccompagnait, balbutiai-je.

Avec le recul, je réalisai combien je m'étais montrée impulsive. Mais en apercevant ma mère, radieuse et main dans la main avec Hank, je m'étais sentie de trop.

— J'ai appelé Vee. Elle n'était au courant de rien !

Évidemment... Je n'avais pas eu le temps de prévenir Vee. Gabe était apparu avant que j'aie pu l'appeler.

— Ne recommence jamais ! reprit ma mère. Ne refais jamais ça !

C'était inutile et ridicule, mais je fondis en larmes. Je n'avais pas voulu l'affoler, ni la faire courir dans toute la ville pour me retrouver. Mais la voir avec Hank... déclenchait une réaction épidermique. Et puis, il y avait Gabe... J'étais certaine qu'il ne réapparaîtrait plus dans ma vie, mais sa menace silencieuse était encore présente à mon esprit. Dans quelle situation m'étais-je fourrée ? La soirée aurait pris une tournure bien différente si j'avais tenu ma langue et quitté la supérette quand Gabe m'en avait donné l'occasion.

J'avais fait le bon choix, pourtant. Si je ne m'étais pas interposée, B.J. n'aurait peut-être pas survécu.

— Oh, Nora.

Je laissai ma mère m'envelopper de ses bras et enfouis mon visage contre sa chemise.

— J'étais angoissée, voilà tout. Nous serons tous plus vigilants la prochaine fois.

Dans le couloir, le parquet gémit. Je levai les yeux et vis Hank, appuyé contre le chambranle de la porte.

— Tu nous as fait une belle peur, jeune fille.

Malgré le ton léger et la voix calme, l'éclat carnassier de son regard me donna des frissons.

— Je ne veux pas de lui ici, soufflai-je à ma mère.

Mon hallucination ne se basait sur rien de réel, pourtant elle me hantait. Je revoyais Hank tirer la toile de cette cage. L'écho de ses paroles résonnait dans ma tête. J'avais conscience de projeter mes peurs et mes angoisses sur lui, mais sa présence m'était insupportable.

— Je t'appelle plus tard, Hank, lui dit ma mère sans me lâcher. Une fois que Nora sera calmée. Merci encore pour le dîner et... navrée pour cette fausse alerte.

— Ne t'en fais pas, ma chérie, répondit-il d'un geste évasif. J'ai ma propre petite diva à la maison, quoiqu'elle n'ait jamais rien fait d'aussi fou.

Il se mit à rire, comme si la situation l'amusait au plus haut point.

J'attendis que le bruit de ses pas ait disparu dans l'entrée. Je ne savais quoi raconter à ma mère. D'après Jev, on ne pouvait compter sur la police et je craignais que la moindre de mes paroles ne revienne aux oreilles de l'inspecteur Basso. Cependant, trop de choses s'étaient produites pour que je tienne ma langue.

— J'ai croisé quelqu'un ce soir, avouai-je. Après avoir quitté le restaurant. Je ne l'ai pas reconnu, mais il m'a dit que nous nous connaissions. Nous avons dû nous rencontrer au cours des cinq derniers mois, mais je n'en ai aucun souvenir.

— T'a-t-il dit son nom ? demanda ma mère, qui resserra brutalement son étreinte

— Jev.

Elle laissa échapper le soupir qu'elle avait sur le bout des lèvres. J'ignorais ce que cela signifiait. Avait-elle redouté un autre nom ?

— Tu le connais ? poursuivis-je, pensant qu'elle pourrait m'éclairer.

— Non. T'a-t-il dit où vous vous étiez rencontrés ? Au lycée, peut-être ? Chez Enzo, quand tu travaillais là-bas ?

J'avais travaillé chez Enzo ? Première nouvelle. J'allais exiger des explications, mais son regard se fit plus perçant.

— Attends, comment était-il habillé ? Enfin, précisat-elle avec un geste impatient, ses vêtements ? Comment étaient-ils ?

— Quelle importance ? demandai-je en fronçant les sourcils.

Elle se leva et fit les cent pas. Elle dut prendre conscience de son attitude pour le moins déroutante, car elle finit par s'appuyer sur ma commode et examina nonchalamment un flacon de parfum.

— Peut-être un uniforme, avec un logo ? Ou peut-être ses vêtements étaient-ils entièrement assortis... Du noir ?

À l'évidence, elle orientait ma réponse, mais dans quel but ?

— Il portait un jean, avec un tee-shirt bleu marine et blanc.

La bouche pincée, le visage inquiet, elle semblait perdue dans ses pensées.

— Qu'est-ce que tu me caches ?

Elle ferma les yeux, prête à céder.

— Qu'y avait-il d'autre ?

— Il y a eu... un garçon, lâcha-t-elle enfin.

— Quel garçon ? demandai-je, piquée.

Je me surpris à espérer qu'il s'agissait de Jev. Je voulais en apprendre davantage sur lui, et même tout savoir.

— Il est quelquefois venu ici. Il ne portait que du noir, ajouta-t-elle avec un mépris évident. Il était plus âgé que toi et sincèrement, ne le prends pas mal, mais je n'arrive pas à comprendre ce qui lui plaisait en toi. Il avait laissé tomber le lycée, se contentait d'un boulot de plongeur au Borderline et souffrait apparemment d'une addiction aux jeux. Peut-être s'imaginait-il que tu allais passer ta vie à Coldwater. Il ne pouvait envisager aucun de tes rêves et encore moins s'y adapter. J'aurais été surprise qu'il trouve la motivation suffisante pour s'inscrire à la fac.

— Et moi, j'étais amoureuse ?

Sa description ne correspondait pas vraiment à Jev, mais je voulais en avoir le cœur net.

— Je ne crois pas, non. Tu te dérobais chaque fois qu'il appelait. Il a fini par comprendre et t'a laissée tranquille. Une brève histoire, qui aura duré deux semaines, tout au plus. Si je t'en parle, c'est uniquement parce qu'il m'avait toujours paru louche. Et je me suis même demandé s'il était mêlé à ta disparition. Sans vouloir exagérer, du jour où tu l'as rencontré, ta vie s'est assombrie.

— Qu'est-il devenu ? poursuivis-je, le cœur battant.

— Il a quitté la ville. Tu vois ? insista-t-elle en secouant la tête. Ça ne pouvait pas être lui. J'ai paniqué, voilà tout. Oublie-le. Il a probablement échoué à l'autre bout du pays, à l'heure qu'il est.

Elle tapota mon genou comme pour mieux se rassurer.

— Comment s'appelait-il ?

— Ça alors, répondit-elle après une brève hésitation. Je ne m'en souviens absolument pas. Ça commençait par un « p ». Peter ? proposa-t-elle avec un rire forcé. Tu vois, il était vraiment insignifiant.

Je lui offris un sourire distrait tout en me remémorant les paroles de Jev.

Oui, on se connaissait. On s'est rencontrés il y a environ cinq mois et dès le départ, tu aurais mieux fait de m'oublier.

En admettant que Jev et ce mystérieux garçon ne fussent qu'une seule et même personne, on m'avait forcément caché quelque chose. Et si ce Jev garantissait les ennuis, j'aurais eu tout intérêt à prendre mes jambes à mon cou.

Cependant, j'étais persuadée que sa brusquerie et son détachement n'étaient qu'une façade. Juste avant d'avoir cette vision, il m'avait dit :

Tu n'es plus censée être impliquée. Et même moi, je ne peux plus te protéger.

Ce qui signifiait qu'il l'avait fait par le passé. Ce soir, ses actes l'avaient prouvé. Or les actes ne pèsent-ils pas plus lourd que les paroles ? pensai-je amèrement.

J'étais en proie à deux questions. Dans quoi, exactement, n'étais-je plus censée être impliquée ? Et qui, de ma mère ou de Jev, m'avait menti ?

S'ils s'imaginaient que j'allais me contenter de réponses évasives, comme la petite fille bien sage qu'ils auraient aimé voir en moi, ils se trompaient lourdement.

13.

Le samedi matin, je me levai de bonne heure. J'enfilai un short et un tee-shirt et sortis courir. Il y avait quelque chose d'étrangement grisant à sentir mes foulées frapper le bitume. Avec l'effort, j'avais la sensation d'évacuer tous mes ennuis pressants et chassai soigneusement les souvenirs de la veille. En voulant me prouver que j'étais capable de m'aventurer seule le soir en ville, j'avais été servie. J'avais la ferme intention de ne plus remettre le nez dehors une fois la nuit tombée. Ou de retourner faire des emplettes dans cette supérette.

Contre toute attente, ce n'était pas Gabe qui hantait mes pensées. Plutôt ce regard d'une noirceur indécente qui, en m'observant, était passé de l'indifférence à une douceur infinie, presque sensuelle. Jev m'avait demandé de ne pas tenter de le retrouver, mais je ne pouvais m'empêcher d'inventer mille situations propices à une nouvelle rencontre. En songe, j'avais arpenté la plage d'Ogunquit avec Vee et l'avais croisé, alerte et sérieux, surveillant la côte. Je m'étais réveillée en sursaut, le cœur battant, avec un sentiment douloureux qui me traversait de part en part. Nul besoin d'aller chercher bien loin pour interpréter le rêve : quoique troublée et agacée par son attitude, je désirais désespérément le revoir.

Le ciel était bas et l'air relativement vif. Mon podomètre me signala que je venais de franchir les cinq kilomètres. Avec un sourire satisfait, je me mis au défi d'en faire un supplémentaire. Tous les prétextes étaient bons pour penser à Jev et prolonger le plaisir de la course. J'avais fait du sport en salle avec Vee et suivi quelques cours de zumba, mais rien ne remplaçait l'euphorie d'un effort en plein air. Je cédai même à la tentation d'ôter mes écouteurs et savourai les bruits matinaux de la nature en éveil.

De retour chez moi, je pris un long bain puis devisai devant mon placard, mordillant mon pouce tout en passant en revue le contenu de ma garde-robe. J'optai finalement pour un jean, des bottes et un chemisier turquoise. Vee n'aurait pas oublié ces vêtements, qu'elle m'avait persuadée d'acheter durant les dernières soldes. En me regardant dans la glace, il semblait si simple d'incarner l'ancienne Nora Grey.

C'était un premier pas dans la bonne direction. Plus qu'un millier d'autres à franchir. Je redoutais mes retrouvailles avec Vee, car l'évocation de ma disparition paraissait inévitable, mais notre complicité me rassurait quelque peu. Avec Vee, il serait facile d'orienter la conversation vers certains sujets, sur lesquels elle était intarissable. Il me suffisait d'amorcer les bonnes discussions.

J'observai mon reflet, avec la sensation qu'il manquait quelque chose. Un accessoire. Un bijou, peut-être, ou plutôt une écharpe.

J'ouvris le tiroir de ma commode et aperçus, en proie à un brusque malaise, la longue plume noire oubliée sous mes chaussettes. Je songeai à m'en débarrasser immédiatement, mais quelque chose me retenait. Malgré ma méfiance, j'étais intriguée. D'abord, je voulais découvrir à quel animal elle pouvait appartenir, et ensuite comprendre d'où me venait ce besoin de la cacher. Cette curieuse obsession n'avait aucun sens, mais depuis mon réveil mouvementé dans ce cimetière, plus rien ne me paraissait logique. Repoussant la plume au fond du tiroir, j'attrapai le premier foulard que je trouvai.

Arrivée en bas, je saisis au passage un billet de dix dollars dans le pot commun que ma mère fournissait chaque semaine, et grimpai au volant de la Volkswagen. Je dus jouer du poing sur le tableau de bord pour aider au démarrage, mais je me persuadai qu'il n'y avait là rien d'inquiétant. Le véhicule prenait de l'âge, comme... un grand millésime. Elle avait vu du pays. Elle avait peut-être même transporté quelques personnages intéressants. Aguerrie, expérimentée, ma voiture avait conservé tout le charme des années 1980. Mieux : elle ne m'avait pas coûté un centime.

Après avoir mis pour quelques dollars d'essence dans le réservoir, je rejoignis le bistrot « Chez Enzo », notre Q.G. habituel. Je me recoiffai à la hâte devant la vitrine avant de pénétrer à l'intérieur.

J'ôtai mes lunettes de soleil, impressionnée par le nouvel aspect des lieux. L'endroit avait été remanié de fond en comble et n'était plus du tout tel que je me le rappelais. Une grande volée de marches descendait depuis le bar jusqu'à la salle de restaurant en contrebas. Deux galeries circulaires la bordaient, partant du comptoir, où étaient dressées des tables en aluminium qui conféraient à l'espace un style rétro et chic. La stéréo fredonnait en sourdine des airs de jazz et, un bref instant, j'eus l'impression d'avoir traversé le temps et de me retrouver dans un troquet clandestin à l'époque de la prohibition.

Vee, dressée à genoux sur sa chaise, agitait frénétiquement la main.

— Par ici, ma belle !

Elle me rejoignit à mi-chemin et me serra dans ses bras.

— J'ai commandé des mokas glacés et des donuts pour fêter ça ! Bon sang, on va avoir des choses à se raconter ! Je ne voulais pas te le dire, mais tant pis pour les surprises ! J'ai perdu un kilo ! Ça se voit ? demanda-t-elle en tournoyant devant moi.

— Tu es splendide !

Et j'étais sincère. Après tout ce temps, nous nous retrouvions enfin. Elle aurait pu prendre cinq kilos, je l'aurais trouvée sublime.

— D'après le magazine *Self*, les formes seront à la mode cet automne, donc ça me remonte le moral, annonça-t-elle en se laissant tomber sur son siège.

Plutôt que de m'installer face à elle, je tirai la chaise à sa gauche.

— Alors, reprit-elle d'un air complice. Raconte-moi la soirée d'hier. Nom d'une vache, je n'arrive pas à le croire. Ta mère et Hanky-quineur ?

— Hanky-quineur ? répétai-je, moqueuse.

— Ça sera son petit surnom. En plus, ça lui va comme un gant.

— Je penchais davantage pour « le gigolo ».

— Carrément ! s'emporta Vee en frappant la table du plat de la main. Non, mais franchement ! Quel âge a ce type, à ton avis ? Vingt-cinq ans ? Au fond, c'est peut-être le grand frère de Marcie. Imagine : il a un sévère problème d'Œdipe et sa femme est aussi sa mère.

Hilare, je laissai échapper un grognement peu élégant, ce qui nous plongea dans un fou rire plus retentissant encore.

— Allez, arrête, dis-je, posant les mains sur mes cuisses et tâchant de retrouver un semblant de sérieux. C'est méchant. Et si Marcie entrait et nous entendait ?

— Qu'est-ce que tu veux qu'elle fasse ? Qu'elle nous empoisonne avec sa dose quotidienne de laxatif ?

Avant d'avoir pu répondre, un raclement de chaise attira mon attention. Owen Seymour et Joseph Mancusi s'assirent à notre table. Ils fréquentaient tous les deux notre lycée. L'année précédente, nous avions eu un cours de biologie commun avec Owen, un grand garçon dégingandé qu'on ne voyait jamais sans ses polos Ralph Lauren et ses lunettes d'intello. En sixième, il m'avait battue pour représenter notre section au concours municipal d'orthographe, mais j'avais eu le temps de m'en remettre. Quant à Joseph, dit « Joey », nous n'étions plus ensemble en classe depuis des années, mais nous nous connaissions depuis l'école primaire. Son père était l'unique chiropraticien de Coldwater. Signe distinctif : il se décolorait les cheveux, portait des tongs en toutes saisons et maniait la grosse caisse dans la fanfare du lycée. Il raflait les meilleures notes dans toutes les matières et je savais de source sûre que Vee avait eu un faible pour lui au collège.

Owen repoussa ses lunettes sur son nez et nous adressa un sourire. Je craignais qu'il ne me mitraille de questions au sujet de mon enlèvement, mais il se contenta de bredouiller, d'un air gêné :

— En vous apercevant au fond de la salle, on s'est dit qu'on pourrait... euh... s'inviter à votre table.

— Ben voyons. S'inviter à notre table ? Vous en faites, de belles phrases !

La froideur de Vee me surprit, elle qui assumait sans complexe son côté aguicheur. S'agissait-il d'une nouvelle technique de séduction ?

— Alors... vous avez prévu quelque chose, ce week-end ? demanda innocemment Joey en croisant ses mains sur la table, frôlant celles de Vee.

—Oui, et vous n'êtes pas au programme, répliqua-t-elle en se reculant brusquement.

Pas de nouvelle technique, donc. J'essayai d'attirer son attention en lui faisant les gros yeux, mais elle toisait furieusement Owen.

—Si ça ne vous ennuie pas, on voudrait reprendre notre conversation, poursuivit-elle, signifiant qu'il était temps pour eux de s'éclipser.

Owen et Joey échangèrent un regard, perplexe.

—Tu te souviens, en cinquième, quand on était ensemble en cours de sport, Vee ? tenta Joey. Tu étais ma partenaire de badminton. Tu étais vraiment excellente. Si je me rappelle bien, nous avions même gagné le tournoi de la classe.

Il leva la main pour qu'elle tape dans la sienne, mais elle le fixa sans réagir.

—Je ne suis pas vraiment d'humeur à parler du bon vieux temps.

—Ah... euh OK, répondit Joey en laissant mollement retomber son bras derrière la table. On ne peut vraiment pas vous offrir une limonade, ou quelque chose d'autre ?

—Pour que vous y glissiez une drogue quelconque ? Non merci. Et si vous cessiez de fixer nos poitrines, vous remarqueriez que nous avons déjà à boire, grinça-t-elle en agitant son moka glacé.

—Vee ! soufflai-je, mortifiée.

Ni Owen ni Joey n'avaient eu de regards déplacés ! Quelle mouche l'avait piquée ?

—Euh, eh bien, désolés de vous avoir dérangées, balbutia Owen en se levant maladroitement. On pensait juste que...

—Eh bien, vous vous êtes trompés, coupa Vee. J'ignore quels plans tordus vous aviez en tête, mais c'est raté.

— Des plans quoi ? répéta Owen, les yeux écarquillés, en repoussant machinalement ses lunettes.

— Message reçu, intervint Joey. Vous papotiez entre filles et nous n'aurions pas dû vous interrompre. J'ai deux sœurs, ajouta-t-il d'un air entendu. La prochaine, on vous euh... demandera d'abord.

— Il n'y aura pas de prochaine fois. Considérez que Nora et moi, conclut-elle en nous désignant du pouce, ne sommes plus sur le marché.

Je m'éclaircis la gorge, cherchant vainement à clore cet échange sur une note plus positive. À court d'idées, je leur servis un sourire navré.

— Euh, merci. Passez une bonne journée, leur lançai-je d'un air incertain.

— Oui, c'est ça. Merci de débarrasser le plancher ! cria Vee tandis qu'ils s'éloignaient à reculons, complètement effarés.

Lorsqu'ils furent partis, elle se tourna vers moi.

— Non, mais tu le crois, toi ? Ils s'imaginent qu'il suffit de nous aborder pour qu'on leur tombe dans les bras, comme ça ? Ils sont cinglés, ou quoi ? On a une tête à se laisser prendre aussi facilement ? C'est une insulte à notre intelligence ! Ils peuvent aller faire leur numéro ailleurs, ces deux-là.

— Eh ben, soufflai-je, sidérée.

— Ne me fais pas la morale. Toi aussi, tu voyais clair dans leur jeu.

— À vrai dire, observai-je en me grattant distraitement le sourcil, je crois qu'ils voulaient simplement bavarder. Mais, je peux me tromper, m'empressai-je en voyant son air furibond.

— Quand deux types qu'on connaît à peine s'approchent sans raison apparente en nous jouant la sérénade, tu peux être sûre qu'ils ont une idée derrière la tête. Ça, j'en suis certaine.

Je mordillai ma paille, ne sachant quoi répondre. Ce dont j'étais certaine, c'est que je n'oserais plus jamais regarder Owen ou Joey en face, mais Vee était sans doute de mauvaise humeur. J'avais un jour éprouvé une méfiance similaire après avoir vu un film où le charmant voisin de l'héroïne se trouvait être un serial killer et il m'avait fallu quelques jours pour m'en remettre. Vee traversait peut-être cette même phase. Je m'apprêtais à lui poser la question quand je fus coupée par la sonnerie de mon téléphone.

— Ne me dis pas. C'est ta mère qui vient aux nouvelles ? J'étais d'ailleurs surprise qu'elle te laisse sortir. Ça n'est pas un secret, elle ne m'a jamais aimée. Pendant quelque temps, je crois qu'elle a pensé que je pouvais avoir un rapport avec ta disparition, conclut Vee avec humeur.

— Ne sois pas ridicule. Elle ne te comprend pas toujours, voilà tout.

Mais le SMS provenait, contre toute attente, de Marcie Millar.

AU FAIT, disait-il, C'EST UNE CHAÎNE D'HOMME EN ARGENT QUE JE CHERCHE. TU L'AS TROUVÉE ?

— Fiche-moi la paix, sifflai-je.

— Alors ? me pressa Vee. Sur quel prétexte bidon elle te demande de rentrer, cette fois ?

COMMENT AS-TU EU MON N° ? répondis-je à Marcie.

NOS PARENTS N'ÉCHANGENT PAS QUE DE LA SALIVE, ANDOUILLE.

Toi-même, pensai-je avant de refermer mon téléphone d'un coup sec.

— Je peux te poser une question idiote ?

— Ce sont mes préférées, assura Vee.

— Avais-je assisté à une fête chez Marcie, l'été dernier ?

Je pensais qu'elle éclaterait de rire, mais elle mordit son donut d'un air maussade.

— Ouais, et tu m'y as traînée ! Tu m'en dois une, d'ailleurs.

Je m'étais préparée à tout, sauf à ça.

— Question plus bizarre : est-ce qu'elle et moi étions devenues... amies ? achevai-je après une longue hésitation.

Enfin vint la réaction que j'attendais : Vee manqua de s'étouffer.

— Toi et la grue ? Amies ? Je sais que tu as un léger problème de mémoire, mais aurais-tu par hasard oublié les onze années où elle ne t'a pas lâchée ?

On avançait !

— Alors, c'est quoi cette histoire ? Puisque rien n'a changé, pourquoi m'aurait-elle invitée à cette fête ?

— Parce que tout le monde était invité. Elle cherchait à récolter des fonds pour de nouveaux uniformes de pom-pom girls. Elle nous a réclamé vingt dollars à l'entrée. On a failli partir, mais on voulait espionner...

— Espionner qui ?

— Marcie. On y est allées pour espionner Marcie. C'était l'idée, acheva Vee en hochant un peu trop vigoureusement la tête.

— Et ?

— On voulait zieuter son journal et publier les passages les plus croustillants dans le webzine du lycée. Une quête épique, hein ?

Je scrutai son regard, avec l'impression que son discours sonnait faux. Pourquoi ?

— Tu te rends compte que ça n'a aucun sens ? Jamais on ne nous aurait laissé publier ça.

— Bah, ça ne coûte rien d'essayer.

— Vee, je sais que tu ne me dis pas tout, contrai-je avec un geste accusateur.

— Qui ? Moi ?

— Allez, avoue. Tu m'avais promis de ne plus rien me cacher.

— D'accord, d'accord ! Nous voulions espionner... Anthony Amowitz, acheva-t-elle après un silence théâtral.

— Anthony Amowitz ?

Anthony était avec moi en cours de sport l'année précédente. Taille moyenne, physique moyen et comportement de porc. Et Vee m'avait déjà juré qu'il n'y avait rien entre eux.

— Tu racontes n'importe quoi, conclus-je.

— Je... j'avais un faible pour lui, reprit-elle en piquant un fard.

— Un faible ? Pour Anthony Amowitz ?

— Une erreur de jeunesse. On peut changer de sujet, s'il te plaît ?

Après onze ans d'amitié, Vee parvenait encore à me surprendre.

— D'abord, promets-moi que tu ne me caches rien. Parce que toute cette histoire ne tient pas debout.

— Parole de scout, répliqua-t-elle en me regardant dans les yeux sans ciller. Nous voulions surveiller Anthony, rien de plus. Et s'il te plaît, ne te moque pas trop, je suis suffisamment mortifiée comme ça.

Après tout ce que nous avions partagé, Vee ne m'aurait jamais menti. Je décidai donc de lui faire confiance et attribuai ses quelques invraisemblances à son embarras.

— Bon. Revenons à Marcie. Elle m'a prise à part chez *Coopersmith*, hier soir, pour m'expliquer que son copain, un certain Patch, m'avait offert une chaîne que j'étais censée lui rendre.

Vee manqua de cracher dans son verre.

— Elle t'a dit que Patch était son copain ?

— Le terme employé était « histoire de vacances ». Elle prétendait qu'il était un ami commun.

— Ah bon ?

— Pourquoi ai-je l'impression de me trouver une fois encore dans l'impasse ? demandai-je en tapotant la table du bout des doigts.

— Je ne connais aucun Patch, quel drôle de nom ! Elle l'aura sans doute inventé, cette grosse mytho. Tu devrais oublier ce Patch et Marcie, tant que tu y es. Ah là là, ces donuts sont vraiment à tomber. Tiens, insista-t-elle en agitant une pâtisserie juste sous mon nez.

Je pris le donut et le mis de côté.

— Est-ce que le nom de Jev te dit quelque chose ?

— Jev ? Tout court ? C'est un diminutif ?

Vee semblait sincèrement surprise.

— J'ai croisé un type, hier. Je crois que j'ai dû le rencontrer cet été. Il s'appelle Jev.

— Là, je ne peux pas t'aider, ma belle.

— C'est peut-être un diminutif... Jevin, Jevon, Jevro...

— Euh, non, non et non.

Je repris mon portable. Vee parut s'alarmer.

— Qu'est-ce que tu fais ?

— J'envoie un SMS à Marcie.

— Pour lui demander quoi ? Écoute, Nora..., dit-elle en se redressant brusquement.

Mais je devinai ses pensées et secouai la tête.

— Crois-moi, je n'ai aucune intention de copiner. C'est en toi que j'ai confiance, pas en Marcie. Je vais simplement lui laisser un dernier message pour lui faire comprendre que ses bobards ne marchent pas.

FOUILLÉ PARTOUT. PAS DE CHAÎNE. DÉSO-LÉE.

Moins d'une minute plus tard, je reçus la réponse.

CHERCHE MIEUX.

Je levai mon téléphone et pris Vee à témoin.

— Toujours aussi sympathique.

— Tu veux que je te dise ? Ta mère et Hanky-quineur, ça n'est peut-être pas une si mauvaise chose. Si ça peut te donner une longueur d'avance sur Marcie, soutiens la relation à fond.

— Voyez-vous ça ? rétorquai-je d'un air accusateur.

— Tu me connais : pas une once de méchanceté chez moi.

— Plutôt quelques dizaines de kilos ?

— Tu sais que tu m'as manqué, toi ? répliqua Vee avec un large sourire.

14.

Je rentrai directement chez moi après le déjeuner. Je m'engageais dans l'allée quand la voiture de ma mère apparut derrière moi. Elle était encore chez nous lorsque j'avais quitté la ferme. S'était-elle éclipsée pour retrouver Hank? Je sortis tout sourire, mais mon humeur changea rapidement.

Ma mère parqua son véhicule sous le garage et vint me rejoindre.

— C'était bien, ce déjeuner avec Vee?

— Oh, la routine. Et toi? Un rendez-vous? demandai-je innocemment.

— Plutôt le boulot, répondit-elle en poussant un long soupir. Hugo m'envoie en déplacement à Boston, cette semaine.

Hugo Renaldi, son employeur, était à la tête d'une société de vente de biens. Il organisait des transactions pour des propriétés de luxe et ma mère devait s'assurer du bon déroulement des ventes, un travail qu'elle ne pouvait effectuer à distance. Constamment sur la route, elle me laissait souvent seule chez nous et nous savions toutes les deux que la situation n'était pas idéale. Bien sûr, elle avait déjà songé à démissionner, mais l'aspect financier n'était pas négligeable. Hugo lui offrait un salaire de loin supérieur à celui qu'on lui aurait proposé en ville. En renonçant à cet emploi, il lui aurait fallu sacrifier un certain nombre de choses, à commencer par notre maison. Notre vieille ferme abritait tous mes souvenirs de mon père et j'y étais trop attachée pour envisager de la quitter.

— J'ai refusé, poursuivit ma mère. Je lui ai expliqué que j'allais devoir prendre un travail qui ne nécessite aucun déplacement.

— Tu lui as dit quoi ?

Mais ma surprise fut très vite remplacée par l'inquiétude.

— Tu as démissionné ? Tu as trouvé un autre emploi ? Ça signifie que nous allons devoir déménager ?

Je n'arrivais pas à croire qu'elle ait pris une telle décision sans me consulter. Par le passé, nous étions toujours tombées d'accord : vendre était hors de question.

— Hugo a promis de faire son possible pour me proposer un poste fixe, mais je n'y compte pas trop. Sa secrétaire est à son service depuis des années et il en est très content. Il ne va certainement pas s'en séparer uniquement pour m'arranger.

Sidérée, j'observai notre maison. L'idée qu'une autre famille puisse s'y installer me retournait. Feraient-ils des transformations ? Réaménageraient-ils le bureau de mon père de fond en comble, y compris le parquet en cerisier que nous avions nous-mêmes posé ? Et que feraient-ils de sa bibliothèque, notre première tentative de menuiserie ? Les étagères n'étaient pas parfaitement horizontales, mais elles avaient du cachet...

— Je ne pense pas vendre pour le moment, m'assura ma mère. Nous trouverons une solution. Qui sait ? Hugo réalisera peut-être qu'il a besoin de deux secrétaires. Nous verrons bien ce que l'avenir nous réserve.

— Serait-ce Hank qui te rend aussi confiante ? Tu as l'intention de l'épouser et tu comptes sur lui pour nous sortir de là ? rétorquai-je.

Cette remarque cynique m'échappa et, aussitôt, je me sentis coupable. Je n'avais pas pour habitude de me montrer impertinente, mais la sensation de vide et de peur que j'éprouvais avait parlé pour moi.

Ma mère se figea un bref instant, avant de tourner les talons, pressant violemment l'interrupteur du garage dont la porte s'abaissa derrière elle.

Je demeurai quelques instants interdite, partagée entre l'envie d'aller m'excuser et l'angoisse que suscitait son silence. J'avais donc vu juste. Ma mère fréquentait Hank dans l'espoir de l'épouser. Elle se comportait exactement comme Marcie l'avait prévu : en matérialiste. Je savais que l'état de nos finances n'était guère probant, mais jusque-là, nous nous étions toujours débrouillées. J'en voulus à ma mère de faire preuve d'une telle bassesse et à Hank de lui offrir une alternative à notre quotidien difficile.

Furieuse, je repris le volant et me perdis dans la ville. Je dépassais largement la vitesse autorisée, mais pour une fois, ça m'était égal. Je conduisais sans but précis, mue par le seul besoin de m'éloigner de ma mère. D'abord Hank, maintenant son travail. Pourquoi avais-je l'impression de ne plus être un facteur dans ses décisions ?

Aux abords de l'entrée de l'autoroute, je bifurquai sur la droite pour longer la côte. J'empruntai la dernière bretelle avant le parc de Delphic et suivis les panneaux indiquant les plages publiques. Cette partie du bord de mer était nettement moins fréquentée que le sud du Maine. Le littoral, plus sauvage, était surplombé par des falaises et les conifères prospéraient à l'abri de la marée. Les touristes, qu'on croisait toujours armés de serviettes ou de paniers à pique-nique, avaient déserté les lieux et je ne rencontrai qu'un campeur avec son chien, chassant les mouettes sur la grève.

C'était exactement ce dont j'avais besoin : un peu de solitude afin de remettre de l'ordre dans mes idées.

Je me garai le long de la route. Dans le rétroviseur, une grosse cylindrée rouge se rapprocha. Il me semblait l'avoir déjà aperçue sur l'autoroute. Comme moi, le conducteur voulait sans doute s'offrir une dernière après-midi de plage avant que l'automne ne s'installe pour de bon.

Je sautai par-dessus la barrière et dévalai les rochers. L'air était plus frais qu'à Coldwater et un vent piquant me fouettait le dos. Le bleu du ciel virait au gris et se chargeait de nuages. Je me tins loin des vagues et pris de la hauteur. Le terrain se fit plus escarpé, ce qui me permit d'oublier ma dispute en me concentrant sur mes appuis. Ma semelle dérapa sur la roche et je perdis l'équilibre, me rattrapant maladroitement sur le côté. Je laissai échapper un juron et me redressai, lorsqu'une ombre formidable se glissa devant moi. Surprise, je me retournai et reconnus le conducteur de la grosse cylindrée rouge. Un colosse, qui devait avoir un an ou deux de plus que moi avec des cheveux châtain clair coupés court, des sourcils broussailleux et une barbe naissante. Même sous son pull, sa carrure d'athlète était visible.

— J'ai bien cru que tu ne sortirais jamais de chez toi, me lança-t-il en jetant un œil méfiant aux alentours. Voilà des jours que j'essaye de te voir seul à seul !

Je me relevai, en équilibre sur le rocher. J'étudiai son visage, cherchant des traits familiers, mais son physique ne me rappelait rien.

— Désolée, mais est-ce qu'on se connaît ?

— Tu penses qu'on a pu nous suivre ? demanda-t-il en promenant son regard le long de la côte. J'ai essayé d'identifier tous les véhicules, mais l'un d'eux a pu m'échapper. J'aurais préféré que tu fasses le tour du quartier avant de te garer.

— Je euh... n'ai pas la moindre idée de qui vous êtes.

— Curieuse façon de remercier le type qui t'a payé ta voiture !

Il me fallut une seconde pour réaliser.

— Attends. Tu es... Scott Parnell ?

Je ne l'avais pas revu depuis des années, mais je finis par reconnaître le petit garçon que j'avais quitté. La même fossette au menton, les mêmes yeux noisette. La cicatrice à sa joue droite était certainement plus récente, ainsi que la barbe naissante. Sa bouche était sensuelle, ses traits fins et harmonieux.

— On m'a parlé de cette histoire d'amnésie. C'était donc vrai ? Apparemment, c'est aussi grave que le disait la rumeur.

Et optimiste, avec ça. Je croisai fermement les bras sur ma poitrine.

— Puisque nous sommes sur le sujet, répliquai-je froidement, tu pourrais peut-être m'expliquer pourquoi tu as laissé cette voiture chez moi le soir où j'ai disparu. Si tu es au courant pour mon amnésie, tu savais probablement qu'on m'avait enlevée.

— La voiture, c'était pour m'excuser de m'être conduit comme un goujat, rétorqua-t-il, les yeux rivés sur les bouquets d'arbres au-dessus de nous.

Qui craignait-il autant ?

— Parlons un peu de cette fameuse soirée.

Le littoral désert n'était sans doute pas le cadre idéal pour entamer cette conversation, mais la nécessité d'obtenir des réponses l'emporta.

— Il paraît que nous avons tous les deux été blessés par Rixon, cette nuit-là. C'est du moins ce que j'aurais raconté à la police. Toi, moi et Rixon, seuls dans une attraction de Delphic. En admettant bien sûr que ce Rixon existe vraiment. Tu veux que je te dise ? J'ignore comment tu as fait, mais je commence à croire que tu l'as inventé. J'ai la curieuse impression que c'est toi qui m'as tiré dessus et que tu avais besoin d'un coupable. M'as-tu forcée à mentionner ce Rixon à la police ? Et, plus important, est-ce toi qui m'as blessée ?

— Nora, Rixon est en enfer, à présent.

Je tressaillis. Il avait prononcé sa phrase sans la moindre hésitation et avec juste assez de mélancolie pour paraître sincère. S'il mentait, c'était un excellent comédien.

— Tu veux dire que Rixon est mort ?

— Il brûle en enfer, mais c'est à peu près la même chose. Pour moi, c'est du pareil au même.

Je scrutai son expression, cherchant à y déceler un faux-semblant. L'au-delà n'était pas un sujet dont je souhaitais discuter avec lui, mais je devais m'assurer que Rixon avait bel et bien disparu.

— Comment peux-tu en être certaine ? As-tu prévenu la police ? Qui l'a tué ?

— J'ignore qui nous devons remercier, mais je sais qu'il ne reviendra pas. Les nouvelles circulent vite, tu peux me croire.

— Il va falloir faire mieux que ça. Tu réussis peut-être à tromper ton monde, mais je ne suis pas aussi crédule. Tu as laissé une voiture devant chez moi la nuit où on m'a enlevée. Puis, tu t'es évanoui dans la nature... Ou plutôt dans le New Hampshire, c'est bien ça ? Excuse-moi, mais ton comportement ne respire pas vraiment l'innocence. Et tu t'en doutes sûrement, mais je ne te fais absolument pas confiance.

— Avant que Rixon ne nous attaque, tu m'as convaincu que j'étais vraiment un néphilim. C'est toi qui m'as appris que j'étais immortel. Et c'est à cause de toi que j'ai disparu. Tu avais raison. Je n'avais pas l'intention de finir dans les pattes de la Main noire. Il n'était pas question de l'aider à trouver de nouvelles recrues pour son armée.

Le vent cinglant s'immisçait sous mes vêtements, comme un souffle glacé sur ma peau. *Néphilim*. Encore ce mot, qui me suivait partout.

— Moi ? Je t'ai dit que tu étais un néphilim ?

Nerveuse, je fermai les yeux, espérant qu'il se reprendrait. Que son emploi de l'expression « immortel » était imagé. Qu'il avouerait être le dernier maillon d'un énorme canular monté la veille par Gabe. Une vaste blague dont j'étais l'objet.

Mais la vérité était là, tapie dans quelque obscur recoin de ma mémoire. J'étais incapable de rationaliser ces informations, mais je le sentais, comme un incendie qui ravageait ma poitrine : Scott n'inventait rien.

— Ce que j'aimerais comprendre, c'est pourquoi tu ne te rappelles rien de tout cela, pensa-t-il tout haut. Je croyais qu'une amnésie n'était que temporaire. Alors, où est le problème ?

— Je n'en sais rien, d'accord ? Je te dis que je n'en sais rien ! Je me suis réveillée il y a quelques jours en pleine nuit, au beau milieu d'un cimetière, sans le moindre souvenir. J'ignore même comment j'ai atterri là-bas.

Pourquoi éprouvais-je le brusque besoin de vider mon sac ? Je ne pus m'en empêcher. Je sentis les larmes monter et m'essuyai le nez sur ma manche.

— La police m'a retrouvée et emmenée aux urgences. C'est là qu'on m'a appris que j'avais disparu depuis près de trois mois. D'après le médecin, l'amnésie est un mécanisme de défense, qui refoule un traumatisme. Mais tu veux savoir le plus dingue ? C'est que je n'ai pas l'impression de refouler quoi que ce soit. Quelqu'un s'est introduit dans ma chambre et a déposé un message sur mon lit, me prévenant que j'avais beau être rentrée chez moi, je n'étais pas pour autant en sécurité. Quelqu'un est derrière tout ça. Quelqu'un qui sait ce que j'ai oublié, qui sait ce qui m'est arrivé.

Aussitôt, je sentis que j'en avais trop dit. Je n'avais pas la moindre preuve de l'existence de ce message. Pire : selon toute logique, il était le fruit de mon imagination. Mais si ce morceau de papier était irréel, pourquoi son souvenir refusait-il de s'effacer ? Pourquoi ne parvenais-je pas à accepter que j'avais rêvé, inventé ou halluciné ?

— Quelqu'un ? répéta Scott en m'observant, les sourcils froncés.

— Laisse tomber.

— Que disait-il d'autre, ce message ?

— Je t'ai dit : oublie ! Tu as un mouchoir ? demandai-je, le visage bouffi de larmes.

— Hé, souffla Scott en m'attrapant par les épaules. Tout va s'arranger. Ne pleure pas, d'accord ? Je suis de ton côté. Je t'aiderai à y voir clair dans tout ça.

Je ne résistai pas et il me serra contre sa poitrine en me tapotant affectueusement le dos. D'abord gauche, son geste se fit rassurant.

— La nuit où tu as disparu, je suis parti en cavale. Je suis toujours en danger, mais quand j'ai appris que tu avais réapparu et que tu avais perdu la mémoire, j'ai su que je devais revenir. Il fallait que je te retrouve. Je te devais au moins ça.

J'aurais dû le repousser. Je voulais le croire, mais pouvais-je lui faire entièrement confiance ? Ou abaisser si rapidement ma garde ? Cependant, j'étais lasse de me heurter à des murs et je sentis ma résistance s'affaiblir. J'étais incapable de me rappeler la dernière fois où j'avais ressenti une telle impression de sécurité. Blottie tout contre lui, j'avais presque la sensation de ne plus être seule. Scott m'avait promis que nous nous sortirions ensemble de cette histoire, et cela aussi, je voulais le croire.

Et puis, il me connaissait. C'était un lien avec mon passé qui me rassurait plus que je n'aurais su l'exprimer. Après tant de tentatives infructueuses pour interroger ma mémoire capricieuse, il était apparu, sans que je fasse le moindre effort, et m'avait donné des réponses. C'était plus que je n'en espérais.

— Pourquoi n'es-tu pas en sécurité, ici ? demandai-je en séchant mes larmes.

— La Main noire n'est pas loin.

Il parut réaliser que ce nom m'était inconnu.

— Histoire de clarifier les choses : tu ne te rappelles vraiment rien ? Pas le moindre détail ?

— Rien.

Ce petit mot cachait un gigantesque labyrinthe qui s'étendait à perte de vue.

— Pas géniale, ta vie, hein ?

Derrière la remarque maladroite, je décelai une véritable empathie.

— La Main noire, reprit-il, c'est le surnom qu'on donne à l'un des plus puissants néphilims. Il se constitue une armée secrète et j'étais l'un de ses... soldats, si l'on peut dire. À présent, je suis un déserteur, et s'il me rattrape, ça ira mal pour moi.

— Temps mort. Qu'est-ce qu'un néphilim ?

— Prépare-toi à recevoir un choc, Grey, annonça-t-il d'un air moqueur. Un néphil, c'est un être immortel. On ne peut pas me tuer, précisa-t-il avec un sourire plus large encore. On ne peut tuer aucun de nous.

Nous ? Ils étaient donc nombreux ?

— C'est-à-dire ?

Il ne pouvait employer le mot « immortel » au sens littéral du terme ! Il désigna les rochers en contrebas, sur lesquels se fracassait la houle.

— Si je sautais, je m'en sortirais.

Admettons qu'il ait été assez stupide pour tenter un tel plongeon et s'en soit tiré indemne. Cela ne prouvait rien. Personne n'était indestructible. Il souffrait simplement de cette illusion typiquement adolescente et masculine, courante chez les têtes brûlées de son âge, qui se vantaient de leurs bêtises et s'imaginaient invincibles.

Il leva les sourcils, affectant un air vexé.

— Tu ne me crois pas ? La nuit dernière j'ai passé plus de deux heures dans l'eau glacée, pour pêcher, et je ne suis pas mort de froid. Je peux retenir ma respiration pendant huit à neuf minutes. Il m'arrive de m'évanouir, mais je finis toujours par remonter à la surface et mon corps fonctionne correctement.

J'ouvris la bouche, mais il me fallut quelques instants pour formuler les mots :

— Ça n'a aucun sens !

— Sauf... pour quelqu'un d'immortel.

Sans que je puisse intervenir, il tira de sa poche un canif et le planta dans sa propre cuisse. J'étouffai un cri d'effroi et bondis, ne sachant s'il valait mieux retirer le couteau ou craindre une hémorragie. Avant que j'aie pu me décider, il l'ôta lui-même, laissa échapper un juron tandis que le sang imbibait la toile de son jean.

— Scott ! hurlai-je.

— Reviens demain, dit-il d'une voix plus faible. Il n'y aura plus aucune trace.

— Ah oui ? rétorquai-je, brusquement furieuse.

Était-il complètement malade ? Pourquoi tenter quelque chose d'aussi stupide ?

— Je n'en suis pas à mon coup d'essai. J'ai même essayé de m'immoler par le feu. Ma peau a grillé, carbonisée. Deux jours plus tard, j'étais comme neuf.

Déjà, je voyais le sang sécher sous son jean. La plaie ne saignait plus. Il… cicatrisait. Mais loin de prendre plusieurs semaines, le processus s'était accompli en quelques secondes. Je n'en croyais pas mes yeux et pourtant, c'était bel et bien réel.

Tout à coup, le souvenir de Gabe me frappa. Plus clairement que je ne l'aurais voulu, je visualisai la barre de fer plantée dans son dos. Jev m'avait affirmé que la blessure ne le tuerait pas…

Exactement comme Scott m'avait assuré se remettre sans une cicatrice.

— Bon, ça va, soufflai-je, même si ça n'allait décidément pas du tout.

— Tu es sûre de me croire ? Parce que je pourrais me jeter sous une voiture si tu désires davantage de preuves…

— Je… je te crois, bredouillai-je sans parvenir à cacher ma stupéfaction.

Je m'obligeai à sortir de ma torpeur. Car pour l'instant, je comptais en apprendre autant que possible et accepter ce que je voyais. Une chose après l'autre, me dis-je. Scott est immortel. Bon. Ensuite ?

— Qui est la Main noire ?

Soudain, mon appétit de détail devenait insatiable. Quelque chose m'échappait, mais quoi ? Scott allait-il encore ébranler mes certitudes et défier les lois de la raison ? Et surtout, pouvait-il m'aider à retrouver la mémoire ?

— La dernière fois que nous nous sommes vus, nous cherchions tous les deux à le savoir. J'ai passé l'été à suivre différentes pistes, ce qui n'a pas été simple, étant donné que je suis en fuite, que je n'ai pas un centime, que j'agis seul et que la Main noire n'est pas un personnage... imprudent. Mais en procédant par élimination, il ne reste qu'une possibilité. Tu es prête ? demanda-t-il avec un regard en coin. La Main noire, c'est Hank Millar.

— Quoi ?

Nous étions assis sur une énorme racine dans une grotte naturelle, à quelques centaines de mètres de la côte, nichée derrière une falaise à pic invisible depuis la route. L'abri était sombre, exigu, mais nous protégeait du vent, et Scott avait insisté pour nous mettre à couvert, redoutant d'éventuels espions de la Main noire. Il avait refusé d'en dire davantage avant d'avoir la certitude que nous serions seuls.

Frottant une allumette contre sa semelle, il enflamma un amas de brindilles entre des pierres. La lueur du feu se refléta sur les parois déchiquetées de la caverne, que j'aperçus enfin clairement. Derrière moi, je remarquai un sac à dos et un sac de couchage. Sur une aspérité naturelle de la roche était posé un miroir fendu à côté d'une bombe de mousse à raser, d'un rasoir en plastique et d'un flacon de déodorant. Près de l'entrée trônait une grande caisse à outils, où s'empilaient quelques assiettes, des couverts et une poêle à frire. Je notai également une canne à pêche et un piège. L'endroit impressionnait autant qu'il apitoyait. Loin d'être sans défense, Scott paraissait parfaitement apte à survivre seul en ne comptant que sur sa force et ses capacités. Mais qu'attendre de cette vie solitaire, toujours en fuite, courant de refuge en refuge ?

—Je le surveille depuis des mois, reprit Scott. Ça n'est pas une simple supposition.

—Es-tu certain de ce que tu avances ? Sans vouloir mettre ta parole en doute, il n'a pas le profil d'un instigateur de milice secrète ou...

D'un immortel. L'idée semblait irréelle. Absurde.

—C'est le concessionnaire automobile le plus prospère de Coldwater ! m'exclamai-je. Il est membre du club nautique et finance des associations sportives ! Pourquoi s'intéresserait-il au monde des néphils ? Il possède déjà tout ce dont il pourrait rêver.

—Parce qu'il est lui même un néphil, expliqua Scott. Et tous ses rêves sont loin d'être exaucés ! Chaque année, au mois hébreu d'Heshvan, chaque néphilim ayant prêté allégeance à un déchu doit se soumettre pendant deux semaines. Il n'a pas le choix. Durant ce laps de temps, les déchus s'emparent du corps de leur vassal. Rixon était un déchu, suzerain de la Main noire. C'est comme ça que j'ai appris qu'on l'avait envoyé en enfer. La Main noire est peut-être libérée de son emprise, mais il n'aura pas oublié ce qu'il a enduré et ne l'oubliera jamais. Voilà le but de son armée. Il cherche à renverser les déchus.

—Attends. Qui sont ces « déchus » ?

S'agissait-il d'un gang ? Ça m'en avait tout l'air. Et cette histoire paraissait de plus en plus invraisemblable. Hank Millar était bien la dernière personne de Coldwater qui aurait voulu se commettre avec des bandes organisées.

—Et qu'est-ce que tu entends par « s'emparer de leur corps » ?

À son sourire tendu, je devinai l'impatience de Scott, mais il poursuivit inlassablement ses explications :

— Définition d'un ange déchu : rebut du paradis et pire cauchemar d'un néphilim. Ils nous obligent à leur prêter allégeance et habitent notre corps durant Heshvan. Ce sont des parasites. Leur enveloppe charnelle ne leur permet pas d'éprouver de sensations physiques, c'est pourquoi ils se servent de la nôtre. Hé oui, Grey, ajouta-t-il en voyant mon expression horrifiée. Ils se glissent littéralement dans notre peau et utilisent notre corps comme le leur. Les néphils demeurent mentalement présents, mais n'ont plus aucun contrôle.

Les révélations de Scott étaient difficiles à croire. Chacune de ses phrases sonnait comme un épisode de *La Quatrième Dimension*. Mais au fond, j'étais certaine qu'il ne me mentait pas. Cela me revenait. Des lambeaux de souvenirs, fragmentés, incomplets, mais tout était là. J'avais su toutes ces choses auparavant. Quand ou comment, je l'ignorais. Mais j'avais eu connaissance de ce qu'il m'expliquait.

— L'autre soir, intervins-je, j'ai surpris trois types en train de passer un néphil à tabac. C'était donc ça qu'ils cherchaient ? Ils voulaient l'obliger à soumettre son corps durant deux semaines. C'est inhumain ! C'est... monstrueux.

Scott se baissa pour attiser son feu de fortune à l'aide d'une branche. Trop tard, je réalisai ma maladresse.

— Oh, Scott, murmurai-je, honteuse. Pardonne-moi. Je suis désolée qu'il te faille en passer par là. J'imagine mal combien ce que tu dois subir est abominable.

— Je n'ai prêté aucun serment. Et je n'en ai pas l'intention.

Il jeta la branche au feu. Les flammes crépitèrent, crachant une pluie d'étincelles dans l'atmosphère sombre et humide de la grotte.

— C'est l'une des rares leçons que m'aura enseignées la Main noire. Les déchus peuvent bien tenter toutes les manipulations mentales qu'ils voudront. Ils peuvent me décapiter, me couper la langue, me réduire en cendres, si ça leur chante. Mais jamais je ne prononcerai ce serment. Je ne crains pas la douleur. Mais les conséquences de cette allégeance, si.

— Des manipulations mentales ?

Une fois encore, je songeai à Gabe et frémis.

— L'un des atouts des déchus, reprit-il avec amertume. Ils peuvent jouer avec l'esprit des gens. Leur faire voir des choses qui n'existent pas. Et les néphils ont hérité de ce don.

Je ne m'étais pas trompé au sujet de Gabe. Mais il n'avait eu recours à aucun tour d'illusionniste pour me persuader de sa métamorphose, comme Jev me l'avait laissé croire. Il s'était servi de l'une des armes des néphils. Une forme d'hypnose.

— Montre-moi comment ça marche. Je veux savoir.

— J'ai perdu la main, répondit-il en s'adossant au mur pour croiser les bras derrière sa tête.

— Tu ne pourrais pas essayer ? insistai-je en lui donnant un coup de genou complice, espérant détendre l'atmosphère.

Scott gardait les yeux rivés sur le feu dont la lueur éclairait ses traits. En l'observant, mon sourire disparut. Pour lui, tout ceci n'avait rien d'une plaisanterie.

— Voilà le problème, dit-il enfin. On devient vite accro. Lorsqu'on y a goûté, c'est difficile de s'arrêter. Quand je me suis enfui, il y a trois mois, j'ai compris ce dont j'étais capable et j'utilisais mes pouvoirs autant que possible. Si j'avais faim, il me suffisait d'entrer dans un magasin, d'attraper ce qui me faisait envie et de persuader le caissier de me laisser partir sans payer. C'était facile, grisant. Je me sentais invincible. Mais un jour, alors que je surveillais la Main noire, je l'ai surpris à faire la même chose et cela a suffi à me dissuader. Je ne compte pas mener cette vie pour le restant de mes jours. Je ne veux pas être comme lui.

Il tira une bague de sa poche et la leva pour mieux l'examiner. C'était un anneau de fer, dont le chaton représentait un poing fermé. L'espace d'un instant, je crus voir un halo bleuté nimber le métal. Mais il devait s'agir d'un jeu de lumière, car il disparut sur-le-champ.

— Tous les néphils possèdent des capacités surprenantes, qui leur offrent une supériorité physique sur les humains, mais lorsque je porte cet anneau, mes forces semblent décupler, annonça-t-il solennellement. La Main noire me l'a donné en tentant de m'enrôler dans son armée. J'ignore quel sort ou quel maléfice il a jeté sur cet objet, ou même s'il est envoûté, mais il y a quelque chose. Quiconque passe cette bague devient pratiquement invincible. Avant ta disparation, en juin, tu me l'avais dérobée. J'étais tellement obsédé par l'idée de la retrouver que j'en étais incapable de dormir, de manger, de penser. J'étais comme un drogué qui cherche sa dose à tout prix. Je suis rentré chez toi par effraction, un soir, après ton enlèvement. Elle était cachée dans ta chambre, dans l'étui à violon.

— Violoncelle, le repris-je distraitement.

L'impression, la sensation palpable d'avoir déjà vu cet objet montait en moi.

— Je ne suis pas le type le plus brillant qui soit, mais je sais que cet anneau est tout sauf inoffensif. La Main noire l'a trafiqué, d'une façon ou d'une autre. Il cherchait à donner l'avantage à chacun de ses soldats. Même lorsque je ne porte pas la bague et que je me sers uniquement de mes compétences et de ma force naturelles, le désir d'accroître l'un et l'autre est irrépressible. La seule manière de combattre cet attrait est de les utiliser le moins possible.

J'avais beau comprendre ses hésitations, j'étais néanmoins déçue. Je devais apprendre comment Gabe était parvenu à m'envoûter, au cas où il réapparaîtrait. Et si Hank était vraiment la Main noire, maître d'une armée nébuleuse constituée de créatures surhumaines, sa présence dans ma vie était-elle aussi anodine qu'il y paraissait ? Après tout, s'il s'employait vraiment à affronter des anges déchus, comment trouvait-il le temps de s'occuper de son garage, de jouer les pères attentionnés et de fréquenter ma mère ? J'étais peut-être paranoïaque, mais après le récit de Scott, ma méfiance semblait justifiée.

J'aurais besoin d'un allié contre Hank. Pour l'instant, l'unique personne susceptible de remplir ce rôle était Scott. Je ne voulais pas lui faire courir de risque inutile, mais il était le seul capable de le combattre.

— Tu pourrais te servir de l'anneau pour une bonne cause, suggérai-je après un silence.

Scott se gratta la tête, visiblement pressé de changer de sujet.

— Trop tard, j'ai déjà pris ma décision. Plus jamais je n'utiliserai cette bague qui me lie à lui.

— Et tu ne crains pas de donner l'avantage à Hank ?

Son regard croisa le mien, mais il esquiva.

— Tu as faim ? Je peux essayer de nous attraper un bar. Bien grillé, ça n'est pas mauvais.

Sans attendre ma réponse, il s'empara de sa canne à pêche et dévala les rochers qui menaient jusqu'à la mer. Je lui emboîtai le pas, regrettant de ne pas avoir enfilé des baskets plutôt que des bottes. Scott bondissait entre les pierres et je le suivis péniblement, avançant avec prudence sur le sol glissant.

— Ça va, je ne parlerai plus de tes pouvoirs ! lui criai-je. Mais nous n'en avons pas fini, il reste tant de choses que j'ignore. Revenons à la nuit de ma disparition. Tu as une idée de l'identité de mon ravisseur ?

Scott s'assit sur le rocher et entreprit d'attacher un appât à l'hameçon. Le temps de le rejoindre, il avait presque terminé.

— Au début, je pensais que c'était Rixon, mais apparemment, il croupit en enfer. Je voulais revenir et me lancer à ta recherche, mais ça n'était pas si simple. La Main noire a des yeux et des oreilles partout. Après la soirée à Delphic, je craignais d'avoir les flics sur le dos.

— Mais ?

— Mais ça n'a pas été le cas, me dit-il avec un regard en coin. Ça ne te paraît pas bizarre ? La police savait forcément que je me trouvais dans cette attraction avec Rixon et toi. Tu avais dû le leur raconter, les prévenir que j'étais blessé, moi aussi. Alors pourquoi n'ont-ils jamais tenté de me retrouver ? Pourquoi m'ont-ils laissé disparaître dans la nature ? C'est comme si...

Il s'interrompit.

— Comme si ?

— Comme si quelqu'un était passé derrière nous pour supprimer toutes les traces. Et je ne parle pas de preuves matérielles, mais de manipulation mentale. D'effacer des mémoires. Quelqu'un de suffisamment influent pour pousser la police à chercher ailleurs.

— Tu veux dire, un néphil ?

— Ça paraît plausible, non ? répondit-il en haussant les épaules. La Main noire ne préférait peut-être pas que la police me retrouve. Il entendait me capturer lui même et s'occuper personnellement de mon cas sans que personne ne le sache. Car s'il m'attrape, je t'assure qu'il ne me livrera pas aux autorités. Il m'enfermera dans l'une de ses prisons et me fera regretter de lui avoir faussé compagnie.

Nous cherchions donc un individu assez puissant pour manipuler l'esprit des gens ou, comme l'avait dit Scott, effacer la mémoire. Et le lien avec ma propre amnésie ne m'échappait pas. Un néphil aurait-il pu anéantir mes souvenirs ? L'estomac noué, je considérai cette hypothèse.

— Combien de néphils possèdent ce genre de pouvoirs ?

— Qui sait ? La Main noire, en tout cas.

— As-tu déjà entendu parler d'un néphil appelé Jev ? Ou un ange déchu ? ajoutai-je, convaincue qu'il était l'un ou l'autre.

D'ailleurs, cette idée ne me rassurait guère.

— Non, mais ça ne veut rien dire. Aussitôt après avoir découvert l'existence des néphils, je suis parti en cavale. Pourquoi cette question ?

— L'autre soir, j'ai fait la connaissance d'un certain Jev. Il était au courant, pour les néphilims. Il a arrêté ces trois types qui...

J'hésitai à achever ma phrase. Mieux valait me montrer franche, même si j'aurais préféré éviter le sujet.

— Il a empêché ces déchus de torturer un néphil, nommé B.J. Ça va te sembler dingue, mais ce garçon dégageait une énergie... presque électrique. Son aura paraissait plus puissante que celles des autres.

— Ça donne sans doute une idée de sa force, observa Scott. S'il s'est opposé à trois déchus, c'est plutôt parlant.

— Il serait si redoutable et son nom ne te dit rien ?

— Crois-le ou non, mais là-dessus, je n'en sais pas plus que toi.

Les paroles de Jev me revinrent à l'esprit. *J'ai tenté de te tuer.* Qu'est-ce que cela pouvait bien signifier ? Se pouvait-il qu'il fût mêlé à mon enlèvement, en fin de compte ? Avait-il le pouvoir d'effacer ma mémoire ?

À en croire l'impression qui se dégageait de lui, il était largement capable de manipulation... et de bien d'autres choses encore.

— D'après ce que je sais de la Main noire, je suis surpris d'être toujours en liberté, remarqua Scott. Je l'ai ridiculisé et il n'a pas dû apprécier.

— À ce propos, pourquoi as-tu déserté ?

Scott poussa un long soupir, laissant ses mains retomber sur ses genoux.

— C'est une discussion que j'aurais préféré éviter. J'ignorais comment t'avouer ça, alors je vais me contenter d'énumérer les faits. Le soir de la mort de ton père, j'étais censé le surveiller. La Main noire m'avait confié cette mission. Si je réussissais, cela signifiait qu'il pouvait compter sur moi. Il me voulait dans son armée, mais moi, je n'avais aucune envie d'en faire partie.

Une affreuse prémonition me saisit. Je ne m'attendais pas du tout à ce que Scott établisse un quelconque lien avec mon père.

— Mon père... connaissait Hank Millar ?

— J'ai ignoré l'ordre de la Main noire. Je pensais qu'en l'envoyant balader, il comprendrait le message. Mais tout ce que j'ai réussi à faire, c'est à provoquer la mort d'un innocent.

Les mots de Scott me firent l'effet d'une douche froide.

— Tu as laissé mon père se faire tuer ? Tu savais qu'il était en danger et tu n'as rien fait ?

— Je ne me doutais pas que les choses se passeraient ainsi, répliqua-t-il avec un geste d'impuissance. Je pensais que la Main noire était un fou, un mégalomane hystérique et j'ignorais tout des néphilims. Ce n'est que plus tard, bien trop tard, que j'ai appris la vérité.

Le regard braqué droit devant moi, je fixai l'océan. Une gêne lancinante s'était logée dans ma poitrine. *Mon père*. Scott savait, depuis le début. Et jusqu'à ce qu'il n'ait plus d'autre choix, il m'avait caché tout cela. Sa voix interrompit le fil de mes pensées :

— Rixon a pressé la détente. J'ai laissé ton père s'aventurer dans ce traquenard, c'est vrai, mais l'assassin, c'était Rixon.

— Rixon, répétai-je.

D'amères impressions refaisaient surface. D'horribles visions se succédaient. Rixon m'entraînant dans la maison de l'étrange ; Rixon avouant sans remords le meurtre de mon père. Rixon sortant son arme. Les images n'étaient pas suffisamment précises pour constituer de réels souvenirs, mais ces mirages me rendaient malade.

— Si ce n'est pas Rixon qui m'a enlevée, alors qui ?

— Je t'ai dit que j'avais passé l'été à suivre la trace de la Main noire. Au début du mois d'août, il est parti pour le parc national de White Mountain. Il a roulé à travers bois jusqu'à une petite cabane, un refuge, où il n'est resté qu'une vingtaine de minutes. Un tel trajet pour une visite aussi courte, c'était suspect, non ? Je n'ai pas osé m'approcher pour regarder par les fenêtres, mais deux jours plus tard, j'ai surpris l'une de ses conversations téléphoniques. Il informait son interlocuteur que la fille était toujours dans la cabane et qu'il devait savoir si on avait fait « table rase ». Ce sont ses mots exacts. Et je commence à me demander si la fille dont il parlait...

— N'était pas moi... soufflai-je, stupéfaite.

Hank Millar, l'immortel. Hank Millar, la Main noire. Et à présent, peut-être mon ravisseur.

Silence

— Il y a un type qui doit avoir quelques réponses, dit Scott en se grattant le sourcil. Si quelqu'un sait comment obtenir des informations, c'est lui. Bien sûr, le retrouver pourrait s'avérer compliqué. J'ignore par où commencer. Et dans les circonstances actuelles, il ne sautera sans doute pas de joie à l'idée de nous aider. La dernière fois que je l'ai vu, il a failli me fracasser la mâchoire parce que j'avais essayé de t'embrasser.

— Hein ? De m'embrasser ? Qui est ce type ?

— Évidemment, répondit Scott en fronçant les sourcils. Tu ne te souviendras pas non plus de lui. C'est ton ex, Patch.

15.

— Une seconde ! l'arrêtai-je. Comment ça, mon « ex » ?

Cela ne collait en rien à l'histoire de Marcie. Ou celle de Vee, d'ailleurs.

— Vous aviez rompu. À cause de Marcie, je crois. Eh, se défendit-il, en levant les mains. Je ne sais rien de plus. J'ai réemménagé à Coldwater au beau milieu de la tragédie.

— Tu es certain que nous étions ensemble ?

— C'est toi qui l'avais défini comme ça.

— De quoi avait-il l'air ?

— Flippant.

— Et où est-il, à présent ? insistai-je.

— Comme je te l'ai expliqué, il ne sera pas facile de le retrouver.

— Est-ce que tu saurais quelque chose au sujet d'une chaîne qu'il m'aurait donnée ?

— Tu poses de ces questions !

— Marcie m'a raconté que Patch était son copain. Elle prétendait qu'il m'avait offert une chaîne qui lui appartenait, et maintenant, elle veut la récupérer. Elle disait qu'il lui avait fait découvrir une autre facette de ma personnalité et qu'il nous avait rapprochées.

Scott caressa son menton d'un air moqueur.

— Et tu l'as crue ?

Mon esprit s'emballait. Patch, mon petit ami ? Pourquoi Marcie m'avait-elle menti ? Afin de me reprendre cette chaîne ? Que voulait-elle en faire ? Tout cela expliquait les flashs qui me revenaient dès que l'on mentionnait son nom, mais...

Et si j'avais eu une quelconque importance à ses yeux, où était-il passé ?

— Qu'est-ce que tu peux me dire d'autre sur lui ?

— Je ne le connaissais pas vraiment, mais le peu que je savais me filait une trouille bleue. Je verrai si je peux tenter de le retrouver, mais je ne te promets rien. En attendant, concentrons-nous sur le principal. Si je peux déterrer suffisamment d'informations sur Hank, nous découvrirons peut-être pourquoi il s'intéresse à toi et ta mère et aussi quels sont ses plans, pour mieux le contrer. C'est dans notre intérêt à tous les deux. Tu marches, Grey ?

— Oh, je marche, répondis-je d'un air farouche.

Je touchai à peine au poisson grillé, mais tins compagnie à Scott jusqu'à ce que le soleil disparaisse derrière l'horizon. Scott me raccompagna le long des rochers jusqu'à la barrière qui délimitait la route du bord de mer. Il demeurait méfiant et, à en croire ce qu'il m'avait raconté au sujet de Hank et de ses indics, je ne le comprenais que trop bien. Je lui proposai de revenir le voir, mais il refusa. Trop d'allées et venues devant la grotte attireraient l'attention, dit-il. Mieux valait qu'il me retrouve lui-même.

Sur le chemin du retour, j'analysai chaque élément révélé par Scott. Un étrange sentiment s'emparait de moi. Le désir de vengeance, peut-être ? Ou la haine, dans sa plus pure expression. Je n'avais pas encore suffisamment de preuve pour incriminer Hank, mais j'avais promis à Scott de faire mon possible et de découvrir le fin de mot de l'histoire. Et si Hank y était mêlé d'une quelconque façon, je le ferais payer.

Restait le mystérieux Patch. Un personnage ayant fait forte impression sur Marcie et moi-même, avant de disparaître sans laisser de trace. Je m'imaginais mal avec un petit ami, mais j'aurais sans doute envisagé plus facilement un gentil garçon, normal, studieux, qui rendait ses devoirs à temps et jouerait peut-être dans une équipe de baseball. Pourtant ce portrait ne collait absolument pas à ce que je savais de Patch, c'est-à-dire peu de chose.

Des lacunes que j'allais rapidement devoir combler.

À la maison, je trouvai un Post-it sur le comptoir de la cuisine. Ma mère passerait la soirée avec Hank. Un dîner, suivi d'un concert de l'orchestre symphonique de Portland. L'imaginer seule avec ce personnage me glaçait le sang, mais Scott avait été clair : je ne devais laisser paraître mes soupçons sous aucun prétexte, que ce soit devant lui ou ma mère. Hank pensait avoir le jeu en main et pour l'instant, mieux valait qu'il continue à le croire. Je devais ronger mon frein en me persuadant que ma mère ne craignait rien.

J'hésitais à appeler Vee pour la confondre au sujet de Patch, mais je n'étais pas d'humeur pour une confrontation. Je préférais la laisser mariner quelque temps, afin qu'elle s'interroge elle-même sur les raisons de mon silence. Lorsqu'elle commencerait à paniquer, elle serait contrainte de me dire la vérité – pleine et entière, cette fois. Ses mensonges m'avaient blessée et elle avait intérêt à me fournir une explication valable.

Je m'installai devant la télé avec un pot de glace au chocolat et me collai devant une série. Onze heures sonnèrent et je grimpai finalement dans ma chambre. En rangeant mes vêtements, j'aperçus une nouvelle fois la plume noire dans mon tiroir. Brillante et douce, elle me rappela le regard de Jev. De ce noir si dense qu'il absorbait la moindre particule de lumière. À côté de lui, dans la voiture, même sous la menace de Gabe, je n'avais pas eu peur. Sa présence suffisait à me rassurer. Une sensation apaisante que j'aurais aimé mettre en bouteille, afin de m'en servir à loisir.

Plus que tout, j'aurais aimé le revoir.

Je rêvais de lui lorsque j'ouvris les yeux. Un grincement s'était insinué dans mon sommeil et m'avait réveillée en sursaut. Accroupie sur le rebord de ma fenêtre, une ombre se dessinait sous la lumière de la lune. La silhouette bondit sans bruit avec l'agilité d'un chat.

Je m'assis dans mon lit, le souffle court.

— Chhhut, murmura Scott, le doigt sur ses lèvres. Il ne faut pas alerter ta mère.

— Qu'est-ce... qu'est-ce que tu fais là ? finis-je par bredouiller.

Il referma la fenêtre derrière lui.

— Je t'avais dit que je reviendrais sans tarder.

Je me laissai retomber sur mon oreiller, le cœur battant. Les situations angoissantes commençaient à devenir une habitude, mais j'avais bien failli pousser un hurlement strident.

— Tu avais omis de préciser que tu ne passerais pas par la porte.

— Hank est ici ?

— Non, il est de sortie avec ma mère. Je me suis endormie, mais je ne les ai pas entendus rentrer.

— Habille-toi.

Mon regard ahuri se promena entre Scott et le réveil.

— Scott, il est presque minuit.

— Bien observé, Grey. Pour ta gouverne, là où nous allons, il est bien plus simple d'entrer de nuit.

Allons bon.

— Entrer ? J'imagine que là-bas non plus, on ne passera pas par la porte, répliquai-je, toujours grognon après ce réveil abrupte, d'autant que Scott avait encore quelques effractions en réserve.

Tandis que mes yeux s'habituaient à cette obscurité trouble, je surpris son sourire.

— On a peur de se dévergonder ?

— Pas du tout. Pourquoi ne pas étoffer un peu mon casier judiciaire ? Ça n'est pas comme si j'avais l'intention de faire des études, ou de trouver un travail, ironisai-je.

Il ne répondit pas, mais traversa la pièce pour jeter un œil au couloir.

— J'ai localisé l'un des entrepôts de la Main noire. Tu es certaine qu'ils ne sont pas là ?

— Hank en possède sans doute plusieurs. Il vend des voitures, il faut bien les stocker quelque part.

Je roulai sur le côté, remontant mes draps jusque sous mon menton, et fermai les yeux. J'espérais qu'il comprendrait le message. La seule chose qui m'intéressait, c'était de retrouver Jev dans mon rêve. Le goût de son baiser s'attardait sur mes lèvres et je voulais faire durer le moment.

— Le hangar se situe dans la zone industrielle. Conserver des voitures dans un quartier pareil, c'est un appel au vol. C'est notre occasion, Grey, je le sens. Ce qu'il planque là-bas a beaucoup plus d'importance que de simples véhicules, j'en suis persuadé. Nous devons trouver quoi. Nous avons besoin d'un maximum d'éléments contre lui.

— Pénétrer dans un lieu par effraction est illégal. Si on veut coincer Hank, nous devons le faire de manière légitime.

Scott s'approcha de mon lit et baissa les draps pour découvrir mon visage.

— Hank ne respecte pas les règles. Si nous espérons avoir une chance, il faudra s'assurer que la partie est équilibrée. Tu n'es donc pas curieuse de savoir ce qu'il cache dans cet entrepôt ?

Je repensai à ma vision, à ce hangar où j'avais vu l'ange en cage...

— Pas si je risque d'être arrêtée, non, me contentai-je de répondre.

— Je croyais que tu devais m'aider à faire tomber la Main noire, dit Scott en s'asseyant sur mon lit.

Et c'était bien là le problème. Après quelques heures de réflexion, mes belles résolutions partaient en lambeaux. Si Hank était tel que Scott l'avait décrit, que pouvaient deux adolescents contre un personnage aussi dangereux ? Il nous fallait un plan plus ingénieux.

— Je veux t'aider et j'ai l'intention de le faire, mais rien ne sert de se précipiter. Il est tard, je suis épuisée et incapable de penser. Retourne à ta grotte et reviens à une heure plus raisonnable. Peut-être pourrais-je persuader ma mère de le retrouver à cet entrepôt et de jeter un œil à l'intérieur.

— Si je me débarrasse de la Main noire, je pourrais reprendre une existence normale, dit-il. Je n'aurais plus à me cacher, ni à fuir. Je pourrais revoir ma mère. Et la tienne serait enfin en sécurité. Je sais qu'au fond, tu souhaites exactement la même chose que moi, murmura-t-il d'un ton qui ne me plaisait guère.

Il sous-entendait me connaître mieux que je ne le pensais et cela me mettait mal à l'aise. Je ne voulais pas lui laisser une telle emprise sur moi. Certainement pas à minuit passé. Et encore moins alors que j'étais à deux doigts de retrouver Jev dans mon sommeil.

— Je te protégerai, reprit-il plus doucement, si c'est ce qui t'inquiète.

— Comment puis-je en être certaine ?

— Tu ne le peux pas. C'est l'occasion de me mettre à l'épreuve. De voir ce dont je suis vraiment capable.

Je me mordillai la lèvre et réfléchis. Filer en douce n'était pas vraiment mon genre. Pourtant, je m'apprêtais à faire le mur pour la deuxième fois de la semaine. Je commençais à croire que j'étais précisément tout l'inverse d'une fille raisonnable. Peut-être pas une sainte-nitouche, après tout, semblait murmurer mon mauvais génie.

L'idée de m'introduire dans ce hangar à une heure pareille ne m'enchantait pas particulièrement, mais d'un autre côté, Scott resterait avec moi et, si je désirais une chose, c'était que Hank Millar disparaisse de ma vie.

Un néphilim était sans doute capable de tromper un ou deux inspecteurs. Mais même mêlé à un trafic de grande envergure, Hank ne pouvait tout de même pas échapper à toutes les autorités. Tout à coup, la perspective de pousser la police à mettre son nez dans ses affaires semblait un bon moyen de contrecarrer ses plans, quels qu'ils fussent.

— Tu es sûr que c'est sans danger ? Comment être certain de ne pas se faire prendre ?

— Ça fait des jours que je quadrille le périmètre. La nuit, l'endroit n'est pas gardé. Il suffira de s'approcher des fenêtres pour prendre quelques photos. Le risque est plutôt minime. Alors, tu marches ou pas ?

Je poussai un soupir résigné.

— D'accord. Tourne-toi, que je puisse m'habiller.

Pas question de le laisser apercevoir le débardeur et le caleçon qui me tenaient lieu de pyjama.

— Eh, tu parles à un mec, répondit Scott, l'air amusé. Autant demander à un gamin de ne pas regarder un stand de bonbons.

Au secours !

La fossette qui se creusait sur son menton n'y changerait rien, ma décision était prise. Si nous devions agir ensemble, notre relation ne pourrait être que platonique.

D'un air polisson, il leva les mains en l'air en signe de reddition et me tourna le dos. Je bondis hors du lit, fonçai jusqu'au placard et m'y enfermai. Derrière les portes légèrement entrebâillées, je cherchai à tâtons mes vêtements. J'enfilai un jean, un tee-shirt et une veste à capuche. Cette fois, j'optai pour des baskets, redoutant la possibilité d'une course-poursuite, au cas où l'aventure tournerait court.

Boutonnant mon jean, je poussai la porte.

— Tu sais ce que je pense ?

— Que tu es mignonne quand tu t'habilles décontracté ? répondit-il en m'observant des pieds à la tête.

Pourquoi fallait-il qu'il me sorte des répliques pareilles ? Je sentis mes joues s'empourprer et priai pour que Scott ne le remarque pas dans la pénombre.

— Qu'il vaudrait mieux pour toi que je ne le regrette pas, rétorquai-je.

16.

Pour un type qui cherchait à passer inaperçu, Scott n'avait pas choisi une voiture discrète. Son antique coupé des années 1970 semblait avoir perdu son pot d'échappement. J'étais presque certaine qu'on l'entendait pétarader à quelques centaines de mètres à la ronde.

Entre le raffut de son tacot et nos capuches enfoncées sur les oreilles, nous paraissions plus suspects qu'autre chose, mais Scott n'avait pas voulu en démordre.

— La Main noire a des espions partout, me répéta-t-il pour la énième fois en jetant un regard inquiet au rétroviseur, comme pour illustrer son propos. S'il nous prenait à rôder ensemble dans le coin...

Il n'acheva pas sa phrase.

— Ça va, j'ai compris.

En dépit de mes airs bravaches, je n'étais pas tranquille. Je n'osais imaginer ce dont Hank serait capable s'il nous soupçonnait de comploter contre lui.

— Je n'aurais pas dû te conduire à la caverne. Il ferait n'importe quoi pour me retrouver. J'ai été stupide et je t'ai mise en danger.

— Ça ne fait rien, l'assurai-je, malgré mon angoisse. Tu étais surpris de me revoir et tu n'as pas réfléchi. Moi non plus, d'ailleurs, conclus-je avec un rire nerveux. Si j'avais un peu de jugeote, je n'irais pas fouiner du côté de son hangar. Et si le bâtiment était sous vidéo-surveillance ?

— Non. À mon avis, la Main noire ne veut aucune preuve matérielle qui puisse trahir ses activités. Des vidéos, ça tourne facilement, ajouta-t-il d'un air entendu.

Scott gara le coupé sur la berge de la rivière Wentworth, sous les branches basses d'un arbre. En me retournant, quelques mètres plus loin, la voiture n'était déjà plus visible. C'était sans doute son intention. Nous avançâmes le long du fleuve, sous une lune trop diaphane pour projeter nos ombres derrière nous.

Après avoir traversé Front Street, je suivis Scott qui serpentait entre les vieux hangars, aux murs de brique hauts et étroits. L'architecte avait clairement cherché à réduire les espaces. Les ouvertures des bâtiments étaient noircies, condamnées par de la tôle ou recouvertes de l'intérieur avec du papier journal. Les ordures et le chiendent prospéraient pêle-mêle dans les fossés.

— Voilà le repaire de la Main noire, murmura Scott en désignant un entrepôt sur quatre niveaux, pourvu d'une échelle d'incendie branlante et de fenêtres arrondies. Je l'ai vu entrer ici à cinq reprises rien que cette semaine. Il arrive systématiquement juste avant l'aube, pendant que le reste de la ville dort encore. Il se gare à quelques pâtés de maisons et vient jusqu'ici à pied. Parfois, il fait deux fois le tour du périmètre pour s'assurer que personne ne le suit. Et tu penses toujours qu'il vend des voitures ?

Je devais bien l'admettre, de telles précautions pour faire l'inventaire de ses Toyota semblaient superflues. Un atelier de démantèlement pour un trafic de pièces détachées paraissait tout aussi invraisemblable. Je voyais mal l'un des hommes les plus riches et les plus influents de la ville recourir à de pareilles magouilles pour arrondir ses fins de mois. Non, il se tramait autre chose. Et le sentiment de panique qui s'intensifiait à chaque instant n'augurait rien de bon.

— Tu penses pouvoir jeter un coup d'œil à l'intérieur ? demandai-je, craignant que les fenêtres de ce hangar soient elles aussi condamnées.

Nous étions encore trop loin pour les apercevoir.

— Nous serons bientôt fixés.

Nous rasions les murs de si près que mon pull frottait contre la brique. Au coin de la rue, nous distinguâmes les fenêtres des deux premiers niveaux, recouvertes de papier. Cependant, celles des deuxième et troisième étages n'étaient pas calfeutrées.

— Tu penses à la même chose que moi ? me demanda Scott, l'œil pétillant de malice.

— On grimpe à l'échelle et on jette un coup d'œil ?

— Exact. On tire à la courte paille ?

— Pas question. C'était ton idée. À toi l'honneur.

— Dégonflée, lâcha-t-il d'un air moqueur malgré la sueur qui perlait à grosses gouttes sur son front. Même dans l'obscurité, je devrais pouvoir prendre quelques clichés corrects, ajouta-t-il en sortant un appareil jetable de sa poche.

Sans un mot, nous traversâmes précipitamment la rue et nous engouffrâmes dans l'allée bordant l'entrepôt, avant de nous cacher derrière un container poubelle constellé de graffitis. Pantelante, je posai les mains sur mes genoux. Était-ce la course ou l'angoisse qui m'ôtait le souffle, je l'ignorais. Maintenant que nous étions au pied du mur, je regrettais de ne pas avoir attendu Scott dans la voiture. Ou même d'être restée dans mon lit. À ce stade, ma plus grande peur était que Hank me surprenne. Scott était-il bien certain qu'aucune caméra de surveillance ne nous filmait ?

— Alors, tu montes ?

J'espérais secrètement que, comme moi, Scott serait prêt à se dégonfler et à rebrousser chemin.

— Il se pourrait même que je me glisse à l'intérieur. À ton avis, quelles sont les chances pour qu'ils aient oublié de fermer les portes ? demanda-t-il avec un signe de tête en direction des quais de chargement.

Je ne les avais pas remarquées jusqu'à ce que Scott me les montre. Surélevées, elles étaient encastrées dans un renfoncement du bâtiment. Idéal pour débarquer ou faire partir des marchandises en toute discrétion. Devant ces trois portes successives, quelque chose fit tilt. Elles ressemblaient comme deux gouttes d'eau à celles que j'avais vues dans cette hallucination, enfermée dans les toilettes du lycée. L'entrepôt présentait également d'étranges similarités avec cette autre vision qui m'avait saisie, alors que je me trouvais avec Jev sur le bord de la route. Des coïncidences pour le moins curieuses, que j'étais incapable d'expliquer à Scott. Difficile d'embrayer sur une phrase comme « J'ai déjà vu cet endroit dans ma tête » sans passer pour une hystérique.

Tandis que je m'interrogeais sur ces surprenantes ressemblances, Scott sauta sur la plateforme en béton et tenta la première porte.

— Fermée, annonça-t-il en se tournant vers le digicode. Quel est le code, à ton avis ? Sa date de naissance ?

— Trop évident.

— Celle de sa fille, alors ?

— Ça m'étonnerait.

Hank était sans doute plus fin que cela.

— Retour au plan A, donc.

Il bondit et s'agrippa au premier barreau de l'échelle de secours, dispersant un nuage de rouille autour de lui. Le métal émit un grincement plaintif, mais le mécanisme s'enclencha, libérant la chaîne, et l'échelle s'abaissa.

— Si je tombe, tu me rattrapes, hein ? lança-t-il avant de se mettre à grimper.

Il posa prudemment le pied sur les deux premiers barreaux pour tester leur solidité. Ils semblèrent supporter son poids, aussi reprit-il son ascension, lentement et le plus discrètement possible. En le voyant atteindre le premier étage, je pris soudain conscience de devoir monter la garde. Je jetai un regard au coin du bâtiment. Devant moi, au croisement, l'ombre découpée d'une silhouette masculine se profilait sur le trottoir. Je m'écartai.

— Scott ! soufflai-je.

Mais il était déjà trop haut pour m'entendre. L'homme s'était arrêté à l'angle de l'entrepôt et me tournait le dos. Entre ses doigts brillait la lueur orangée d'un mégot. Il se pencha et parcourut la rue du regard. Il n'avait pas l'air d'attendre quelqu'un. La plupart de ces hangars étaient désaffectés et, passé minuit, je doutais que des ouvriers prennent encore leur pause cigarette. Ce type surveillait le bâtiment, c'était certain.

Preuve supplémentaire des activités suspectes de Hank. L'homme écrasa son mégot, consulta sa montre puis fit quelques pas dans la ruelle, désœuvrée.

— Scott ! sifflai-je, les mains en porte-voix. On a un problème.

Il avait déjà dépassé le premier étage et s'approchait du deuxième, appareil photo en main. Comprenant qu'il ne m'entendrait pas, je saisis un petit caillou et visai son dos pour attirer son attention. Au lieu de l'atteindre, le projectile ricocha plusieurs fois avec un écho métallique assourdissant.

Je plaquai ma main contre ma bouche, osant à peine respirer. Scott baissa les yeux et se figea. D'un geste inquiet, je désignai l'angle du bâtiment avant de me précipiter entre le mur et la benne à ordures. Par l'interstice, je vis la sentinelle accourir. Devinant l'origine du bruit, il braqua automatiquement son regard sur l'échelle de secours.

— Hé ! cria-t-il à Scott, en bondissant pour se lancer à sa poursuite avec une agilité dont peu d'humains auraient su faire preuve.

Lui aussi était gigantesque, un trait qui selon Scott était caractéristique des néphils.

Ce dernier accéléra la cadence. Dans sa précipitation, il lâcha l'appareil photo qui se fracassa sur le bitume. Il lui jeta un regard éperdu avant de reprendre son ascension. Au troisième étage, il se hissa sur le toit et disparut.

J'envisageai toutes les possibilités. Le néphil était sur ses talons, prêt à le rattraper. Qu'allait-il lui faire ? Le forcerait-il à redescendre pour l'interroger ? L'estomac noué, je redoutais soudain qu'il prévienne Hank afin que celui-ci se charge lui-même de Scott.

Je fis le tour du hangar et jetai des regards désespérés vers le toit pour tenter de l'apercevoir. Au même instant, une ombre fila dans les airs, passant d'un toit à l'autre. Je clignai des yeux, tâchant de distinguer quelque chose, lorsqu'une seconde silhouette s'élança au-dessus du vide, avec une cabriole des plus athlétiques.

J'en restai bouche bée. Scott et le néphil sautaient de bâtiment en bâtiment. J'ignorais comment une telle prouesse était possible et le moment était mal choisi pour se pencher sur le caractère invraisemblable de la situation. Je me mis à courir en direction du coupé, anticipant la décision de Scott. Si nous parvenions tous deux à atteindre la voiture avant que le néphil ne nous rattrape, nous avions une chance de nous en sortir. Redoublant d'efforts, je suivis à l'aveuglette le claquement de leurs semelles sur les toits.

À mi-chemin, Scott vira brutalement sur la droite et le néphil lui emboîta le pas. Le bruit de leur course inouïe sembla s'évanouir dans la nuit. Au même instant, un cliquetis attira mon attention sur le trottoir. Je me baissai et ramassai les clés du coupé. Aussitôt, je compris : Scott cherchait à faire diversion pour me laisser la possibilité d'atteindre le véhicule. Ces deux néphils étaient rapides, beaucoup plus rapides que moi, et sans ce laps de temps supplémentaire, je n'avais pas la moindre chance. Mais Scott ne conserverait pas son avance bien longtemps. Je devais me dépêcher.

Piquant un sprint sur Front Street, je longeai le dernier pâté de maisons avant la voiture. À bout de souffle, ma vue se brouillait. Je touchai la portière, haletante et courbée en deux par un point de côté. Les yeux rivés sur les toits, je guettai le moindre signe de Scott ou du néphil.

Une silhouette se jeta du haut de l'immeuble, en faisant de grands moulinets avec les bras. Scott atterrit en effectuant une roulade maladroite. Derrière lui, le néphil, réussit une réception parfaite. Saisissant Scott par le col, il le releva et lui décocha un violent coup de poing à la tête. Scott chancela sans perdre connaissance. Je craignais cependant qu'un second uppercut ne le laisse K.O.

Sans réfléchir, je me glissai à l'intérieur du coupé et démarrai. J'allumai les phares et fonçai droit vers eux, les mains crispées sur le volant. *Pourvu que ça marche...*

Scott et son assaillant se retournèrent vers la voiture, éblouis par les phares. Scott me cria quelque chose, mais je ne l'entendis pas. Le néphil hurlait, lui aussi. À la dernière seconde, il lâcha Scott pour éviter de justesse le pare-choc. Scott n'eut pas cette chance. Je le percutai et il rebondit sur le capot. Je n'eus pas le temps de me demander s'il était sévèrement blessé, car presque aussitôt, il se jeta sur le siège passager et claqua la portière.

— Fonce !

J'écrasai la pédale d'accélérateur.

— C'était quoi ce délire ? hurlai-je. Tu sautais entre les toits comme si c'était une simple course d'obstacles !

— Je t'avais bien dit que j'étais plus costaud que la moyenne.

— Peut-être, mais tu ne m'avais pas dit que tu pouvais voler ! Et tu prétendais ne plus vouloir te servir de ces pouvoirs !

— Disons que tu m'as fait changer d'avis, répliqua-t-il avec un sourire satisfait. Alors, impressionnée ?

— Ce néphil a bien failli t'étriper et c'est tout ce qui t'intéresse ?

— J'en étais sûr !

Content de lui, il ouvrait et fermait le poing, l'anneau de la Main noire à son majeur. Le moment me parut inopportun pour exiger davantage d'explications, mais sa décision de le porter à nouveau me soulageait quelque peu. Avec cette arme, Scott avait une chance contre Hank. Et du même coup, moi aussi.

— Sûr de quoi ? demandai-je, excédée.

— Tu rougis.

— Je suis à bout de souffle ! Et je ne suis pas impressionnée, ajoutai-je précipitamment lorsque je compris où il voulait en venir. Ce que tu as fait... Enfin, tu réalises ce qui aurait pu t'arriver... Tu es un inconscient et un irresponsable. Pire : tu te comportes maintenant comme si tout ceci n'était qu'une vaste blague, bafouillai-je en écartant les mèches en bataille sur mon visage.

— Je ne poserai plus de question, claironna-t-il, hilare. J'ai ma réponse.

17.

Scott me raccompagna chez moi, au mépris total des limitations de vitesse. Il se gara avant d'atteindre la ferme, comme je le lui avais demandé. Durant tout le trajet, j'avais jonglé entre deux angoisses. La première, c'était que le néphil nous ait suivis, en dépit des précautions de Scott, et la seconde, que ma mère soit rentrée avant nous. Mais en trouvant mon lit vide, elle m'aurait immédiatement appelée. À moins que sa fureur ne lui ait ôté la parole.

— Eh bien, lançai-je à Scott d'une voix blanche, on peut dire que la soirée était animée.

Il frappa rageusement le volant.

— Trente secondes de plus ! C'est tout ce qu'il me fallait. Si je n'avais pas lâché l'appareil, nous aurions des photos de l'entrepôt, grinça-t-il en secouant la tête.

J'allais répliquer que s'il avait l'intention d'y retourner, il devrait trouver un autre acolyte, mais il recouvra son calme.

— Si le garde m'a reconnu, il avertira Hank. Et même s'il n'a pas clairement discerné mon visage, il a peut-être aperçu ma cicatrice. Hank saura aussitôt que c'était moi. Et il enverra une équipe pour ratisser les environs. J'ai entendu dire qu'il enfermait indéfiniment certains néphils dans ses prisons souterraines, dans les bois ou dans des bâtiments isolés. On ne peut pas tuer un néphil, mais on peut le torturer. Je vais devoir disparaître quelque temps.

— Quelle cicatrice ?

Scotta tira sur son col, révélant une parcelle de chair marquée du même poing fermé présent sur son anneau. La brûlure avait cicatrisé, mais j'imaginais péniblement la douleur crue causée par une telle meurtrissure.

— Le sceau de la Main noire. Voilà comment il m'a enrôlé de force. La bonne nouvelle, c'est qu'il n'a pas pensé à y incruster de mouchard.

Je n'étais pas d'humeur à plaisanter et ne lui rendis pas son sourire timide.

— Tu penses que le garde a pu apercevoir ta marque ?

— Aucune idée.

— Tu crois qu'il m'a vue ?

— Non, répondit Scott en secouant la tête. Impossible de distinguer quoi que ce soit derrière la lumière des phares. J'ai su que c'était toi uniquement parce que j'ai reconnu le coupé.

Cela aurait dû me rassurer, mais j'étais nouée et incapable de pousser un soupir de soulagement.

— Hank va raccompagner ta mère d'une minute à l'autre, reprit Scott en désignant la route. Je vais faire profil bas pendant quelques semaines. Avec un peu de chance, le garde n'aura pas vu ma marque. Il m'aura pris pour un petit voyou.

— Il sait que tu es un néphil. C'est certain. Tu connais beaucoup d'humains capables de jouer à saute-mouton sur des immeubles ? Et quand Hank l'apprendra, il ne croira sûrement pas à une coïncidence.

— Raison de plus pour me cacher. Si je disparais, Hank s'imaginera que j'ai pris peur et que j'ai quitté la ville. Quand les choses se seront tassées, je viendrai te retrouver. Nous établirons un autre plan et tenterons une nouvelle tactique.

— Et moi, dans tout ça ? rétorquai-je, à bout de nerfs. C'est toi qui m'as mis cette idée dans la tête. Tu ne peux pas me laisser tomber maintenant. Il sort avec ma mère ! Moi je ne peux pas m'offrir le luxe de déguerpir. S'il est lié à mon enlèvement, je veux qu'il paye. Imagine qu'il prépare quelque chose d'encore pire ! Ça n'est pas dans quelques semaines, ou quelques mois, que nous devons l'arrêter, mais tout de suite !

— Et d'après toi, qui va s'en débarrasser ? répondit-il fermement, mais sans s'énerver. La police ? La moitié des flics en service lui mangent probablement dans la main. Quant à l'autre moitié, il n'aurait aucun mal à les manipuler. Écoute-moi, Nora. Notre but, c'est d'aller jusqu'au bout. Mais nous devons d'abord laisser les choses se calmer et la Main noire penser qu'il est à nouveau maître du jeu. On pourra passer à l'offensive et frapper lorsqu'il s'y attendra le moins.

— Il est maître du jeu ! Sa soudaine relation avec ma mère n'est pas un hasard. Je doute qu'elle soit une priorité pour lui maintenant qu'il a une armée à constituer. Heshvan débutera le mois prochain, en octobre. Alors pourquoi elle ? Et pourquoi en ce moment ? En quoi pourrait-elle lui être utile dans ses plans ? Je dois le découvrir avant qu'il ne soit trop tard !

Scott se toucha nerveusement l'oreille.

— Je savais que je n'aurais rien dû te dire. Tu vas craquer ! La Main noire s'en apercevra et te fera parler. Tu lui diras pour moi, et pour la grotte.

— Ne t'en fais pas à mon sujet.

Je sortis de la voiture et repris, avant de claquer la portière :

—Fais le mort, si ça te chante, parce que ta mère, elle, ne craint rien. Elle n'est pas en train de tomber amoureuse de ce monstre. Je trouverai un moyen de le percer à jour, avec ou sans toi !

Évidemment, j'ignorais totalement comment m'y prendre. Hank s'était imposé si férocement à Coldwater que son influence s'étendait à toute la ville. Partout, il avait des amis, des relations, des employés. Il possédait les ressources financières, logistiques, jusqu'à sa propre armée. Plus inquiétant encore, il tenait ma mère dans le creux de sa main.

Les deux jours suivants passèrent dans un calme relatif. Fidèle à sa résolution, Scott disparut. Je regrettais de m'être emportée. Il faisait ce qu'il avait de mieux à faire et je ne pouvais pas le lui reprocher. Je l'avais accusé de se dérober, à tort. Il savait quand attaquer et quand se replier. Scott était plus malin que je ne l'aurais cru. Et surtout plus patient.

Ce n'était pas mon cas. J'avais toujours détesté Hank Millar, et malgré ma méfiance grandissante, je devais découvrir au plus vite ses intentions. Comme un nuage menaçant, Heshvan approchait, un rappel constant de ses manigances. Je n'étais pas encore certaine que ma mère fasse partie de son plan, mais certains signes m'alarmaient. Il lui restait fort à faire avant Heshvan, comme de recruter et d'entraîner ses néphils afin de combattre les déchus et leur emprise sur leurs vassaux. Pourquoi donc consacrer autant de temps à ma mère ? Pourquoi vouloir gagner sa confiance ? Pourquoi lui tourner autour ?

Ce ne fut qu'en cours d'histoire, tandis que j'écoutais d'une oreille distraite les vicissitudes de la Réforme protestante, qu'une idée soudain me vint.

Hank connaissait Scott. Et s'il le soupçonnait d'avoir fureté du côté de son entrepôt, il savait aussi qu'il ne reparaîtrait pas de sitôt. Hank devait prévoir que Scott disparaîtrait de la circulation. Jamais il n'imaginerait qu'on revienne traîner dans les parages aussi vite. Jamais...

La soirée s'écoula, tranquille. Vers dix heures, ma mère me souhaita bonne nuit. Une heure plus tard, je vis sa lumière s'éteindre. J'attendis quelques minutes, puis repoussai mes couvertures. Déjà tout habillée, j'attrapai sous mon lit un sac en toile dans lequel j'avais glissé une lampe de poche, un appareil photo et mes clés.

Je poussai la Volkswagen le long de notre allée, puis sur Hawthorne Lane, remerciant silencieusement Scott de m'avoir offert un véhicule aussi léger. Un pick-up aurait été plus compliqué à déplacer. Lorsque je me fus suffisamment éloignée de la ferme, je mis le moteur en route.

Vingt minutes plus tard, je parquai la voiture près de l'endroit où Scott avait garé le coupé. Je ne notai aucun changement. Mêmes bâtiments condamnés, mêmes lampadaires aveugles. Au loin un train émit un sifflement lugubre.

Puisque le hangar de Hank était gardé, j'écartai la possibilité de m'en approcher. J'allais devoir trouver un autre moyen de jeter un œil à l'intérieur. Soudain, j'eus une idée. Dans cette jungle désaffectée, un élément jouait en ma faveur : l'architecture. Les constructions étaient très proches les unes des autres. Il me serait donc facile de surveiller l'entrepôt de Hank depuis le bâtiment voisin.

Reprenant le chemin que Scott et moi avions suivi, je rejoignis le repaire de Hank au pas de course. Tapie dans l'ombre, je commençai par observer les alentours. L'échelle de secours avait été aussitôt retirée. Hank se montrait prudent. Les fenêtres du deuxième étage avaient été tapissées de papier journal, mais on ne s'était pas encore occupé du troisième. Avec une précision diabolique, toutes les dix minutes, une vigie sortait pour surveiller le quartier.

Convaincue de disposer de suffisamment d'informations pour poursuivre mon expédition, je fis le tour du pâté de maisons et rejoignis l'arrière du bâtiment le plus proche. Dès que le garde eut terminé sa ronde et regagné le hangar, j'émergeai de l'ombre et me mis à courir. Mais cette fois, je ne me cachai pas dans la ruelle adjacente, mais dans une autre, plus éloignée.

Je grimpai sur une poubelle pour tirer l'échelle de secours. Malgré le vertige, je n'avais pas l'intention de laisser mes angoisses gâcher mon expédition. Le souffle court, je parvins jusqu'au premier étage. J'essayais de me persuader de ne pas baisser les yeux, mais la tentation fut trop forte. Je promenai mon regard dans la ruelle en contrebas, que l'enchevêtrement de ferraille dissimulait en partie. Mon estomac se noua et ma vue se brouilla.

Ravalant ma peur, je poursuivis mon ascension jusqu'au deuxième, puis troisième niveau. Le cœur au bord des lèvres, je tentai de forcer les fenêtres. Les premières étaient solidement bloquées, mais la troisième céda avec un grincement sourd. Je sortis mon appareil et me glissai à l'intérieur.

Je me redressai lorsqu'une lumière crue m'aveugla. Protégeant mes yeux, j'entendis tout autour de moi des corps s'agiter. En rouvrant les paupières, j'aperçus des rangées de lits de camp. Tous étaient occupés par des hommes exceptionnellement grands. Des néphilims.

Avant d'avoir eu le temps de réfléchir, un bras s'enroula autour de ma taille et m'attira en arrière.

— Vite ! souffla une voix grave, tandis qu'on m'entraî-nait vers la fenêtre par laquelle j'étais entrée.

Stupéfaite, je sentis deux bras puissants me faire pas-ser sous la vitre jusqu'à l'escalier de secours. Jev me toi-sait de haut en bas, le regard noir. Sans un mot, il me poussa en avant. Tandis que nous dévalions les échelons, des cris retentirent au pied du bâtiment. D'une minute à l'autre, nous serions cernés.

Avec une exclamation agacée, Jev me tint serrée contre lui.

— Quoi que tu fasses, surtout ne me lâche pas.

J'avais à peine eu le temps de m'agripper que nous basculions dans le vide. Jev avait décidé d'accélérer la descente en sautant par-dessus l'échelle. Je sentis l'air fouetter mon visage tandis que le bitume se rapprochait dangereusement. Tout fut terminé avant que j'aie pu pousser un cri. Une simple secousse et je me retrouvai sur mes jambes.

Jev saisit ma main et m'entraîna loin de l'entrepôt.

— Ma voiture est garée un peu plus loin.

Au coin de la rue, il me fit franchir le croisement et couper par une autre ruelle. Devant moi, contre le trot-toir, j'aperçus son 4 x 4 blanc. Il déverrouilla les portes à distance et nous nous ruâmes à l'intérieur.

À tombeau ouvert, Jev rogna chaque virage et accé-léra dans les lignes droites, jusqu'à s'assurer d'avoir semé d'éventuels poursuivants. Enfin, il s'arrêta devant une minuscule station-service, sur la route qui reliait Cold-water à Portland. Une pancarte « FERMÉ » pendait à la fenêtre et de faibles lumières filtraient derrière les stores. Il coupa le moteur.

— On peut savoir ce que tu fichais là-bas ? demanda-t-il d'une voix grave et rageuse.

— J'escaladais l'échelle de secours, ça ne se voyait pas ? répliquai-je.

Avec un jean déchiré, les genoux égratignés et les mains entaillées, seule la colère m'empêchait de fondre en larmes.

— Eh bien c'est fait. Félicitations. Tu as bien failli te faire tuer. Et ne me dis pas que tu te trouvais là par hasard. Personne ne se promène la nuit dans un coin pareil. Tu essayais d'entrer dans un repaire de néphils, donc encore une fois, je ne crois pas à une coïncidence. Qui t'a demandé d'y aller ?

— Un repaire de néphils ? répétai-je en écarquillant les yeux.

— En plus tu fais l'imbécile ? Incroyable, s'emporta-t-il en secouant la tête.

— Je pensais qu'il s'agissait d'un bâtiment désaffecté. C'est l'entrepôt d'à côté qui grouille de néphilims !

— Les deux appartiennent au même néphil. Un dangereux personnage. L'un sert de leurre et environ quatre cents de ses hommes dorment dans l'autre chaque nuit. Devine dans lequel tu as tenté de pénétrer ?

Un leurre. Évidemment, Hank n'était pas aussi imprudent. Dommage que je n'y aie pas songé vingt minutes plus tôt. Car dès le lendemain, il déménagerait sûrement ses recrues et j'aurais perdu toute chance de suivre cette piste. Au moins, je savais maintenant ce qu'il dissimulait. Cet entrepôt servait de caserne à une partie de son armée.

— Je croyais t'avoir dit d'arrêter de chercher les ennuis, reprit Jev. Je croyais t'avoir dit de mener une vie normale, pour changer.

— La normalité n'a pas duré longtemps. Après t'avoir vu, j'ai retrouvé un vieux copain. Un néphilim.

J'avais parlé sans réfléchir, mais quel mal y avait-il à mentionner Scott ? Après tout, en prenant ma défense, Jev avait persuadé Gabe de relâcher B.J. Il ne pouvait donc haïr les néphils à ce point.

— Quel copain néphil ? gronda-t-il.

— Ça ne te regarde pas.

— Pas la peine. Je sais. Le seul néphil que tu serais assez naïve pour considérer comme un ami, c'est Scott Parnell.

Je n'eus pas le temps de dissimuler ma surprise.

— Tu connais Scott ?

Aussi calme que meurtrière, son expression me laissa deviner qu'il ne l'appréciait guère.

— Où est-il à présent ?

Je songeai à la grotte et à ma promesse de ne jamais en révéler l'emplacement.

— Il... il ne me l'a pas dit. Je l'ai croisé pendant mon jogging. Nous n'avons pas parlé longtemps et n'avons pas eu le temps d'échanger nos numéros de téléphone.

— Un jogging, où ça ?

— En ville, répliquai-je sans difficulté. Il sortait d'un restaurant à l'instant où je passais et il m'a reconnue. Nous n'avons discuté qu'une minute ou deux.

— Tu mens. Scott ne se montrerait jamais au grand jour, alors que sa tête est mise à prix par la Main noire. Je parierais que tu l'as retrouvé dans un endroit plus reculé. Dans les bois, derrière chez toi ?

— Comment sais-tu où j'habite ? demandai-je, anxieuse.

— Un néphil qui n'est pas digne de confiance est sur ta trace et, à ta place, ça m'inquiéterait davantage.

— Pas digne de confiance ? Lui au moins m'a tout expliqué au sujet des néphils et des déchus, ce que tu t'es bien gardé de faire !

Je tâchai de retrouver mon calme. Ça n'était pas de Scott que je voulais parler, mais de nous, afin de le forcer à révéler la nature de notre ancienne relation. Depuis des jours, j'avais rêvé de le revoir et maintenant que j'en avais l'occasion, je ne comptais pas la laisser passer. Je devais savoir ce qu'il avait représenté pour moi.

— Et que t'a-t-il dit ? Qu'il était la victime ? Que tout était la faute des déchus ? Il peut leur reprocher l'existence de sa race, mais Scott n'est pas une victime et il est tout sauf inoffensif. S'il te tourne autour, c'est parce qu'il a besoin de toi. Tout le reste n'est qu'une façade.

— C'est drôle, car jusqu'ici, il ne m'a rien demandé du tout. Il n'a agi que dans mon intérêt. Il tente de m'aider à retrouver la mémoire. Oh, n'aie pas l'air si surpris. Ça n'est pas parce que tu es un sale égoïste que le reste du monde l'est aussi. Après m'avoir éclairée sur le conflit entre les néphils et les déchus, Scott m'a appris que Hank Millar se constitue une armée souterraine. Ça ne signifie sans doute rien pour toi, mais pour moi, c'est d'autant plus grave que ce type sort avec ma mère.

Aussitôt, son expression furibonde disparut.

— Qu'est-ce que tu viens de dire ? demanda-t-il d'une voix menaçante.

— Je t'ai traité de sale égoïste et je maintiens.

Il parut réfléchir, les yeux dans le vague, et j'eus la nette impression que ma révélation l'avait pris de court. La mâchoire crispée, il devenait soudain froid et terrifiant. La tension était palpable et une puissante émotion le parcourut.

— À qui as-tu parlé de moi ?

— Parce que tu t'imagines que j'ai parlé de toi ?

— Est-ce que ta mère est au courant ? insista-t-il en me dévisageant.

Je voulais m'en tirer par une pirouette, mais j'étais trop épuisée pour chercher une répartie cinglante.

— Il se peut que j'aie mentionné ton nom. Qui ne lui disait rien, d'ailleurs. Alors nous revoilà à la case départ. Comment est-ce qu'on s'est connus, Jev ?

— Si je te demandais de faire quelque chose pour moi, j'imagine que tu refuserais de m'écouter ? Je vais te ramener chez toi, reprit-il lorsque je me tournai vers lui. Essaye d'oublier ce qui s'est passé ce soir. Et tâche de faire comme si de rien n'était, surtout en présence de Hank. Ne parle jamais de moi.

Pour toute réponse, je lui lançai un regard mauvais et descendis de la voiture.

Il me rattrapa et souffla d'une voix plus douce :

— Ce n'est pas une réponse, ça.

Je m'éloignai du 4 x 4, craignant qu'il ne m'y fasse remonter de force.

— Je ne veux pas rentrer chez moi. Pas maintenant. Depuis que tu m'as sauvé des griffes de ce Gabe, j'ai envisagé tous les moyens possibles pour te retrouver. J'ai passé bien trop de temps à tenter de comprendre comment et où je t'avais rencontré. Je ne me souviens peut-être pas de toi, ou de ce qui a pu se produire durant les cinq derniers mois, Jev, mais ça ne m'empêche pas de ressentir les choses ! Et quand je t'ai aperçu, l'autre soir, j'ai éprouvé un sentiment que je n'avais jamais connu auparavant. Je ne pouvais pas te regarder sans avoir le souffle coupé. Qu'est-ce que ça signifie ? Pourquoi ne veux-tu pas me rendre la mémoire ? Qui es-tu ?

Je m'immobilisai pour lui faire face. Ses yeux d'un noir intense semblaient contenir toutes sortes d'émotions. La déception, la douleur, la méfiance.

— L'autre soir, pourquoi m'as-tu appelée « mon ange » ?

— Si j'avais les idées claires, je te ramènerais immédiatement chez toi.

— Mais ?

— Je suis tenté de faire quelque chose que je vais probablement regretter.

— Comme me dire la vérité ? demandai-je, pleine d'espoir.

Ses yeux sombres me jaugèrent.

— D'abord, je dois te mettre à l'abri. Les hommes de Millar ne doivent pas être loin.

18.

Comme pour lui donner raison, un crissement de pneus retentit derrière nous. Hank aurait été satisfait : ses hommes n'abandonnaient pas facilement.

Jev m'attira derrière un mur de brique croulant.

— On ne pourra pas les semer avec le 4 x 4 et, même si c'était possible, je ne t'entraînerais pas dans une course-poursuite avec eux. Ils s'en sortiraient sans une égratignure, mais pas toi. Mieux vaut tenter notre chance à pied et revenir chercher la voiture plus tard. Je connais un club, pas loin d'ici. Ce n'est pas l'endroit le mieux fréquenté de la ville, mais on pourra s'y cacher, conclut-il en me prenant par le bras.

— Et si les hommes de Hank fouillent ce club ? Ils seraient idiots de ne pas le faire, car ils verront le 4 x 4 et comprendront que nous ne pouvons pas être loin. Ils vont me reconnaître ! À l'entrepôt, la pièce s'est éclairée pendant plusieurs secondes avant que tu me fasses ressortir. Quelqu'un dans cette pièce m'a forcément aperçue. Je peux tenter de me cacher dans les toilettes, mais s'ils se mettent à poser des questions, je ne pourrai pas y rester longtemps.

— Le bâtiment dans lequel tu as pénétré est réservé aux nouvelles recrues. Ils ont seize ou dix-sept ans d'âge humain et ont été récemment inféodés, ce qui signifie pas plus d'un an chez les néphilims. Je suis plus fort qu'eux et mieux expérimenté en matière de manipulation mentale. Je vais projeter une illusion. S'ils nous aperçoivent, ils verront un type avec des jambières en cuir et un collier à pointe et une blonde platine avec un bustier et des rangers.

La tête me tournait. Une illusion ? C'était donc ainsi que fonctionnaient ces hypnoses ? Par une sorte d'enchantement ?

Jev releva mon visage vers le sien.

— Tu me fais confiance ?

Là n'était pas la question. Car confiance ou pas, je n'avais pas d'autre choix. Mon unique alternative était d'affronter seule les hommes de Hank et je n'imaginais que trop bien l'issue.

Je hochai la tête.

— Bon. Suis-moi.

Il me conduisit jusqu'à une fabrique désaffectée qui accueillait désormais une boîte de nuit appelée le *Bloody Mary*. Tandis qu'il payait nos entrées, je m'habituai aux flashs du stroboscope qui crépitaient dans la salle obscure. Les cloisons avaient été abattues pour élargir la piste de danse, pleine à craquer, où une multitude de silhouettes se trémoussaient au gré de la musique.

La ventilation laissait à désirer et une odeur nauséabonde flottait dans l'air, mêlant sueur, parfum, tabac et vomis. L'âge moyen de la clientèle était environ de quinze ans supérieur au mien et je devais être l'unique personne habillée et coiffée normalement. Les tours de passe-passe de Jev avaient cependant dû fonctionner, car dans cet océan de chaînes, de clous, de cuir et de résille, personne ne jeta un regard dans ma direction.

Nous nous frayâmes un chemin vers le milieu de la piste afin de nous mêler à la foule tout en gardant un œil sur les issues.

— Le plan A, c'est de rester ici jusqu'à ce qu'ils arrivent ! me cria Jev par-dessus le fracas de la musique. Ils finiront par abandonner et retourner à l'entrepôt.

— Et le plan B ?

— S'il nous repèrent, on file par la porte de derrière.

— Comment sais-tu qu'il y a une porte de derrière ?

— Je connais l'endroit. Je ne l'affectionne pas particulièrement, mais mes semblables l'adorent.

Je préférais ne pas imaginer qui étaient « ses semblables ». Je me concentrai sur mon obsession du moment : parvenir à rentrer chez moi en un seul morceau.

— Je pensais que tu pouvais manipuler tous les badauds, dis-je en regardant autour de moi. Pourquoi ai-je l'impression que tout le monde nous observe ?

— Parce que nous sommes les seuls à ne pas danser.

Danser ? Les gens qui m'entouraient semblaient tout droit sortis du fan-club de Kiss et se contentaient de remuer la tête, les épaules et la langue. Un type couvert de chaînes grimpa à une échelle fixée d'un côté du mur et se jeta dans la foule. Chacun son truc, pensai-je.

— Me ferez-vous l'honneur ? me lança Jev avec un sourire en coin.

— Et si on cherchait plutôt un moyen de filer d'ici ? Une ou deux solutions de repli ?

Jev saisit ma main et m'attira à lui, m'entraînant dans une danse qui détonnait complètement avec la musique tonitruante qui résonnait dans la salle. Comme s'il pouvait lire dans mes pensées, il se pencha à mon oreille.

— Ils ne nous observeront pas longtemps. Ils sont trop occupés à savoir qui remportera le concours de la figure la plus extrême de la soirée. Essaye de te détendre. Parfois, la meilleure attaque, c'est une bonne défense.

Mon cœur s'emballa, mais la menace des néphils n'y était pour rien. Si près de Jev, j'étais incapable de contrôler mes émotions. Ses bras étaient puissants, son corps irradiait une chaleur rassurante. Il ne portait pas de parfum, mais lorsqu'il me serra contre lui, je perçus son odeur, un mélange d'herbe fraîchement coupée et d'eau de pluie. Et ces yeux... profonds, mystérieux, insondables. En dépit du reste, je voulais me blottir contre lui et... tout oublier.

— C'est mieux, me murmura-t-il.

Avant que j'aie pu réagir, il me fit tourner sur moi-même. Jamais je n'avais dansé comme cela, et ses talents me surprenaient. Ses pas et son assurance évoquaient une époque et des lieux différents. Il était sûr de lui, élégant... suave et sexy.

— Arrête ou tu ne seras plus crédible avec tes jambières en cuir, ironisai-je lorsqu'il me rattrapa.

— Continue comme ça et c'est toi qui finiras dans les jambières.

Il ne se départissait jamais de son sérieux, mais je devinais le ton amusé. Au moins, l'un de nous trouvait ça drôle.

— Comment ça marche, cette illusion ? Comme un envoûtement ?

— C'est un peu plus compliqué que ça, mais le résultat est le même.

— Tu pourrais m'apprendre ?

— Je pourrais t'apprendre tout ce que je sais, mais ça nous demanderait de longues heures en tête-à-tête.

N'étant pas certaine du sous-entendu, j'insistai :

— On pourrait faire en sorte que les choses restent... professionnelles.

— Parle pour toi, répondit-il de ce même ton neutre.

Il pressait sa main au creux de mon dos, me serra contre lui et je pris conscience de mon embarras. Je me demandai si, par le passé, notre relation avait provoqué autant d'étincelles. Cette impression brûlante, vive, intense et imprudente de jouer avec le feu m'avait-elle toujours rongée lorsque je me trouvais près de lui ?

Craignant que la conversation ne dérape, j'appuyai ma joue contre sa poitrine. J'étais consciente des risques. Ce garçon respirait le danger. Sous ses doigts, tout mon corps frémissait, comme parcouru d'une sensation aussi nouvelle que fascinante. Mon côté raisonnable cherchait à analyser ces émotions, à disséquer cette attirance de manière rationnelle et complexe. Mais mon instinct se lassait de la logique qui me poussait à tourner en rond, ressassant mon amnésie. Sur un coup de tête, je décidai de me laisser aller.

Peu à peu, je permis à Jev de venir à bout de mes réticences. J'ondulais et tanguais au gré de ses mouvements. Une douce chaleur m'enveloppait, l'ambiance enfumée m'entêtait et la scène me parut tout à coup irréelle, comme pour mieux me convaincre que plus tard, si je devais la regretter, il serait plus simple de croire que j'avais rêvé. Là, prise au piège de ce club, de son regard, il devenait facile de succomber.

Sa lèvre effleura mon oreille.

— À quoi tu penses ?

Je fermai brièvement les paupières et m'imprégnai de l'atmosphère.

À cette tiédeur qui m'envahit. À l'impression que chaque millimètre de ma peau s'anime, vibre et s'emballe quand je suis près de toi.

Un sourire irrésistible se dessina sur ses lèvres.

— Hmmm.

Les joues en feu, je détournai le regard, cherchant à cacher mon embarras derrière de l'agacement.

— Comment ça, « hmmm » ? Ça t'arrive d'employer des mots de plus de deux syllabes, ou ton vocabulaire est véritablement aussi limité ? Ça fait presque... primaire.

— Primaire ? s'esclaffa-t-il.

— Tu es infernal !

— Moi Jev, toi Nora.

— Arrête ! grondai-je, manquant malgré moi d'éclater de rire.

— Puisqu'on reste au stade primaire, tu sens bon.

Il se rapprocha et j'eus brusquement conscience de sa taille, de sa poitrine qui se soulevait à intervalles réguliers, de la sensation brûlante de sa peau contre la mienne, comme une décharge électrique qui me procura un frisson de plaisir.

— Ça s'appelle prendre une douche, répondis-je du tac au tac, avant de m'interrompre.

Mes souvenirs étaient en effervescence. Prise au dépourvu, j'étais en proie à une étrange et puissante impression de déjà-vu.

— Tu sais : savon, shampooing, eau chaude, ajoutai-je distraitement.

— Toute nue. Oui, je connais le principe, souffla Jev, tandis qu'une expression indéfinissable traversait son regard.

À court d'arguments, je tentai d'alléger l'atmosphère par un éclat de rire.

— Est-ce que tu flirterais avec moi, par hasard ?

— Qu'est-ce qui te fait dire ça ?

— Je ne te connais pas suffisamment pour en être certaine, répondis-je d'une voix qui se voulait détachée.

— Alors il va falloir remédier à cela.

Doutant toujours de ses intentions, je m'éclaircis la gorge. Ce petit jeu pouvait continuer longtemps.

— Donc, pour mieux séduire les filles, tu les embarques dans des courses-poursuites ?

— Non, je tente plutôt ça.

Il me fit basculer en arrière puis me redressa lentement, jusqu'à ce que mon corps soit tout contre le sien. Dans ses bras, je me sentais fondre et j'abaissai ma garde tandis qu'il m'entraînait dans cette cadence langoureuse. Sous ses vêtements, je devinais les muscles contractés. Sans jamais me lâcher, il me guidait, me menait là où il le voulait.

J'avais les jambes en coton, mais ce n'était pas dû à la danse. Lorsque mon souffle se fit erratique, je sus que je m'aventurais sur un terrain miné. Sa jambe frôla la mienne. Si près de lui, au contact de sa peau, nos regards se croisaient dans le noir et mes sensations, cette douceur enivrante, devenaient grisantes. Soudain perturbée par cette euphorie, je me dégageai lentement.

— Je... je n'ai pas la silhouette adéquate, prétextai-je en désignant du menton une jeune femme pulpeuse qui se déhanchait près de moi. Pas de formes.

— Tu me demandes mon avis ? rétorqua Jev en soutenant mon regard.

— Celle-là, je l'ai bien cherchée, murmurai-je en rougissant.

Il se pencha vers moi et je sentis son souffle contre ma peau. Ses lèvres effleurèrent mon front, caressantes comme une plume. Je fermai les paupières, réprimant le désir absurde que sa bouche trouve le chemin de la mienne.

Jev, voulais-je articuler, mais son nom resta prisonnier de ma gorge. *Jev, Jev, Jev*, scandai-je en silence, au rythme des battements de mon cœur, jusqu'à ce que ma litanie me tourne la tête.

L'infime espace qui séparait ses lèvres des miennes m'obsédait, comme un interdit qui attendait d'être franchi. Il était si proche... et mon corps répondait au sien d'une façon qui me fascinait autant qu'elle m'effrayait. Je patientai, blottie contre lui, le souffle court...

Brusquement, il tressaillit, creusant irrévocablement l'écart entre nous. Je me reculai et le charme fut rompu.

— On a de la visite, me dit-il.

Je m'apprêtais à me dégager complètement, mais il me retint, m'obligeant à poursuivre la mascarade.

— Reste calme, murmura-t-il. Rappelle-toi, s'ils te regardent, il ne verront que des cheveux blonds et des rangers. Ils ne remarqueront pas ta véritable apparence.

— Est-ce qu'il ne s'attendent pas à ce genre de manipulations ? demandai-je, tentant d'apercevoir l'entrée, cachée derrière plusieurs types immenses.

J'ignorais si les hommes de Hank se mêlaient à la foule ou se contentaient de l'observer depuis la porte.

— Ils n'auront pas aperçu mon visage, mais en me voyant sauter du troisième étage, ils auront deviné que je ne suis pas humain. Ils cherchent un type avec une fille, mais ce ne sont pas les couples qui manquent, ici.

— Qu'est-ce qu'ils font ? insistai-je, toujours incapable de distinguer l'entrée.

— Ils jettent un œil. Continue à danser et, surtout, ne regarde pas de leur côté. Ils sont quatre et ils se dispersent, grinça Jev. Deux se dirigent par ici. Je crois qu'on est repérés. La Main noire les a bien formés. Je n'avais jamais vu de néphils aussi jeunes aptes à percer une illusion, mais on dirait bien qu'ils vont réussir. Avance vers les toilettes et file par la porte, au bout du couloir. Dépêche-toi, mais ne cours pas et, surtout, ne te retourne pas. Si quelqu'un essaie de t'aborder, ignore-le et ne t'arrête pas. Je vais tenter de les berner pour gagner du temps. Je te retrouve dans la ruelle d'ici cinq minutes.

Jev partit de son côté et moi du mien, le cœur serré. Je fendis la foule, les mains rendues moites par l'angoisse et l'insupportable chaleur qui régnait dans la salle. Je suivis le corridor en direction des toilettes qui, à en juger par les mouches et l'odeur nauséabonde, étaient tout sauf propres. Plusieurs personnes patientaient et je dus me faufiler dans la queue, bredouillant quelques mots d'excuse.

Comme Jev l'avait prédit, une porte apparut au bout du couloir. Je sortis et me mis à courir. Il n'était guère prudent d'attendre à découvert et je comptais me cacher derrière une poubelle jusqu'à ce que Jev revienne me chercher. Mais à peine quelques secondes plus tard, j'entendis la porte se rouvrir.

— Par ici ! cria une voix. Elle essaye de filer !

Je me retournai brièvement et aperçus les néphils. Aussitôt, je pris la fuite. J'ignorais où j'allais, mais Jev devrait me rejoindre par un autre moyen. Je détalai le long de la rue, en direction de l'endroit où nous avions garé le 4 x 4. J'espérais qu'il aurait la présence d'esprit de me retrouver là-bas.

Mais les néphils étaient trop rapides. J'avais beau galoper le plus vite possible, je les entendais se rapprocher. Pour eux, tout était plus facile, réalisai-je dans un moment de panique. Alors qu'ils s'apprêtaient à m'attraper, je fis volte-face.

Les deux néphils ralentirent, méfiants. Je les observai l'un après l'autre, à bout de souffle. Je pouvais reprendre ma course, mais je savais que je ne pourrais leur échapper. Je pouvais tenter de me défendre ou pousser

des hurlements stridents en espérant que Jev m'entendrait. Mais tout semblait perdu d'avance.

— C'est elle ? demanda le plus petit des deux.

Je crus reconnaître un accent anglais. Il me dévisageait d'un air suspicieux.

— C'est bien elle, confirma l'autre – un Américain.
Elle crée une illusion. Concentre-toi sur un détail à la fois,
comme nous l'a appris la Main noire. Ses cheveux, par
exemple.

Le petit me fixa avec une telle intensité qu'il semblait
capable de voir à travers moi.

— Ça alors s'exclama-t-il après quelques instants.
Une rousse, hein ? Je te préférais blonde.

Avec une rapidité inouïe, ils se ruèrent sur moi et me
saisirent violemment par les bras.

— Qu'est-ce que tu fabriquais à l'entrepôt ? demanda
le plus grand. Comment l'as-tu découvert ?

— Je..., balbutiai-je.

Mais j'étais trop terrifiée pour inventer une excuse
plausible. Si je reconnaissais m'être introduite dans leur
repaire par erreur, ils ne me croiraient jamais.

— T'as perdu ta langue ? cracha le plus petit en me
caressant le menton.

J'eus un geste de recul.

— On devrait la ramener jusqu'au Q.G., suggéra
l'autre. La Main noire voudra sans doute l'interroger.

— Ils ne seront pas de retour avant demain. On pourrait peut-être lui soutirer quelques informations tout de
suite.

— Et si elle refuse de parler ?

Le petit se pourlécha les lèvres, une lueur terrifiante
dans le regard.

— On fera en sorte qu'elle cause.

— Elle leur dirait tout, objecta l'autre.

— Alors on effacera sa mémoire une fois qu'on saura ce qu'on veut. Elle ne se rendra compte de rien.

— Nous ne sommes pas assez puissants pour ça. Même si on parvenait à en supprimer une partie, ça ne serait pas suffisant.

— Et si on essayait le démonium ? proposa le petit d'un air illuminé.

— Le démonium est un mythe. La Main noire a été claire sur ce point.

— Tu crois ? Si les anges possèdent ce genre de pouvoirs, il serait logique que les démons de l'enfer en aient autant. Tu vois ça comme un mythe, pour moi c'est une mine d'or. Imagine de quoi nous serions capables si nous mettions la main dessus.

— Même si le démonium existe, on ne saurait pas où le trouver.

Le petit secoua la tête, agacé.

— T'es un vrai boute-en-train, toi, hein ? Bon. Il faudra accorder nos versions. Ce sera notre parole contre la sienne. D'abord, on l'a poursuivie depuis l'entrepôt, ensuite, on l'a retrouvée dans ce club, poursuivit-il en énumérant les faits sur ses doigts, et pendant qu'on la ramenait au repaire, elle a paniqué et nous a tout balancé. Elle pourra raconter ce qu'elle veut. Étant donné qu'elle a réussi à s'introduire dans le hangar, la Main noire pensera qu'elle ment.

Le plus grand ne parut guère convaincu, mais n'objecta pas.

— Toi, tu viens avec moi, grogna le petit en m'entraînant dans un passage exigu entre les deux bâtiments derrière nous.

Il se retourna vers son acolyte.

— Toi, reste ici et assure-toi que personne ne nous surprenne. Si on arrive à lui tirer quelques informations ça pourrait même nous rapporter quelques privilèges. On prendrait du grade.

Je me figeai, effrayée à l'idée de me retrouver seule avec ce malade. Mais d'un autre côté, je n'étais pas de taille à affronter les deux. La situation pourrait tourner à mon avantage. J'espérais, même si les chances étaient minces, pouvoir le contrer. Je laissai le néphil me traîner à l'autre bout de l'allée, priant pour que mon plan fonctionne.

— Tu commets une grave erreur, lui dis-je, d'un ton aussi menaçant que possible. Je suis ici avec des amis. Et ils me cherchent sans doute en ce moment même.

Il retroussa ses manches, découvrant des mains aux bagues pointues. Je sentis mon courage faiblir.

— Ça fait des semaines que je suis aux États-Unis, qu'on me réveille à l'aube, qu'un tyran me mène à la baguette et qu'on m'enferme dans un baraquement la nuit. Après six mois d'une vie aussi rude, laisse-moi te dire que je vais apprécier de pouvoir me défouler, conclut-il en passant sa langue sur ses lèvres. Oh oui, ma jolie, je vais me faire plaisir.

— Tu m'ôtes les mots de la bouche, grinçai-je en envoyant mon genou entre ses jambes.

Je savais que la douleur ne l'immobiliserait pas entièrement, mais je ne m'attendais pas à ce qu'il se lance aussitôt à ma poursuite, ne laissant échapper qu'un grognement plaintif.

En le voyant se précipiter vers moi, je saisis un morceau de bois à mes pieds. Les clous qui dépassaient de son extrémité en faisaient une arme redoutable. Mais le néphil considéra l'objet d'un œil moqueur.

— Vas-y, cogne. Ça ne me fera rien.

J'agrippai mon bâton comme une batte de baseball.

—Tu n'auras peut-être pas de cicatrice, mais crois-moi, tu vas le sentir passer.

Il feinta à droite, mais je m'y attendais. Lorsqu'il bascula sur ma gauche, je frappai de toutes mes forces. Un bruit atroce précéda son cri de douleur.

—Tu vas me le payer.

Son coup de pied me surprit et il me désarma avant que j'aie pu réagir. Il me projeta au sol et maintint fermement mes bras au-dessus de ma tête.

—Lâche-moi ! hurlai-je en me débattant sous son poids.

—Pas de problème, ma jolie. Dis-moi simplement ce que tu fichais dans notre repaire.

—Lâche-moi !

—Elle t'a demandé de la lâcher.

Au son d'une voix inconnue, le néphil eut un geste agacé.

—Quoi encore ? brailla-t-il en se retournant.

—C'était une requête assez basique, observa Jev avec un terrible sourire en coin.

—Comme tu le vois, mon pote, je suis occupé, aboya le néphil avec un regard vers moi. Alors, si ça ne t'ennuie pas...

—Il se trouve que si.

Jev saisit le néphil par les épaules et le plaqua contre le mur. D'un geste vif, il lui broya d'une main la trachée.

—Présente-lui tes excuses, siffla-t-il avec un signe de tête dans ma direction.

Le visage cramoisi, le néphil tenta de lui faire lâcher prise. Il ouvrait et fermait la bouche comme un poisson hors de l'eau, cherchant vainement l'oxygène.

—Dis-lui que tu regrettes, ou je m'arrange pour que tu n'aies plus rien à raconter pendant quelque temps.

De sa main libre, Jev tira un couteau à cran d'arrêt et je compris qu'il menaçait de lui couper la langue. J'étais horrifiée, mais pas vraiment compatissante.

— Alors ? Qu'est-ce que tu choisis ?

L'autre nous observa l'un après l'autre, le regard meurtrier.

Sa voix furieuse pénétra ma pensée. *Pardon.*

— Ça n'est pas digne d'un Oscar, mais ça ira, conclut Jev avec un sourire vicieux. Eh bien, tu vois, ça n'était pas si difficile !

Le néphil se libéra et massa sa gorge meurtrie.

— On se connaît ? Tu es un ange – avec une force pareille, c'est obligé. Tu as dû tomber de haut, mon vieux. Un archange, peut-être ? Mais ce que je veux savoir, c'est si on s'est déjà croisés.

C'était un piège. Le néphil cherchait un moyen de retrouver sa trace, plus tard. Mais Jev ne mordit pas à l'hameçon.

— Pas encore, mais je vais faire de rapides présentations, répliqua-t-il en envoyant le poing dans ses côtes.

Les yeux et la bouche parfaitement ronds, son adversaire tomba à genoux et ne se releva pas.

Jev se tourna vers moi. Je craignais qu'il me reproche de ne pas l'avoir attendu dans la ruelle, comme il me l'avait demandé, mais il se contenta d'essuyer ma joue pleine de poussière et de reboutonner le haut de ma blouse.

— Est-ce que ça va ? murmura-t-il.

Je hochai la tête, mais j'étais au bord des larmes.

— Allons-nous-en, souffla-t-il.

Pour une fois, je ne protestai pas.

19.

Jev était au volant. La tête appuyée contre la vitre, je ne disais rien. Il emprunta les petites routes, les itinéraires les moins fréquentés, mais je devinai peu à peu notre destination. Après quelques détours, je reconnus l'environnement. Devant nous, immense et squelettique, se dressait l'entrée du parc d'attractions de Delphic. Jev gara le 4 x 4 dans le parking désert. Quatre heures plus tôt, il aurait été difficile de trouver une place si près des grilles.

— Que fait-on ici ? demandai-je en me redressant sur mon siège.

Il coupa le moteur et me regarda, un sourcil levé.

— Tu voulais discuter, non ?

— Oui, mais cet endroit est...

Vide.

— Tu hésites encore à me faire confiance, répliqua-t-il avec un sourire amer. Pourquoi ai-je choisi Delphic ? Parce que je suis un grand sentimental.

Je ne saisis pas l'allusion, mais le suivis tout de même jusqu'aux portes, qu'il franchit sans difficulté en sautant par-dessus la grille avant de l'entrouvir de l'intérieur pour me permettre de passer.

— On ne risque pas d'ennuis ?

Question idiote. Si nous nous faisions prendre, nous aurions évidemment de gros problèmes. Mais Jev semblait savoir ce qu'il faisait. Au-dessus du lampadaire, j'aperçus la silhouette d'une montagne russe. Une image s'imprima dans ma tête. Je me vis projetée hors du manège et tombant dans le vide. Je chassai aussitôt cette vision, convaincue que le vertige me jouait des tours.

Chaque minute qui passait me rendait plus nerveuse. Jev m'avait sauvé la mise par deux fois, mais était-il pour autant judicieux de me retrouver seule avec lui dans un lieu désert ? Cependant, la perspective d'obtenir enfin des réponses m'attirait comme un aimant. Il m'avait promis une discussion et la tentation était trop forte.

Il ralentit et s'engagea sur un petit sentier menant à un abri de service, plongé dans l'ombre des montagnes russes d'un côté, et celle d'une grande roue de l'autre. Cette cabane délabrée ne risquait pas d'attirer l'attention des visiteurs.

— Où sommes-nous ?

— Chez moi.

Chez lui ? Était-ce une tentative d'humour, ou bien le minimalisme architectural avait-il pris un tout nouveau sens ?

— Charmant.

— J'ai sacrifié le style à la sécurité, répondit-il d'un air malicieux.

Dubitative, j'observai la peinture écaillée, le toit de guingois, les murs branlants.

— La sécurité ? Même moi je pourrais défoncer la porte à coups de pied...

— Les archanges ne peuvent pas s'approcher d'ici.

Le mot me replongea dans une atmosphère dérangeante. Celle de ma dernière vision. *Aide-moi à trouver une chaîne d'archange*, avait demandé Hank. La coïncidence me fit frémir. Que connaissais-je de ces êtres mythiques ?

Jev introduisit sa clé dans la serrure et me laissa franchir le seuil.

— Quand comptes-tu m'en dire plus au sujet de ces archanges ? lançai-je d'un air désinvolte pour mieux masquer mon malaise.

Combien existait-il d'anges, exactement ?

— Tout ce que tu dois savoir c'est que pour l'instant, ils ne sont pas de notre côté.

— Mais il se pourrait qu'ils changent d'avis ? insistai-je, sentant son ton prudent.

— Je suis un éternel optimiste.

Je franchis le seuil de la cabane, certaine qu'elle renfermait quelques secrets. La moindre rafale aurait eu raison de murs si frêles. Le plancher grinça sous mon poids et une odeur de moisi régnait tout autour de moi. L'endroit était exigu, sans doute moins d'une quinzaine de mètres carrés, et dépourvu de fenêtres. Jev laissa la porte se refermer, nous plongeant dans une obscurité totale.

— C'est ici que tu vis ? demandai-je, car une confirmation s'imposait.

— Eh bien, c'est plus une antichambre...

Sans autre forme d'explication, il traversa la pièce. Un grincement indiqua qu'il ouvrait une porte et, lorsqu'il m'appela, sa voix me parut plus lointaine.

— Donne-moi la main.

Courbée en deux, je m'avançai à pas prudents dans le noir, jusqu'à ce qu'il agrippe mes doigts. Il semblait se tenir en contrebas d'un espace encastré dans le sol. Ses mains glissèrent vers ma taille et il me fit descendre.

Nous étions au sous-sol. Face à lui, sans le voir, je percevais sa respiration, calme et régulière. La mienne l'était nettement moins. Où m'emmenait-il ?

— Qu'est-ce que c'est que cet endroit ? soufflai-je.

— C'est un réseau de tunnels qui serpente sous le parc. Strate après strate, ce n'est qu'un gigantesque labyrinthe. Avant, les anges n'approchaient pas les humains. Reclus, ils demeuraient près des côtes et s'aventuraient uniquement dans les villes durant Heshvan, pour habiter les corps de leurs vassaux. Deux semaines de « vacances », au cours desquels ces villes se transformaient en terrain de jeux. Ils y faisaient ce qu'ils voulaient, pillaient et s'emparaient des biens des néphils. À l'époque, ces falaises étaient éloignées de tout, mais par précaution, les déchus avaient bâti une cité souterraine. Ils savaient qu'avec le temps, les choses changeraient. Et ils avaient raison. Les humains se sont étendus et les limites entre leur territoire et celui des déchus sont devenues plus floues. Pour mieux dissimuler leur repaire, les anges ont érigé le parc de Delphic à la surface. Et l'argent qu'il générait leur permettait de survivre.

Sa voix mesurée, posée, ne révélait rien de ce qu'il pensait de tout cela. Je ne savais quoi lui répondre. Son récit sonnait comme un conte de fées, étrange et sombre, qui se racontait aux frontières du sommeil. J'avais l'impression de flotter dans un rêve imprécis, flou, mais pourtant bien réel.

Jev disait la vérité, cela ne faisait aucun doute. Non seulement sa version des faits concernant les déchus et les néphils corroborait celle de Scott, mais chacun de ses mots semblait éveiller dans ma mémoire des fragments de souvenirs que j'avais cru perdus à jamais.

— J'ai failli t'amener ici, un jour, poursuivit-il. Mais ce néphil, dans le repaire duquel tu t'es introduite ce soir, m'en a empêché.

Rien ne m'obligeait à me montrer franche, mais je décidai de courir le risque.

225

— Je sais que tu fais référence à Hank Millar. Et c'est à cause de lui que j'ai cherché à pénétrer dans cet entrepôt. Je voulais découvrir ce qu'il y cachait. Scott disait que si nous parvenions à déterrer suffisamment de choses sur son compte, nous pourrions deviner ses plans et trouver un moyen de l'arrêter.

Je crus lire de la pitié dans son regard.

— Nora, Hank n'est pas un néphil ordinaire.

— Je n'en doute pas, Scott m'a tout raconté. Hank se constitue une armée afin de renverser les déchus et de les empêcher de prendre possession des néphils. Je sais que c'est un homme de pouvoir et d'influence. Ce que je ne comprends pas, c'est ce que tu viens faire dans toute cette histoire. Que faisais-tu dans cet entrepôt ce soir ?

Il ne répondit pas immédiatement.

— Hank et moi avons un arrangement. Il n'est pas rare que je lui rende de petites visites.

Malgré ma sincérité, Jev demeurait délibérément vague. Rechignait-il toujours à me dire la vérité ou cherchait-il à me protéger ? Il poussa un long soupir.

— Il faut qu'on parle.

Il me prit par le coude et m'attira au cœur de l'obscurité parfaite qui régnait dans le souterrain. Au détour de plusieurs corridors, nous nous enfoncions de plus en plus profondément dans le sous-sol. Enfin, il se baissa pour ramasser quelque chose.

Je reconnus le craquement d'une allumette et le vis approcher la flamme d'une bougie.

— Bienvenue chez moi.

Après le noir le plus total, la chandelle offrait une clarté surprenante. Nous nous trouvions sur le seuil d'un immense vestibule taillé dans le granit, qui ouvrait sur une vaste pièce, elle aussi creusée dans la roche. Des tapis de soie aux teintes sombres et monochromes ornaient les sols. Les meubles, épars, étaient de style contemporain, aux lignes épurées et esthétiques.

— Waouh.

— J'amène rarement du monde, ici. Ce n'est pas un endroit que j'aime partager avec les autres. Je préfère l'intimité et la solitude.

Dans cette garçonnière souterraine, Jev jouissait clairement des deux. À la lueur de la bougie, les murs noirs scintillaient, comme incrustés de diamants.

Je poursuivis nonchalamment la visite tandis que Jev faisait le tour de la pièce pour l'éclairer.

— La cuisine est sur la gauche, indiqua-t-il. La chambre, au fond.

— Voyons, Jev, serait-ce une invitation ? dis-je en croisant son regard sombre. Je commence à penser que tu essaies de m'entourlouper.

Je promenai mon doigt sur l'unique antiquité du mobilier, une psyché en argent, qu'on aurait cru sortie d'un château médiéval. Ma mère aurait été impressionnée.

Jev se laissa tomber sur le canapé en cuir noir d'inspiration art déco, et allongea les bras sur le dossier.

— S'il y a entourloupe, ça ne vient pas de moi.

— Ah non ? Et de qui donc, alors ?

Je le sentis me dévorer des yeux tandis que je traversais le salon. Sans jamais ciller, il me déshabilla du regard et un douloureux frisson me parcourut. Un baiser n'aurait pas été plus brûlant.

Réprimant la sensation fébrile qu'il déclenchait en moi, je m'arrêtai devant une toile impressionnante. Une huile dont les couleurs flamboyantes accentuaient la violence du sujet.

— *La Chute de Phaéton*, commenta-t-il. Il était le fils d'une mortelle et d'Hélios, le dieu soleil, qui s'élançait chaque jour sur son char à travers le ciel. Phaéton persuada son père de le laisser prendre les rênes, alors qu'il ne possédait ni la force, ni les capacités nécessaires pour dompter l'attelage. Naturellement, les chevaux s'emballèrent et le char retomba sur terre, embrasant tout sur son passage.

Il s'interrompit.

— Tu es consciente de l'effet que tu me fais, non ?

— Tu essaies de me taquiner.

— J'adore te taquiner, c'est vrai. Mais sur certains sujets, je ne plaisante jamais.

Oubliant son humour, il retrouva tout à coup son sérieux. Prisonnière de son regard, j'acceptai peu à peu l'évidence douloureuse. Jev était un ange déchu. Il irradiait une force hors du commun, infiniment plus imposante et plus incisive que celle de Scott. Il suffisait qu'il apparaisse pour que l'atmosphère devienne électrique. Chaque atome de mon corps guettait sa présence, réagissant au moindre de ses mouvements.

— Je sais que tu es un déchu, déclarai-je prudemment. Tu fais partie de ceux qui contraignent les néphilims à leur prêter allégeance. Dans cette guerre, Scott est ton ennemi, c'est normal que tu te méfies.

— Tu commences à te souvenir.

— J'en suis loin. Si tu es un déchu, quel genre d'accord peux-tu avoir avec Hank, le chef des néphils ? N'êtes-vous pas censés être des adversaires ?

Ma voix paraissait plus assurée que je ne l'étais. Au fond, j'ignorais comment réagir. Jev était un déchu, et donc un dangereux personnage. Et à l'instant où cette brutale révélation menaçait de tout renverser, je réalisais soudain que quelques mois auparavant, j'avais déjà appris tout cela. Si j'avais pu l'accepter alors, je le pouvais à nouveau aujourd'hui.

Une fois de plus, il me lança un regard apitoyé.

— Au sujet de Hank..., reprit-il en passant une main le long de sa mâchoire.

— Eh bien ?

J'attendais, sans comprendre ce qu'il semblait réticent à m'avouer. Il parut soudain si navré que je me préparai au pire. Jev se leva et vint s'appuyer contre le mur. Il retroussa ses manches et baissa la tête.

— Je veux tout savoir, insistai-je. À commencer par toi. Je veux me rappeler notre passé. Comment nous sommes-nous connus ? Qu'étions-nous l'un pour l'autre ? Après ça, je te demande de me révéler tout ce que tu sais de Hank, même si tu crains ma réaction. Aide-moi à me souvenir. Je ne peux pas continuer comme ça. Je ne pourrai pas avancer tant que je n'aurai pas pris conscience de ce que j'ai laissé derrière moi. Et je n'ai pas peur de lui, ajoutai-je.

— Eh bien, moi j'ai peur de ce dont il est capable. Il ne connaît aucune limite, ne recule devant rien. Pire, on ne peut pas lui faire confiance. À aucun sujet.

Il hésita.

— Je serai franc. Je te dirai tout, uniquement parce que Hank m'a doublé. Tu n'es plus censée faire partie de cette histoire. J'ai fait tout mon possible pour t'épargner. Hank m'avait donné sa parole qu'il garderait ses distances avec toi. Imagine un peu ma surprise en apprenant ce soir qu'il faisait des avances à ta mère. S'il est revenu dans ta vie, ce n'est pas par hasard. Ce qui signifie que tu es en danger. Puisqu'on repart à zéro, tout te dire ne changera rien à la situation.

Mon pouls s'accélérait, à mesure que la menace s'intensifiait. Hank. Tout se rapportait toujours à lui.

— Aide-moi à retrouver la mémoire, Jev.

— Tu es certaine que c'est ce que tu veux ?

Il chercha mon regard, mettant ma détermination à l'épreuve.

— Oui, affirmai-je d'un ton plus décidé que je ne l'étais moi-même.

Jev s'inclina sur le canapé. Lentement, il déboutonna sa chemise. Surprise, j'écoutai cependant mon instinct et attendis. Il enveloppa ses genoux de ses bras et baissa la tête, révélant ses épaules nues. L'espace d'un instant, je crus reconnaître le Phaéton du tableau, chaque muscle, chaque ligament parfaitement dessiné, sculpté. Je fis un pas vers lui, puis un autre. La lueur vacillante de la flamme se réfléchit sur sa peau.

Je retins mon souffle en apercevant deux lacérations qui marquaient son dos. La chair paraissait encore à vif et je sentis mon estomac se nouer. Quel martyre il avait dû endurer ! Je n'osais imaginer la cause d'aussi terribles blessures.

— Il te suffit de les effleurer, me dit Jev en levant les yeux où, sous ce noir insondable, poignait l'incertitude. Concentre-toi sur ce que tu veux savoir.

— Je... je ne comprends pas.

— L'autre soir, en déchirant mon tee-shirt, tu as touché les cicatrices de mes ailes. Tu as vu l'un de mes souvenirs.

Je clignai des yeux. Il ne s'agissait donc pas d'une hallucination ? Hank, Jev et cette jeune femme en cage... sortaient de sa propre mémoire ?

Mes derniers doutes s'effacèrent. Ses cicatrices... Bien sûr ! Car il était un déchu. Je ne le comprenais pas vraiment, mais l'emplacement de ses ailes servait de portail à des informations que seul Jev connaissait. Maintenant que j'avais enfin ce que je voulais, une fenêtre ouverte sur le passé, l'angoisse menaçait de prendre le dessus.

—Je dois t'avertir, poursuivit-il, si tu accèdes à un souvenir où tu joues un rôle, les choses pourraient se compliquer. Il se peut que tu te dédoubles. Toi et l'image de toi dans mon souvenir serez présentes au même moment et tu seras forcée d'observer la scène, comme un témoin invisible. L'autre éventualité, c'est que tu te retrouves dans la peau de ton propre personnage. Tu revivras l'évocation de ta propre perspective. Si cela se produit, tu ne te dédoubleras pas. Tu seras l'unique version de toi-même. J'ai entendu dire que les deux pouvaient arriver, mais la première possibilité est la plus courante.

—J'ai peur, avouai-je, les mains tremblantes.

—Je te donne cinq minutes. Si tu n'es pas revenue d'ici là, je romprai le lien moi-même.

Je me mordis les lèvres. *Nous y voilà. Trop tard pour faire marche arrière. La vérité peut-être effrayante, mais rester dans l'ignorance est plus terrible encore. Tu devrais le savoir mieux que quiconque.*

—Donne-moi une demi-heure, répliquai-je.

Je tâchai de faire le vide, de me libérer de ces pensées contradictoires. Je n'avais pas besoin de tout comprendre maintenant. Il me fallait seulement faire ce grand saut. Je tendis la main et fermai les yeux, rassemblant tout mon courage. Je fus soulagée lorsque Jev prit ma main pour la guider.

20.

En reprenant conscience, j'eus d'abord l'impression d'être plaquée à terre ou plutôt... enfermée. Confinée dans le plus étroit des cercueils. Prise au piège. Impuissante et guidée par un autre corps que le mien, quoiqu'il lui ressemblât pourtant singulièrement : mêmes mains, mêmes cheveux. Identique jusque dans les moindres détails, mais refusant de m'obéir. Cette enveloppe s'animait sans que ma volonté la propulse et m'entraînait en dépit de moi-même.

Ma seconde pensée fut « Patch ».

Patch m'embrassait, d'une manière qui me terrifiait plus encore que cette figure étrangère sur laquelle je n'avais aucune emprise. Ses lèvres étaient omniprésentes. La pluie était tiède et douce. Au loin grondait le tonnerre. Et sa présence, toujours plus forte, si proche, qui dégageait une impossible chaleur.

Patch.

Surprise, ébranlée, je me débattis intérieurement, suppliant qu'on me laisse sortir.

Suffocante, je refis surface avec l'impression qu'on m'avait maintenu la tête sous l'eau. Au même instant, j'ouvris les yeux.

— Que s'est-il passé ? me demanda Jev en me prenant par les épaules tandis que je m'effondrais contre lui.

J'étais de retour dans son appartement souterrain, où la lueur des bougies dansait toujours sur les murs de granit. En reconnaissant l'endroit, je fus soulagée. La crainte de rester à jamais prisonnière de cette enveloppe que je ne pouvais contrôler m'avait terrifiée.

— C'était un souvenir de moi, dis-je d'une voix étranglée. Mais je n'étais pas un double, j'étais enfermée dans mon propre personnage, je ne pouvais plus bouger. C'était... atroce.

— Qu'est-ce que tu as vu ?

Crispé, son corps paraissait rigide comme la pierre, tendu, prêt à voler en éclat au moindre choc.

— Nous étions au-dessus... dans l'abri. J'ai prononcé ton nom, mais je n'ai pas dit « Jev ». J'ai dit « Patch ». Et tu... tu m'embrassais.

J'étais trop perturbée pour songer à rougir. Jev prit mon visage entre ses mains et écarta mes cheveux en me caressant la joue.

— Tout va bien, souffla-t-il. C'est comme ça que tu m'appelais. À l'époque de notre rencontre, j'utilisais ce nom. Je l'ai abandonné quand je t'ai perdue. Depuis, on me nomme Jev.

Je me sentis idiote de fondre en larmes, mais je ne pus m'en empêcher. Jev était donc Patch. Mon ancien petit ami. Tout devenait clair. Pas étonnant que personne n'ait reconnu son nom : il en avait changé après que j'avais disparu.

— Moi aussi, je t'embrassais, repris-je entre deux sanglots. Dans ton souvenir.

Sa raideur parut s'atténuer.

— Si horrible que ça, hein ?

233

Comment lui expliquer ce que ce baiser avait provoqué en moi ? Une sensation de plaisir si effrayante qu'elle seule avait suffi à me projeter hors de sa mémoire. Je préférai éluder la question.

— Tu disais tout à l'heure que tu avais failli m'amener ici, un jour, mais que Hank nous en avait empêchés. Je crois que c'est la scène que j'ai revisitée, mais Hank n'y était pas. Je ne suis pas arrivée jusque-là, j'ai brisé la connexion. Je ne supportais pas de me retrouver enfermée dans mon propre corps sans pouvoir le contrôler, je n'imaginais pas une sensation aussi intense.

— C'était pourtant toi qui le guidais, me rappela-t-il. Ton toi passé. Avant que tu ne perdes la mémoire.

Je me levai d'un bond et fis les cent pas.

— Je dois y retourner.

— Nora...

— Si je dois affronter Hank, je ne pourrai le faire avant d'avoir fait face à son souvenir, dis-je en désignant ses cicatrices.

Tu devras aussi t'affronter toi-même, pensai-je. Tu dois braver cette partie de toi-même qui connaît la vérité. Celle que tu as laissée derrière toi.

Jev m'observait prudemment.

— Quand veux-tu que je te ramène à la réalité ?

— Non. Cette fois, j'y vais pour de bon.

Alors que je réintégrais la mémoire de Jev, j'eus l'impression qu'on pressait un interrupteur. Brutalement, je replongeai dans ce souvenir précis, à travers le regard de celle que j'étais avant mon amnésie. Son corps remplaça le mien, ses pensées éclipsèrent mes idées. Ignorant mon angoisse, je pris une profonde inspiration et me laissai envahir par elle, ou plutôt... moi.

Dehors, la pluie sur la tôle du toit. Patch et moi étions trempés. Il aspira une goutte de pluie sur ma bouche. Je glissai mes doigts dans sa ceinture pour l'attirer tout contre moi. Nos lèvres se touchèrent, une tiédeur qui tranchait avec l'air glacé de la cabane.

Il blottit son visage au creux de mon cou.

— Je t'aime. Je ne me rappelle pas avoir été plus heureux qu'aujourd'hui.

J'allais lui répondre lorsqu'une voix grave, curieusement familière, monta d'un recoin sombre de la pièce :

— Comme c'est touchant. Emparez-vous de l'ange.

Quelques hommes anormalement grands, sans doute des néphilims, sortirent de l'ombre et empoignèrent Patch par les bras. J'eus à peine le temps de réaliser que la voix de Patch résonna dans ma tête, aussi claire qu'un murmure à mon oreille.

— Quand je commencerai à me battre, cours. Prends le 4 x 4. Ne rentre pas chez toi. Attends dans la voiture jusqu'à ce que je t'aie retrouvée.

Le meneur s'était tenu à l'écart, supervisant l'opération. Il s'avança dans la lumière fluorescente du parc qui filtrait par les interstices des murs. Étrangement jeune pour son âge, son regard était d'un bleu glacé et il arborait un sinistre rictus.

— Monsieur Millar, soufflai-je.

Comment pouvait-il se trouver ici, au terme d'une nuit effrénée où j'avais failli perdre la vie, appris les sordides circonstances de ma naissance, avant de tout abandonner pour suivre Patch ? La situation paraissait absurde.

— Laisse-moi me présenter, déclara-t-il. Je suis la Main noire. J'ai bien connu ton père, Harrison. Je suis heureux qu'il ne soit plus là pour te voir te compromettre avec l'un de ces rejetons du diable.

Becca Fitzpatrick

Il secoua la tête.

— Tu n'es pas la jeune fille que j'espérais te voir devenir, Nora. Tu fraternises avec l'ennemi, tu bafoues tes origines. Je peux pardonner tout cela, ajouta-t-il avant de marquer un silence entendu. Dis-moi, Nora. Est-ce toi qui as tué mon cher ami, Chauncey Langeais ?

Mon sang se glaça. J'étais prise entre le réflexe du mensonge et la certitude qu'il ne changerait rien. Il savait que j'étais derrière la mort de Chauncey. Sa moue méprisante se fit plus dure. Le cri de Patch pénétra mes pensées.

Maintenant ! Sauve-toi !

Je me ruai sur la porte de l'abri, mais immédiatement, un néphil me rattrapa par le coude. Rapide comme l'éclair, il me saisit par l'autre bras. J'essayai vainement de me débattre, chacun de mes mouvements concentrés sur la sortie.

Derrière moi, les pas de Hank Millar se rapprochaient.

— Je le dois à Chauncey.

Le froid glaçant de la pluie avait disparu. La sueur perlait sous mon tee-shirt.

— Nous partagions une même vision, poursuivit Hank. Une vision que nous entendions bien réaliser ensemble. De tous nos ennemis, qui aurait cru que toi, tu aurais failli y mettre un terme ?

J'avais bien quelques réparties cinglantes sur le bout de la langue, mais je n'osai le provoquer. Ma seule chance était de gagner du temps. Le néphil me retourna vers Hank tandis que celui-ci tirait de sa ceinture un poignard à longue et fine lame.

Touche mes ailes.

La voix de Patch tranchait avec la panique qui bourdonnait à mes oreilles. Je lui jetai un regard éperdu.

Réfugie-toi dans ma mémoire. Touche la jonction de mes ailes.

D'un signe de tête impatient, pour me pousser à agir.

C'est vite dit, pensai-je à mon tour, même si lui ne pouvait pas m'entendre. Près de deux mètres nous séparaient, et pour l'atteindre il fallait que lui ou moi nous libérions des néphils.

— Lâchez-moi, lançai-je à celui qui me retenait. Je ne tenterai pas de m'enfuir, c'est évident. Je ne peux pas vous semer.

Le néphil jeta un regard incertain à Hank, qui hocha la tête en poussant un soupir las.

— Navré d'en arriver là, Nora, mais justice doit être rendue. Chauncey aurait fait la même chose pour moi.

Je massai mes bras endoloris par la poigne de fer de son sbire.

— La justice ? Et la famille ? Nous sommes liés par le sang, lâchai-je, dégoûtée par mes propres mots.

— Tu fais honte à ton ascendance, Nora, répliqua-t-il. Tu l'as trahie. Bafouée.

Je lui jetai mon regard le plus noir, en dépit de la peur qui me tenaillait le ventre.

— Êtes-vous là pour venger Chauncey, ou pour ne pas perdre la face ? Voir votre propre fille avec un déchu vous décrédibilisait aux yeux de votre petite armée de néphils, peut-être ? Je brûle ? insistai-je, faisant fi de la prudence.

Hank fronça légèrement les sourcils.

Ça t'ennuierait de te glisser dans ma mémoire avant qu'il ne te coupe en deux ? s'impatienta Patch.

Je n'osais pas le regarder, craignant de perdre courage. Nous savions tous deux que me réfugier dans ses souvenirs ne me projetterait pas physiquement hors de là. Je me contenterais de revisiter son passé et c'était sans

237

doute ce qu'il avait en tête : me faire basculer dans une réalité parallèle, tandis que Hank se débarrasserait de moi. Patch sentait que la fin était proche et voulait m'épargner l'horreur de ma propre mort. L'image d'une autruche, la tête plongée dans le sable me vint à l'esprit, et je faillis éclater de rire.

Pas question de renoncer avant d'avoir assené quelques vérités qui, je l'espérais, hanteraient Hank pour l'éternité :

— Vous aviez choisi de garder Marcie plutôt que moi et vous avez bien fait. Elle est jolie, populaire, elle sort avec des types qui ne vous gênent pas et elle est trop stupide pour s'intéresser de près à vos magouilles. Mais j'ai appris une chose ce soir, c'est que les morts peuvent revenir. J'ai vu mon père tout à l'heure... Mon vrai père.

Hank se renfrogna.

— Et s'il a pu réapparaître, rien ne m'empêchera de rendre de petites visites à Marcie, ou à votre femme. Et je ne m'arrêterai pas là. Je sais que vous revoyez ma mère en douce. Et morte ou vive, je m'arrangerai pour qu'elle apprenne la vérité à votre sujet. Combien de tête-à-tête pensez-vous obtenir avant qu'elle ne découvre que vous êtes l'assassin de sa fille ?

Je n'eus pas le temps d'en dire davantage : Patch envoya son genou dans le ventre du néphil qui retenait son bras droit. Celui-ci s'effondra et Patch décocha un coup dans le nez du second. Un sinistre craquement retentit, suivi d'un gémissement confus.

Je me précipitai vers Patch et me jetai contre lui.

— Dépêche-toi, souffla-t-il en guidant ma main.

Je pressai ma paume contre son dos, cherchant à tâtons l'endroit où ses ailes immatérielles, et par conséquent invisibles, se rejoignaient. Je devinais qu'elles étaient immenses, il serait donc difficile de les manquer.

Quelqu'un – Hank ou l'un de ses sbires – m'agrippa par les épaules, mais ne put m'arracher à Patch. Il m'enveloppa de ses bras et me serra contre lui. Désespérée, j'effleurai une seconde fois sa peau, lisse et ambrée. Où étaient ses ailes ?

Il pressa ses lèvres sur mon front, murmurant quelque chose d'inintelligible. Je n'eus pas le temps de réagir. Une lumière blafarde m'aveugla. J'étais suspendue dans un univers obscur, piqué de millions de points colorés. Chacun d'eux correspondait à un souvenir dont je devais m'approcher, mais ils paraissaient inaccessibles.

En entendant les cris de Hank, je sus que je n'avais pas entièrement basculé. Peut-être ma main n'était-elle pas suffisamment en contact avec la jointure des ailes. Des visions d'horreur se succédaient : j'imaginais Hank mettre un terme à mon existence de mille façons, toutes plus cruelles les unes que les autres. Déterminée à revoir une dernière fois Patch dans ses souvenirs avant que tout ne soit fini, je luttais pour avancer dans les ténèbres.

Les larmes brouillaient ma vue. Était-ce la fin ? Je ne voulais pas que ce moment survienne brutalement, comme si la vie s'évanouissait derrière moi sans crier gare. J'avais encore tant à dire à Patch. Savait-il à quel point il comptait pour moi ? Notre histoire venait à peine de commencer. Les choses ne pouvaient pas finir ainsi...

J'imaginai son visage, lors de notre toute première rencontre. Ses cheveux plus longs bouclaient autour de ses oreilles et rien n'échappait à son regard perçant, comme s'il devinait mes secrets et mes désirs les mieux enfouis. Je me remémorai sa surprise en me voyant débarquer comme une furie chez Bo, afin qu'il m'aide à terminer un devoir de biologie. Son sourire de loup me poussait au défi, tandis qu'il s'approchait pour m'embrasser pour la première fois dans la cuisine...

Patch criait lui aussi. Il ne m'appelait pas du plus profond de ses souvenirs, mais de plus bas, comme si je dominais la scène. Sa voix résonna tout en bas, dans la cabane. Je saisis deux mots, parmi ses paroles, discordantes et déformées, qui semblaient se propager à travers l'immensité de l'espace.

Accord. Compromis.

Je fronçai les sourcils et tâchai d'en entendre davantage. Que disait-il ? Je l'ignorais, mais redoutais le pire.

Non ! hurlai-je.

Je devais l'arrêter, me propulser à nouveau dans cet abri, cependant j'étais impuissante et flottais dans le néant, incapable d'avancer. *Patch ? Que lui proposes-tu ?*

Une curieuse impression de tiraillement me saisit, comme si on m'avait agrippée par le dos. L'écho des cris disparut dans un tourbillon derrière moi tandis que j'étais précipitée vers une lumière aveuglante, quelque part, dans un recoin de sa mémoire.

Encore.

En un instant, je fus projetée dans un second souvenir.

Même décor, dans cet abri humide, avec Hank, ses néphils et Jev. Sans en avoir la certitude, j'imaginai que cet événement reprenait là où le précédent s'était achevé. J'éprouvai une fois de plus ce revirement brutal, comme une manette renversée, mais je n'étais cette fois plus enfermée dans mon avatar du passé. Mes pensées, mes actions, se déroulaient dans le présent. J'étais un double, un témoin invisible du souvenir de Jev, tel qu'il l'avait vécu.

Mon corps inerte reposait entre ses bras. L'ancienne Nora gisait inanimée, à l'exception d'une main résolument pressée contre son dos. On ne voyait plus que le blanc révulsé de mes yeux et je me demandai brièvement si, à mon retour dans la réalité, je me rappellerais les deux réminiscences dans lesquelles je me trouvais simultanément plongée.

— Ah, bien sûr. J'ai entendu parler de ce tour de passe-passe, intervint Hank. C'est donc vrai ? Elle parcourt ta mémoire en ce moment même, rien qu'en touchant tes ailes.

J'observai ce personnage, impuissante. Qu'avais-je dit ? Qu'il était mon père ? Aucun doute. J'éprouvai l'envie soudaine de frapper sa poitrine jusqu'à ce qu'il nie, mais la douleur me brûlait comme une fièvre. Je pouvais le haïr, cela ne changerait rien au fait que son sang vicié coulait dans mes veines. Harisson Grey m'avait offert tout l'amour d'un père. Hank Millar m'avait donné la vie.

— Je te propose un marché, grinça Jev. Épargne-la et en échange, je te procurerai ce que tu désires.

La bouche de Hank frémit.

— Je vois mal ce que tu pourrais m'offrir d'intéressant.

— Tu constitues une armée dans le but de renverser les déchus dès le prochain Heshvan. N'aies pas l'air aussi surpris. Je ne suis pas le seul à connaître tes plans. Déjà, des groupes de déchus forgent des alliances et ils entendent bien faire regretter à leurs vassaux d'avoir osé se rebeller. Le mois d'Heshvan sera difficile pour les néphils qui porteront la marque de la Main noire. Et ce n'est qu'un avant-goût de la riposte qu'ils préparent. Tu ne pourras jamais arriver à tes fins sans un espion dans leurs rangs.

D'un geste, Hank congédia ses hommes.

— Laissez-moi seul avec l'ange. Et emmenez la fille.

— Si tu t'imagines que je vais la perdre de vue ne serait-ce qu'une seconde, tu te trompes, répliqua Jev.

— Ça va, reprit Hank avec un éclat de rire amusé. Garde-la tant que tu peux.

—Tu épargnes Nora et je serai ton informateur.

Hank leva ses sourcils blonds.

—Ça alors. Tes sentiments sont plus profonds que je ne l'aurais cru, commenta-t-il en me jetant un regard oblique. Si tu veux mon avis, elle n'en vaut pas la peine. Malheureusement pour toi, je me fiche de ce que toi et tes petits camarades gardiens pensez de mes plans. Ce sont les déchus qui m'intéressent. Leurs intentions, leurs préparatifs de ripostes... Puisque tu n'en fais plus partie, comment comptes-tu t'infiltrer parmi eux ?

—C'est mon affaire.

Hank toisa Jev d'un regard méfiant.

—D'accord. Tu attises ma curiosité, ajouta-t-il avec un haussement d'épaules. Comme je n'ai rien à perdre dans cette histoire, j'imagine que tu vas exiger une promesse de ma part.

—C'est une condition non négociable, répliqua froidement son adversaire.

Hank tira une nouvelle fois son poignard de sa ceinture et referma sa paume sur la lame.

—Je fais le serment de laisser la vie sauve à cette fille. Si je manquais à ma parole, puissé-je mourir et retourner à la poussière.

Jev prit son arme et, à son tour, entailla sa main, puis serra le poing, versant quelques gouttes d'une substance pareille au sang

—Je jure de te transmettre toutes les informations possibles concernant les plans des déchus. Si je manquais à ma parole, je me soumettrais de mon plein gré aux chaînes de l'enfer.

Ils se serrèrent la main, afin de mêler leurs sangs. Lorsque enfin ils s'écartèrent, leur peau ne portait plus la moindre trace.

—Passe donc me voir, ironisa Hank en époussetant avec dégoût sa chemise, comme si l'atmosphère de la cabane l'avait souillée.

Il saisit son téléphone portable et le pressa contre son oreille, sans quitter Jev du regard.

—Je m'assure que ma voiture est prête, déclara-t-il.

Mais lorsque son interlocuteur décrocha, Hank adopta un ton nettement plus tranchant :

—Envoyez mes hommes. Tous. Je veux qu'on emmène la fille.

Jev se raidit tandis que dehors, des pas lourds ébranlaient le sol.

—Qu'est-ce que ça signifie ?

—J'ai juré de lui laisser la vie sauve, pas de la relâcher. C'est moi, et surtout toi qui déterminerons la durée de sa captivité. Elle te sera rendue lorsque tu m'auras fourni suffisamment d'informations pour m'assurer une victoire contre les déchus d'ici Heshvan. Nora est ce qu'on pourrait appeler une... garantie.

Le regard de Jev glissa vers la porte, mais Hank reprit calmement :

—N'y pense pas. Nous sommes trop nombreux. Et ni toi ni moi ne voudrions voir Nora inutilement blessée dans une rixe. Ne fais pas l'idiot et laisse-la-moi.

Jev saisit Hank par la manche pour l'attirer brutalement vers lui.

—Si tu l'emmènes, je veillerai personnellement à ce que ton cadavre fertilise le sol sous nos pieds, lâcha-t-il, d'une voix venimeuse que je ne lui connaissais pas.

Hank ne trahit aucune peur. Il parut presque satisfait.

—Mon cadavre ? Est-ce que je dois rire ?

Hank ouvrit la porte. Une dizaine de néphils firent irruption dans la cabane.

Comme les rêves, le souvenir de Jev s'acheva avant même d'avoir véritablement commencé. Quelques secondes de confusion et le flou se dissipa, laissant place à l'appartement souterrain. La silhouette de Jev se dessina dans la lueur de la chandelle. La clarté était suffisante pour que je discerne l'éclat sévère de ses yeux. Un ange noir, sans l'ombre d'un doute.

— D'accord, soufflai-je dans un demi-vertige. Bon... d'accord.

Il sourit, mais parut hésitant.

— « Bon... d'accord » ? C'est tout ?

Je levai la tête. À présent, comment le regarder de la même manière ? Sans même que je les sente monter, mes larmes coulèrent.

— Tu as conclu un marché avec Hank... pour me protéger. Pourquoi ?

— Mon ange, murmura-t-il en traversant la pièce pour prendre mon visage entre ses mains. Tu ne réalises pas ce que je serais prêt à faire pour te garder ici, avec moi.

L'émotion me laissait sans voix. Hank Millar était devenu l'homme de l'ombre. Il m'avait donné la vie, puis avait tenté de me donner la mort et c'était grâce à Jev que j'y avais échappé. Hank Millar s'était introduit dans mon quotidien, ma maison, comme s'il en avait toujours fait partie. Tout sourire, il embrassait ma mère, s'adressait à moi avec une familiarité presque affectueuse... Enfin, le puzzle se mettait en place. J'y avais déjà songé, mais les souvenirs de Jev levaient définitivement le voile.

— Il a fait le serment de ne pas me tuer, mais il m'a gardée en otage pour s'assurer que tu jouerais les espions. Pendant trois mois... Il a trompé son monde pendant trois mois, tout cela pour obtenir des informations concernant les déchus. Il a laissé ma mère croire que j'avais disparu, que j'étais peut-être morte...

Évidemment. Hank avait prouvé qu'il n'avait aucun scrupule à se salir les mains. C'était un néphil puissant, extrêmement doué en matière de manipulation mentale. Et après m'avoir abandonnée dans ce cimetière, il s'en était servi pour reléguer mes souvenirs aux oubliettes. Bien sûr, comment aurait-il pu me relâcher sans s'assurer que je ne révélerais rien de ses manigances ?

— Je le hais. Il n'y a pas de mot pour décrire ma colère. Et je souhaite qu'il paie. Je veux le voir mort, crachai-je, soudain résolue.

— Là, sur ton poignet, reprit Jev, ce n'est pas une tache de naissance, deux autres personnes la portent. D'abord mon ancien vassal néphil, Chauncey Langeais. Hank Millar porte cette même marque, Nora. Vous êtes liés par le sang, et cette tache, comme une empreinte génétique ou une séquence d'ADN, prouve que Hank est ton père naturel.

— Je sais, répondis-je, pleine d'amertume.

Il serra ma main dans la sienne et déposa un baiser sur mes doigts. La pression de ses lèvres m'ébranla tout à coup.

— Tu te rappelles, à présent ?

— Je le disais, dans ton souvenir, mais au fond, je crois que j'en étais déjà consciente. Je n'ai pas éprouvé de surprise, seulement de la colère. J'ignore comment je l'avais appris, poursuivis-je en appuyant mon pouce sur ma tache de naissance. Mais... je le sens. Ma raison semblait totalement déconnectée de mes émotions, mais la vérité est une sensation à part. On dit que lorsque quelqu'un perd la vue, son ouïe s'intensifie considérablement. Qui sait ? Peut-être qu'en perdant la mémoire, j'ai développé mon intuition.

Un long silence s'installa. Ce que je n'avais pas expliqué à Jev, c'est que cette intuition ne s'appliquait pas qu'à mes véritables origines.

— Ce n'est pas de Hank que je veux parler. Pas maintenant. Je veux parler d'une chose que j'ai vue, ou plus exactement que j'ai découverte.

Il me dévisagea, partagé entre la curiosité et la méfiance. Je pris une profonde inspiration et me lançai :

— J'étais folle amoureuse de toi ou je déployais des talents d'actrices insoupçonnés.

— Tu penches pour quelle explication ? demanda-t-il d'un ton prudent qui trahit néanmoins une lueur d'espoir.

Un seul moyen d'en être certaine, pensai-je.

— D'abord, je dois savoir ce qu'il s'est exactement passé entre Marcie et toi. Et il serait dans ton intérêt d'être honnête avec moi, l'avertis-je. Elle prétendait que tu étais un amour de vacances et Scott m'a confirmé qu'elle avait joué un rôle dans notre rupture. Il ne me manque que ta version des faits.

— J'ai l'air d'un amour de vacances ?

J'imaginai Jev sur la plage, armé d'un Frisbee ou d'un tube de crème solaire, à offrir des glaces à Marcie tout en subissant ses bavardages incessants. Des visions toutes plus grotesques les unes que les autres.

— Très bien, tu as gagné. Alors, explique-toi.

— Marcie n'était qu'une mission. Je ne m'étais pas encore rebellé et j'avais toujours mes ailes. J'étais un gardien aux ordres des archanges, qui m'avaient confié la surveillance de Marcie. C'est la fille de Hank et, par conséquent, elle était exposée au danger. Veiller à sa sécurité n'a pas été une partie de plaisir et j'ai fait mon possible pour l'oublier.

— Donc, il ne s'est rien passé ?

Sa lèvre frémit.

— J'ai bien failli l'étrangler à une ou deux reprises, mais ça s'est arrêté là.

— Dommage.

— Peut-être une autre fois, ironisa-t-il en haussant les épaules. Tu veux toujours parler de Marcie ?

Soutenant son regard, je secouai la tête.

— Je n'ai pas vraiment envie de parler, avouai-je à voix basse.

Je me levai et l'entraînai avec moi, surprise par ma propre audace. Des émotions insaisissables se succédaient et je n'en reconnus que deux.

D'abord, la curiosité. Ensuite, le désir.

— Mon ange, souffla-t-il d'un voix rauque en demeurant parfaitement immobile.

Il caressa ma joue de son pouce, mais je me dérobai.

— Ne me presse pas. S'il me reste le moindre souvenir de nous, je ne peux pas le forcer.

Ce n'était pas tout à fait vrai, mais je gardais les détails pour moi. J'avais rêvé de ce moment depuis ma première rencontre avec Jev. Dès lors, je l'avais imaginé de mille façons, mais jamais mes fantasmes n'avaient provoqué de telles sensations. J'étais attirée, irrésistiblement, inexorablement.

Quoiqu'il se passe, je ne voulais pas oublier ce que je ressentais pour Jev. Je souhaitais ancrer en moi le souvenir de ses caresses, de sa saveur, de son odeur, afin que jamais personne ne puisse me les prendre.

J'effleurai sa poitrine, mémorisant chaque ondulation des muscles sous sa peau. Ce même parfum que j'avais perçu, ce premier soir, dans le 4 x 4, flottait. Le cuir, les épices et la menthe. Je suivis du bout des doigts le contour de son visage. Jev ne bougeait pas et me laissa faire, les paupières closes.

— Mon ange, répéta-t-il d'une voix tendue.

— Attends.

Passant mes mains dans ses cheveux, je les sentis ondoyer entre mes doigts. Je fixais chaque détail dans ma mémoire. Sa peau ambrée, sa posture décidée, ses longs cils. Ses traits n'étaient pas en tous points parfaits ou symétriques, mais il n'en devenait que plus séduisant.

Assez hésité, pensai-je enfin. Je m'avançai vers lui en fermant les yeux.

Ses lèvres s'entrouvrirent sous les miennes et son corps vibra tandis qu'il luttait pour rester maître de lui-même. Ses bras m'emprisonnèrent et son baiser se fit plus audacieux. L'intensité de ma réaction m'effraya.

Mes jambes se dérobèrent et je m'écroulai contre Jev, adossé au mur. Il se laissa glisser, m'entraînant sur ses genoux. Une clarté rayonnait en moi, aussi terrifiante que familière. Je sus alors que tout était réel. J'avais déjà embrassé ainsi. J'avais embrassé Patch. Je ne me rappelais pas l'avoir appelé autrement que Jev, mais cela me paraissait soudain... naturel. Une délicieuse chaleur m'envahit, prête à m'emporter.

Je reculai la première, passant ma langue sur mes lèvres.

— Plutôt pas mal, non ? demanda Jev d'une voix grave.

Je me penchai vers lui.

— Il suffit d'un peu d'entraînement...

21.

J'ouvris les yeux, clignai des paupières et la pièce prit forme autour de moi. Les lumières étaient éteintes, il faisait frais. Une étoffe luxueuse, veloutée caressa ma peau. Le souvenir de la nuit précédente me revint d'un seul coup. J'avais passé la soirée dans les bras de Patch... Je me rappelais vaguement avoir dit être trop épuisée pour conduire.

J'avais donc dormi chez lui.

— Ma mère va me tuer, pensai-je tout haut en me redressant brusquement.

Ce matin-là, j'étais censée avoir cours. Et j'avais découché sans même prévenir.

— Problème réglé, m'informa Patch, assis sur une chaise dans un coin, le menton posé sur la main. J'ai appelé Vee. Elle a accepté de te couvrir en expliquant à ta mère que vous étiez chez elle et avez regardé *Orgueil et préjugés* – la version de cinq heures. Vous avez oublié l'heure. Sa mère a préféré te laisser dormir sur place.

— Tu as appelé Vee ? répétai-je, sceptique. Et elle a fait tout cela sans poser de questions ?

Cela ne lui ressemblait guère. Surtout pas à la nouvelle Vee, qui paraissait fâchée à vie avec le genre masculin.

— Ça n'a pas été aussi simple.

Il n'eut pas besoin d'en dire davantage.

— Tu l'as manipulée !

— Entre demander la permission à Vee et implorer ton pardon, je penche pour la seconde solution.

— C'est ma meilleure amie ! Tu ne peux quand même pas lui faire ça !

J'en voulais à Vee de m'avoir menti au sujet de Patch, mais elle avait sans doute ses raisons. Je ne cautionnais pas son attitude et j'avais bien l'intention de le lui faire savoir, mais Vee m'était trop chère pour laisser Patch franchir cette limite.

— Tu étais épuisée. Et tu dormais si bien dans mon lit...

— C'est parce qu'il doit être ensorcelé, grommelai-je, moins férocement que je ne le souhaitais. On pourrait passer sa vie allongé dans des draps pareils. C'est du satin ?

— De la soie.

De la soie noire. Mieux valait ne pas en imaginer le prix. Une chose était certaine, leur douceur presque magnétique était déconcertante.

— Promets-moi de ne plus jamais hypnotiser Vee de cette manière.

— Juré, répondit-il du tac au tac sans même avoir eu à « implorer mon pardon ».

— Si je te demande pourquoi Vee et ma mère ont obstinément nié ton existence, tu vas me dire que tu n'en sais rien ? Parce que les deux seules personnes qui ont avoué se souvenir de toi sont Marcie et Scott.

— L'été dernier, Vee est sortie avec Rixon. Lorsque Hank t'a enlevée, j'ai effacé Rixon de la mémoire de Vee. Il s'est servi d'elle et l'a beaucoup fait souffrir. Comme tout le monde, d'ailleurs. Il était plus simple pour ton entourage de l'oublier plutôt que de compter sur une impossible arrestation. Quand j'ai voulu éradiquer ses souvenirs, Vee a lutté. Et depuis, sa colère perdure. Elle ignore pourquoi, mais c'est ancré en elle. Effacer la mémoire de quelqu'un est moins facile que ça en a l'air. C'est un peu comme enlever les pépites de chocolat d'un cookie. Ça ne sera jamais parfait. Il restera des fragments. Des certitudes demeurent, inébranlables, aussi familières qu'énigmatiques. Vee ne se rappelle pas ce que je lui ai fait, mais elle sait qu'elle ne peut pas me faire confiance. Elle ne se souvient pas de Rixon, mais elle sent qu'un garçon lui a fait du mal.

Tout ceci expliquait son agressivité latente envers la gent masculine et ma méfiance acharnée à l'égard de Hank. On avait peut-être gommé une partie de notre passé, mais nos impressions demeuraient intactes.

— Ne te montre pas aussi dure avec elle, suggéra Patch. Elle te protège. La franchise est une qualité, mais la loyauté l'est également.

— En d'autres termes, je laisse couler ?

— À toi de voir, répondit-il en haussant les épaules.

Vee m'avait menti sans l'ombre d'une hésitation et ce n'était pas rien. Mais je comprenais ses motivations. Patch avait altéré sa mémoire et je ne connaissais que trop bien cette sensation de traumatisme, que le mot « vulnérable » ne suffisait pas à décrire. Vee m'avait caché la vérité pour me protéger et, après tout, j'en avais fait autant : je ne lui avais jamais rien dit des déchus, des néphils, en invoquant la même raison. Je pouvais décider que ces règles ne s'appliquaient pas à moi, ou suivre le conseil de Patch et en rester là.

— Et ma mère ? repris-je. Tu peux aussi lui trouver une excuse ?

— Elle pense que j'ai quelque chose à voir dans ta dis-paration. Mieux vaut que ses soupçons pèsent sur moi que sur Hank, ajouta-t-il d'un ton glacial. S'il venait à douter de ta mère, il agirait sans doute en conséquence.

Patch restait évasif, mais j'imaginais sans peine Hank capable de tout pour arriver à ses fins. Ma mère ne devait rien savoir... pour l'instant.

Je ne voulais ni lui trouver d'excuse, ni chercher à le rendre plus humain, mais je me surpris à me demander quel genre de personnage il avait pu être plusieurs années auparavant, lorsqu'il était tombé amoureux de ma mère. Avait-il toujours été aussi monstrueux ? Avions-nous eu une quelconque importance à ses yeux... avant qu'il ne bâtisse son univers autour des néphils et que le reste ne signifie plus rien ?

Je n'y réfléchis pas plus longtemps. Hank avait choisi son camp. Il m'avait kidnappée et j'allais le lui faire payer.

— Tu disais que Rixon ne serait jamais arrêté, car désormais il est enfer, c'est bien cela ?

Et apparemment, ce n'était pas une métaphore.

Patch confirma d'un hochement de tête, mais son regard s'assombrit. Il n'aimait sans doute pas parler de l'enfer. La plupart des déchus préféraient sûrement éviter le sujet.

— Dans ton souvenir, j'ai appris que tu avais accepté d'infiltrer le clan des déchus pour le compte de Hank.

— Oui, afin de découvrir leurs intentions. Je retrouvais Hank une fois par semaine pour lui transmettre ces informations.

— Et si les déchus s'apercevaient que tu les as trahis ?

— Espérons que ça ne soit pas le cas.

Son attitude désinvolte ne me rassurait guère.

— Qu'est-ce que tu risques ?

— Je me suis sorti de situations bien plus compliquées, répliqua-t-il avec un sourire en coin. Depuis tout ce temps, tu n'as toujours pas confiance en moi.

— Ça t'arrive d'être sérieux, deux minutes ?

Il se pencha et déposa un baiser sur ma main.

— Ils m'enverraient en enfer, répondit-il plus honnêtement. Normalement, ils devraient laisser aux archanges le soin de s'en charger, mais les choses ne marchent pas toujours aussi simplement.

— Ce qui veut dire ? insistai-je.

— Les humains ne sont pas censés s'entretuer, poursuivit-il avec un détachement presque arrogant. La loi le proscrit. Pourtant, des meurtres sont commis chaque jour. Mon monde n'est pas tellement différent. Pour chaque règle édictée, on trouve des individus prêts à la violer. Je ne prétends pas être blanc comme neige. Il y a trois mois, j'ai envoyé Rixon en enfer, alors qu'il ne m'appartenait pas de faire justice moi-même.

— Toi ? C'est toi qui l'as condamné ?

— Il fallait qu'il paie, argua-t-il en me jetant un regard surpris. Il avait tenté de te tuer.

— Scott m'avait parlé de Rixon, mais ignorait qui l'avait envoyé en enfer et comment. Je lui ferai savoir qui il doit remercier.

— La gratitude de ce sang-mêlé ne m'intéresse pas, mais je peux t'expliquer comment on procède. Lorsque les archanges bannissent l'un d'entre eux, ils lui arrachent les ailes et gardent l'une de ses plumes. Celle-ci est méticuleusement répertoriée et conservée. Au cas où le déchu serait damné, les archanges retrouvent la plume et l'enflamment. Le geste est symbolique, mais les conséquences sont inéluctables. On parle de « brûler en enfer » et ce n'est pas une figure de style.

— Tu possédais l'une des plumes de Rixon ?

— Avant qu'il ne me prenne à revers, Rixon était comme un frère pour moi. Il avait conservé l'une de ses plumes et je savais où il la cachait. Il n'avait aucun secret pour moi. C'est peut-être pour cette raison que je ne lui ai pas fait d'adieux... impersonnels.

L'expression de Patch se voulait impassible, mais je vis sa mâchoire se crisper.

— Je l'ai traîné jusqu'en enfer et j'ai brûlé la plume sous ses propres yeux.

Son récit me donnait la chair de poule. Même si Vee me trahissait un jour de manière aussi cruelle, je ne pensais pas être capable de lui infliger une telle souffrance. Je comprenais tout à coup l'importance qu'il attachait à ces événements.

Chassant cette vision sordide, je songeai alors à la plume retrouvée dans le cimetière.

— Ces plumes peuvent-elles se disperser ? Sont-elles susceptibles d'être retrouvées par des inconnus ?

— Les archanges n'en conservent qu'une seule, expliqua-t-il en secouant la tête. Il arrive que des déchus, comme Rixon, terminent leur chute en ayant gardé une ou deux plumes intactes. Dans ce cas, ils s'arrangent évidemment pour que ces spécimens ne tombent pas entre de mauvaises mains. Et toi qui pensais que nous n'étions pas sentimentaux, conclut-il, avec l'ombre d'un sourire au coin des lèvres.

— Pourquoi ? Que devient le reste des ailes ?

— Elles se détériorent très vite durant la chute. Dégringoler du paradis n'est pas exactement un parcours de santé.

— Et toi ? Tu en as gardé quelques-unes au chaud ?

— On cherche à se débarrasser de moi ? demanda-t-il en arquant un sourcil.

Malgré la gravité du sujet, je souris.

— Je préfère avoir quelques options en réserve.

— Désolé de te décevoir, mais pas de plume. Je suis tombé sur Terre complètement nu.

— Mmmh, répondis-je d'un air détaché.

Ce seul petit mot avait suffi à me faire rougir. Mieux valait éviter d'avoir l'imagination trop fertile alors que je me trouvais dans sa chambre ultra-secrète et ultra-chic.

— Ça me plaît assez de te voir dans mon lit, observa Patch. Je dors peu. Je me ferais volontiers à l'idée.

— Tu m'offres un toit ?

— Le double de la clé est déjà dans ta poche.

En tâtonnant mon jean, je sentis un petit objet rigide sous le tissu.

— C'est... charitable de ta part.

— Pourtant, je me sens tout sauf charitable, dit-il d'une voix grave et pleine de sous-entendus. Tu m'as tellement manqué, mon ange. Pas un jour ne passait sans que le vide de ton absence ne se fasse ressentir. Tu me hantais, à tel point que j'ai cru que Hank était revenu sur son serment et t'avait tuée. Je voyais ton fantôme partout. J'étais incapable d'échapper à ces visions et, d'ailleurs, je n'essayais même pas. Tu me mettais au supplice, mais je préférais cela à l'idée de te perdre.

— Pourquoi ne m'as-tu pas tout raconté, l'autre soir, dans la ruelle ? Tu t'es montré si... froid, dis-je en me remémorant ses mots durs et tranchants. J'avais l'impression que tu me détestais.

— Lorsque Hank t'a finalement relâchée, je t'ai surveillée de loin, pour m'assurer que tu allais bien. Mais pour ta propre sécurité, je m'étais juré de ne plus t'approcher. J'avais pris cette décision et croyais pouvoir m'y tenir. Je me persuadais que plus rien n'était possible entre nous. Mais quand je t'ai retrouvée l'autre soir, dans cette ruelle, mes beaux discours se sont évanouis. Je voulais que tu te souviennes de moi, tel que j'étais. Je n'avais pas cessé de penser à toi. Mais tu ne m'as pas reconnu, évidemment. Je m'en étais moi-même assuré, avoua-t-il, le regard rivé sur ses mains, mollement croisées sur ses genoux. Je te dois des excuses. Hank a effacé ta mémoire afin que tu oublies ce qu'il t'avait fait subir et je lui ai donné ma bénédiction. Je lui ai même demandé de remonter plus loin et d'anéantir tous tes souvenirs de moi.

Je levai les yeux vers lui.

— Quoi ?

— Je voulais te rendre ta vie avant qu'elle ne soit bouleversée par les déchus, les néphilims et moi. Je pensais que cela te permettrait de reprendre pied. Je t'ai compliqué l'existence, ni toi ni moi ne pouvons le nier. Malgré mes efforts pour faciliter les choses, les événements n'ont pas toujours tourné en ma faveur. Après mûre réflexion, j'en suis venu à la conclusion que la meilleure solution était de disparaître.

— Patch...

— Quant à Hank, il n'était pas question de le laisser te faire du mal. Ni de détruire ton avenir, ou tes chances de t'épanouir en te condamnant à garder éternellement de tels souvenirs. Tu as raison : il t'a enlevée, certain de pouvoir me contrôler à travers toi, de juin jusqu'à septembre. Tu as passé chaque jour de ces trois mois seule et enfermée. L'isolement vient parfois à bout des soldats les plus aguerris et Hank savait que c'était là ma plus grande crainte. Il exigeait toujours plus de moi, des preuves de bonne foi, alors que j'avais prêté serment, en faisant peser sur toi cette menace constante.

Son regard se fit plus dur.

— Il paiera pour cela, et de la façon dont je l'entends, reprit-il d'un ton qui m'effrayait. Cette nuit-là, dans la cabane, nous étions encerclés. Je ne pensais qu'à une chose : l'empêcher de te tuer sur-le-champ. Seul, j'aurais lutté. Mais je ne te croyais pas capable de résister à un tel affrontement. C'est une erreur que j'ai amèrement regrettée. Je ne pouvais pas supporter l'idée de te voir blessée et cela m'aveuglait. J'ai sous-estimé tout ce que tu avais déjà vécu et la force que tu en avais retirée. Hank le savait et je suis tombé dans son piège.

» Je lui ai donc mis le marché en main : s'il te laissait la vie sauve, je devenais son informateur. Il a accepté, puis a rappelé ses hommes pour t'emmener. Je me suis battu jusqu'au bout, mon ange. Ils étaient sévèrement amochés lorsqu'ils ont enfin réussi à t'enlever. J'ai retrouvé Hank quatre jours plus tard et lui ai offert mes ailes contre ta libération. Je n'avais plus rien d'autre à lui proposer et il a consenti à te relâcher, mais pas avant la fin de l'été. Durant les trois mois qui ont suivi, je t'ai cherchée partout, mais Hank avait bien préparé son plan. Il s'est démené pour conserver le lieu de ta captivité secret. J'ai intercepté et torturé plusieurs de ses hommes, mais ils ne savaient rien. Je serais très surpris que Hank l'ait révélé à plus d'une ou deux personnes de confiance afin de s'assurer que tu ne manques de rien.

» Une semaine avant de te libérer, il m'a envoyé l'un de ses émissaires. Ce sbire m'a informé que Hank avait l'intention d'effacer ta mémoire avant de te relâcher et me demandait si j'avais des objections. Je lui ai fait ravaler son rictus et je l'ai ramené, en sang, chez Hank. Nous l'avons attendu jusqu'au lendemain matin. Je l'ai averti : s'il ne voulait pas finir dans le même état que son messager, il s'arrangerait pour que tu n'aies jamais de flash-back. Je souhaitais que le moindre souvenir de moi disparaisse et surtout que ceux de ta captivité ne puissent t'ôter le sommeil. Je craignais que tes nuits ne soient peuplées de cauchemars, que tu te réveilles en hurlant sans même comprendre pourquoi. Je voulais te rendre un semblant de normalité. Or l'unique façon de te protéger, c'était de te laisser en dehors de tout ça. J'ai donc exigé de Hank qu'il ne s'approche plus de toi. J'ai été très clair : s'il posait ne serait-ce qu'un regard sur toi, je découvrirais un moyen de le retrouver, de le tailler en pièce – quel qu'en soit le prix, je le tuerais. Je l'avais cru suffisamment malin pour tenir parole, jusqu'à ce que tu m'apprennes qu'il fréquentait ta mère. Et je doute que seuls ses sentiments amoureux motivent cette relation. Il mijote quelque chose. J'ignore quoi, mais il se sert de ta mère, ou plutôt de toi, pour parvenir à ses fins.

— Quel monstre ! crachai-je, le cœur battant à tout rompre.

— J'aurais employé un mot un peu plus fort, mais on peut le dire comme ça, répondit Patch avec un rire jaune.

Comment Hank avait-il pu me faire une chose pareille ? Même s'il avait choisi de m'abandonner, il n'en restait pas moins mon père. Les liens du sang ne représentaient donc rien à ses yeux ? Comment avait-il trouvé l'audace de me regarder en face, ces derniers jours ? D'arborer cette mine réjouie, cet air satisfait ? Il m'avait arrachée à ma mère, séquestrée pendant des semaines et, à présent, il s'invitait chez nous en feignant de beaux discours sur la famille ?

— J'ignore exactement quel est son mobile, mais une chose est sûre : il n'est pas anodin. D'instinct, je devine qu'il cherche à mettre son plan à exécution avant Heshvan, reprit Patch en levant les yeux vers moi. C'est dans moins de trois semaines.

— Je te vois venir, tu veux te lancer seul à sa poursuite. Cette vengeance m'appartient, tu ne me priveras pas de ce plaisir.

Patch passa son bras autour de mon cou et pressa fiévreusement ses lèvres sur mon front.

— Je n'oserais pas faire une telle chose.

— Alors ?

— Alors, Hank garde une longueur d'avance, mais j'ai bien l'intention d'égaliser. Et puisque les ennemis de mes ennemis sont mes amis, l'une de mes vieilles connaissances pourrait nous être utile.

À sa façon d'employer le mot « connaissance », je sus que la personne en question n'était pas exactement une amie.

— Elle s'appelle Dabria et je pense qu'il est temps de lui passer un coup de fil.

Puisque Patch avait décidé de la prochaine étape, je fis de même. Sautant au bas du lit, je ramassai mon pull et mes chaussures, qu'il avait déposés sur la commode.

— Je ne peux pas rester ici, je dois rentrer chez moi. Pas question de laisser Hank se servir de ma mère sans la prévenir.

— Tu ne peux rien lui dire, avertit Patch avec un soupir inquiet. Elle ne te croira pas. Il l'a certainement manipulée comme je l'ai fait avec Vee. Même si elle ne voulait pas lui faire confiance, elle n'a pas eu le choix. Il la tient sous sa coupe et, pour l'instant, nous ne pouvons rien y changer. Nous devons patienter encore un peu, jusqu'à ce que j'aie découvert les plans de Hank.

Ma colère décuplait à l'idée de laisser Hank dominer et manœuvrer ma mère.

— Tu ne peux pas simplement aller là-bas et le tailler en pièces ? m'emportai-je. Il mérite bien pire, mais ça réglerait au moins le problème. Et me soulagerait énormément

— Nous devons le faire tomber pour de bon. Nous ignorons l'identité de ses alliés et la portée de ses intentions. Il rassemble peut-être une armée de néphilims pour défier les déchus, mais il sait aussi bien que moi qu'après le début d'Heshvan, aucune légion ne pourra renverser un serment prononcé devant le ciel. Les déchus déferleront en masse et prendront possession du corps de ses hommes. Il a forcément un autre atout dans sa manche, mais quel est le rapport avec toi ? se demanda Patch tout haut.

Soudain, son regard se fit plus perçant.

— Quoi qu'il ait en tête, il a besoin des informations que détient l'archange. Mais pour la faire parler, il lui faut une chaîne.

Ses mots me firent l'effet d'une gifle. Prise par les révélations en cascade de la nuit précédente, j'en avais totalement oublié ma vision, en réalité un souvenir, de cette fille enfermée dans une cage. Ce n'était pas une captive ordinaire, mais un archange.

— Désolé, mon ange, soupira Patch. Je vais trop vite. Laisse-moi t'expliquer.

— Je suis au courant, pour la chaîne, l'interrompis-je. J'ai vu l'archange emprisonnée dans une cage et je suis certaine qu'elle a tenté de m'avertir, pour empêcher Hank de mettre la main sur la chaîne. Mais j'ai cru à une hallucination.

Patch m'observa sans un mot avant de reprendre :

— C'est un archange, elle a la possibilité de s'infiltrer dans tes pensées conscientes. Elle a visiblement jugé nécessaire de te prévenir.

— Oui, car Hank est persuadé que ta chaîne est en ma possession.

— Mais c'est faux !

— Va donc le lui dire.

— Alors, c'est ça ? Hank croit que je te l'ai confiée.

— Sans doute.

Patch fronça les sourcils, les yeux dans le vague.

— Si je te ramène chez toi, te sens-tu capable de lui faire face et de le convaincre que tu n'as rien à cacher ? Il ne doit rien soupçonner ni savoir de cette nuit. Per-

Silence

sonne ne te reprocherait de refuser, surtout pas moi. Mais je dois te poser la question. Es-tu prête ?

Je n'hésitai pas une seconde. Aucun secret n'était trop lourd à porter pour protéger ceux que j'aimais.

22.

Le pied sur l'accélérateur, j'espérais ne pas croiser de policier désœuvré, n'ayant rien de mieux à faire que de m'arrêter. Je roulai en direction de la maison, après avoir quitté Patch à contrecœur. Mais l'idée d'abandonner ma mère à la merci de Hank, telle une marionnette qu'il manipulerait à sa guise, m'était insupportable. En dépit de toute logique, je me persuadai que ma présence contribuerait à la protéger. Plutôt mourir que de laisser Hank poursuivre tranquillement ses plans.

Après avoir usé d'arguments peu scrupuleux pour me garder près de lui jusqu'à une heure plus convenable, Patch m'avait raccompagnée pour récupérer ma Volkswagen. Curieusement, elle avait passé la nuit dans la zone industrielle sans subir le moindre dommage. J'aurais parié qu'au moins le lecteur CD aurait disparu.

De retour à la maison, je gravis rapidement les marches du perron et me glissai sans bruit dans la cuisine. En allumant, j'étouffai un cri.

Accoudé derrière le bar, Hank Millar tenait négligemment son verre d'eau.

— Bonjour, Nora.

Immédiatement, j'affectai une mine indifférente pour mieux dissimuler ma peur. Je plissai les yeux, espérant simplement paraître agacée.

— Qu'est-ce que vous faites là ?

— Ta mère a dû partir tôt au bureau, dit-il avec un signe de tête vers la porte d'entrée. Une urgence que Hugo lui a confiée à la dernière minute.

— Il est cinq heures du matin, observai-je.

— Tu connais Hugo.

Non, mais toi, je te connais. Je songeai brièvement qu'il aurait pu hypnotiser ma mère de façon à lui faire quitter la maison pour mieux me prendre à part. Mais comment aurait-il pu savoir l'heure à laquelle je rentrerais ? L'idée ne me parut cependant pas impossible.

— Il m'a semblé plus correct de me lever moi aussi et de commencer plus tôt ma journée. De quoi aurais-je l'air en faisant la grasse matinée pendant que ta mère se tue au travail ?

Il avait passé la nuit chez moi et ne s'en cachait même pas. C'était la première fois depuis mon retour. Manipuler ma mère était une chose, mais dormir dans son lit en était une tout autre...

— Je croyais que tu étais restée chez ton amie Vee. La fête s'est donc terminée si tôt ? Ou devrais-je dire « si tard » ?

Avec la colère, mon pouls s'emballait et je dus me mordre la langue pour ne pas répliquer.

— J'ai préféré dormir dans mon *propre* lit, répondis-je, espérant qu'il comprendrait l'allusion.

— Bien sûr, susurra-t-il avec un sourire condescendant.

— Vous ne me croyez pas ?

— Épargne-moi tes histoires, Nora. Une jeune fille qui prétend dormir chez une copine ne le fait que dans quelques cas bien précis, ajouta-t-il en éclatant d'un rire froid. Alors, dis-moi, qui est le petit veinard ?

Il haussa ses sourcils si clairs et porta le verre à ses lèvres.

Mon cœur battait à tout rompre, mais je conservai mon calme et tâchai de me montrer aussi convaincante que possible. Il bluffait. Hank n'avait aucun moyen de savoir que j'avais passé la nuit chez Patch. Les seules informations qu'il pourrait obtenir étaient celles que je lui révélerais. Je me contentai donc d'un regard outré.

— Pour votre gouverne, Vee et moi avons passé la soirée devant la télé. Marcie a peut-être l'habitude de faire le mur pour retrouver ses copains, mais je crois qu'on peut dire sans trop s'avancer que je ne suis pas comme elle.

Trop méprisante. Si je voulais me sortir de ce mauvais pas, j'allais devoir faire preuve d'un peu moins d'agressivité. Hank ne se départit pas de son sourire narquois.

— Vraiment ?

— Oui, vraiment.

— J'ai passé un coup de fil à la mère de Vee pour avoir des nouvelles et elle a vendu la mèche. Quelle surprise d'apprendre que tu n'avais pas mis les pieds chez eux, hier.

— Pour avoir des nouvelles ?

— Je crains que ta mère ne se montre un peu trop permissive, Nora. Mais ton petit manège ne marche pas avec moi et j'ai cru bon de prendre les choses en main. Je suis ravi de me trouver seul à seul avec toi pour que nous puissions avoir cette conversation.

— Je ne vois pas en quoi cela vous regarde.

— Pour l'instant, c'est vrai. Mais si j'épouse Blythe, il y aura du changement. Nous formerons une famille et, avec moi, on ne fait pas ce qu'on veut.

Il m'adressa un clin d'œil, bien plus sinistre qu'espiègle.

— Très bien, admis-je, cherchant à lui faire peur. Je n'étais pas chez Vee. J'ai menti à ma mère, car j'avais besoin de m'aérer un peu l'esprit et je suis partie pour une longue balade en voiture. Depuis quelques jours, il se passe quelque chose de bizarre, là-dedans, soufflai-je en tapotant ma tempe. Mon amnésie semble se dissiper. Les derniers mois ne me paraissent plus aussi flous. Un visage me revient de plus en plus fréquemment : celui de mon ravisseur. Je n'ai pas encore d'image assez nette pour l'identifier, mais ce n'est sans doute qu'une question de temps.

Son expression demeurait neutre, mais je crus voir la colère enflammer son regard.

C'est bien ce que je pensais, espèce d'immonde salopard.

— Malheureusement, sur le chemin du retour, l'épave qui me tient lieu de voiture est tombée en panne. Ma mère n'aurait pas aimé me savoir traînant sur les routes au milieu de la nuit, alors j'ai appelé Vee et lui ai demandé de me couvrir. J'ai passé les dernières heures à essayer de remettre le moteur en marche.

— Je pourrais y jeter un œil ? proposa-t-il sans ciller. Si je ne peux pas identifier la panne d'une voiture, je ne connais plus mon métier !

— Pas la peine. Je l'amènerai chez notre garagiste. Maintenant, ajoutai-je pour enfoncer le clou, je dois me préparer pour la reprise du lycée. Je préfère le calme et la solitude.

— Si j'étais soupçonneux, répliqua-t-il avec un sourire forcé, je croirais que tu essaies de te débarrasser de moi.

— J'appellerai ma mère pour la prévenir que vous êtes parti, conclus-je en désignant ostensiblement la porte.

— Et ta voiture ?

Bon sang ! Il se montrait obstiné.

— Je vous ai dit que je la porterais chez le garagiste.

— C'est ridicule, objecta-t-il. Pourquoi infliger à ta mère le coût d'une réparation alors que je peux parfaitement régler le problème ? La Volkswagen est dehors, je suppose ?

Avant que j'aie pu l'arrêter, il ouvrit la porte d'entrée. Je le suivis sur le perron, l'estomac noué. Il s'avança vers ma voiture, remonta ses manches et glissa la main sous la grille pour soulever le capot.

Je le rejoignis, priant pour que Patch ait réussi son coup. Il avait eu l'ingénieuse idée d'une solution de secours, au cas où le récit de Vee ne les aurait pas convaincus. Hank avait visiblement déjoué ses manipulations mentales en s'adressant directement à Mme Sky et je remerciai silencieusement Patch de sa prudence.

— C'est ici, annonça Hank en désignant une petite fissure dans l'un des nombreux tuyaux noirs qui entouraient le moteur. Voilà, c'est réglé. Ça tiendra encore quelques jours, mais il faudra la faire réparer rapidement. Amène-la plus tard au magasin, je demanderai à mes employés d'y jeter un œil.

Comme je ne répondais et il ajouta :

— Je me dois d'impressionner la fille de celle que je compte épouser, non ?

Il l'avait dit d'un air désinvolte, mais le sous-entendu avait quelque chose de menaçant.

— Oh, Nora ? me rappela-t-il après que je lui eus tourné le dos. Ce petit incident restera entre nous, mais dans l'intérêt de ta mère, je ne tolérerai plus aucun mensonge, quelles que soient les raisons. Si jamais je t'y reprends...

Sans un mot, je regagnai la maison d'un pas lent et mesuré sans oser me retourner. Je n'en avais pas besoin. Le regard froid de Hank semblait transpercer mon dos.

Une semaine s'écoula sans nouvelles de Patch. Avait-il localisé Dabria ou avancé dans ses recherches sur les motivations de Hank? Je l'ignorais. Plus d'une fois, je réprimai l'envie de rouler jusqu'au parc de Delphic pour tenter de retrouver le chemin de son appartement souterrain. Bien que j'aie accepté d'attendre de son retour, je commençais à perdre patience. Il m'avait fait la promesse de ne pas m'écarter du jeu en ce qui concernait Hank, mais j'étais de moins en moins certaine qu'il la tiendrait. Même si ses recherches n'aboutissaient pas, j'aurais voulu qu'il m'appelle parce que je lui manquais autant qu'il me manquait Ne pouvait-il pas simplement décrocher son téléphone? Scott n'avait pas reparu non plus et, tenant parole, je n'avais pas tenté de le contacter. Mais si l'un ou l'autre ne se manifestait pas rapidement, plus rien ne tiendrait.

Ma seule distraction était le lycée, mais même les cours ne parvenaient pas vraiment à me changer les idées. J'avais toujours été une élève modèle, mais comparée à l'urgence de la situation avec Hank, la perspective de la fac semblait soudain bien dérisoire.

— Félicitations! me lança Cheri Deerborne tandis que nous entrions en cours d'anglais pour la deuxième heure de la journée.

Je me demandais bien ce qui la faisait autant sourire.

— Pour?

— Les nominations pour le bal de promo ont été affichées ce matin. Apparemment, tu es sélectionnée pour le titre des classes de première.

Je la dévisageai sans comprendre.

— Le titre des classes de première, répéta-t-elle en accentuant chaque mot.

— Tu plaisantes?

— J'ai aperçu ton nom sur la liste. Ça peut difficilement être une erreur.

— Qui m'aurait inscrite ?

— N'importe qui peut proposer ta candidature, répliqua-t-elle en me jetant un regard surpris. Tu as besoin de 50 signatures pour valider la demande, un peu comme une pétition. Plus tu obtiens de signatures, mieux c'est.

— Je vais étriper Vee, marmonnai-je, ne voyant aucune autre explication.

Suivant le conseil de Patch, je ne lui avais pas reproché ses mensonges, mais c'en était trop. Un titre pour le bal de promo ? Cette fois, même Patch ne pourrait stopper ma fureur.

Je m'installai à ma place et dissimulai mon portable sous le bureau. M. Sarraf ne tolérait aucun téléphone en évidence dans son cours.

LE TITRE DES CLASSES DE 1RES ? envoyai-je à Vee.

La sonnerie n'avait pas encore retenti et Vee me répondit aussitôt.

J'AI VU ÇA. EUH... FÉLICITATIONS ?

T'ES MORTE.

PARDON ? JE N'AI RIEN À VOIR LÀ-DEDANS !

— Pour dire les choses clairement, m'avertit une voix guillerette, Sarraf t'a dans le viseur.

Marcie Millar s'installa à côté de moi. C'était notre seul cours commun, qu'elle passait généralement au fond de la salle en compagnie de Jon Gala et Addyson Hales. Il était de notoriété publique que ce pauvre M. Sarraf était presque aveugle et qu'on pouvait faire presque n'importe quoi – sauf, peut-être, allumer un joint – sans qu'il s'en aperçoive.

— C'est mauvais pour lui, poursuivit-elle. Tu crois qu'on peut se créer des hémorroïdes cérébrales en fixant les gens, comme ça ?

— Marcie, tu es vraiment trop drôle. On t'a déjà dit que ton humour était très fin ?

Sans saisir l'ironie, elle se redressa sur sa chaise, ravie.

— J'ai vu que tu avais été nominée pour le titre de reine du bal.

Le ton ne paraissait pas vraiment moqueur, mais après onze ans de mauvais coups, j'avais appris à me tenir sur mes gardes.

— D'après toi, qui sera élu roi ? reprit-elle. Je parie sur Cameron Ferria. Espérons qu'ils aient passé les vêtements de cérémonie au nettoyage à sec depuis l'an dernier. Je sais de source sûre que Kara Darling avait laissé de sacrées auréoles sur la robe. Imagine avoir à la porter telle quelle, ajouta-t-elle en plissant le nez. Et si sa robe est dans cet état, je n'ose pas penser au diadème…

Malgré moi, je songeai à l'unique bal de promo auquel j'avais assisté depuis mon entrée au lycée. En seconde, Vee et moi avions été attirées par l'effet de nouveauté. Un match de football américain avait précédé les festivités et, à la mi-temps, le club des supporters s'était avancé sur le terrain pour annoncer les lauréats. Après avoir enfilé des robes de cérémonie aux couleurs de l'école et reçu couronnes et diadèmes, les nouveaux rois et reines avaient effectué un tour d'honneur sur le stade, embarqués dans des voiturettes de golf. La grande classe. Marcie avait remporté le titre des secondes, m'ôtant toute envie de participer à cette mascarade.

— C'est moi qui t'ai inscrite, claironna Marcie en secouant sa chevelure, arborant un sourire étincelant. Je comptais garder le secret, mais l'anonymat n'est pas vraiment mon truc.

— Tu as fait quoi ? m'exclamai-je, sonnée.

— Tu traverses une mauvaise passe, répliqua-t-elle avec un regard faussement compatissant. Je suis au courant pour l'amnésie et... les visions, souffla-t-elle à voix basse. Mon père m'a tout raconté en précisant que je devrais me montrer particulièrement sympa avec toi. Mais je ne savais pas bien comment. Je me suis creusé les méninges et puis j'ai vu l'annonce pour les candidatures des titres de rois et reines, pour le bal de promo. Évidemment, tout le monde s'attendait à ce que je me présente, mais j'ai réussi à convaincre mes copains de reporter leurs votes sur toi. Il se peut que j'aie fait allusion à tes visions, en exagérant quelque peu leur gravité. Mais que veux-tu, pour gagner, il faut parfois savoir forcer un peu les choses. La bonne nouvelle, c'est qu'on a récolté plus de deux cents signatures, plus que n'importe quelle autre prétendante !

Médusée, j'oscillais entre incrédulité et dégoût.

— Tu m'as prise en pitié, c'est ça ?

— Exactement ! s'écria-t-elle en battant des mains, extatique.

Je me penchai en lui lançant mon regard le plus noir et le plus venimeux.

— Tu vas retourner au secrétariat et annuler ma candidature. Je ne veux pas voir mon nom sur cette liste.

Loin de s'offusquer, Marcie posa les poings sur les hanches.

— Mais ça chamboulerait tout ! Ils ont déjà imprimé les bulletins : j'ai jeté un œil aux liasses arrivées ce matin. Tu n'oserais quand même pas gâcher autant de papier. Pense aux arbres qui se sont sacrifiés pour fournir ces ramettes ! Et il y a pire : moi ! Je me suis mise en quatre pour te faire plaisir, tu ne peux pas me le renvoyer à la figure.

Je rejetai la tête en arrière et jetai un regard désespéré aux taches d'humidité qui constellaient le plafond.

Pourquoi moi ?

23.

En rentrant du lycée, je trouvai un petit mot accroché à la porte d'entrée : *GRANGE*. Je froissai la missive avant de l'enfouir au fond de ma poche et fis le tour de la maison. La clôture décatie séparait notre terrain d'un champ en friche. Un peu plus loin, une vieille grange aux murs blanchis à la chaux tenait encore debout au milieu des herbes folles. Encore maintenant, je ne savais pas qui en était le propriétaire. Enfants, Vee et moi avions décidé d'en faire notre repaire secret. Notre rêve avait tourné court sitôt la porte franchie en découvrant des chauves-souris pendues à une poutre.

Je n'avais plus jamais tenté d'y pénétrer et, même si j'espérais avoir dépassé ma hantise des rongeurs volants, je me surpris à tirer le battant avec une infinie précaution.

— Il y a quelqu'un ? appelai-je.

Scott était étendu sur un banc délabré au fond de la grange. En me voyant entrer, il se redressa.

— Toujours furieuse contre moi ? demanda-t-il en mâchonnant un brin d'herbe.

Sans son tee-shirt Metallica et son jean déchiré, il aurait presque pu paraître dans son élément. Je promenai mon regard le long des poutres.

— Est-ce que tu as aperçu des chauves-souris ?

— On craint les chauves-souris, Grey ?

Je m'assis lourdement près de lui.

— Cesse de m'appeler Grey ! Ça sonne comme un nom de garçon. Comme Dorian Gray.

— Dorian qui ?

— Laisse tomber, dis-je avec un soupir. Trouve autre chose. « Nora » m'irait très bien, tu sais.

— Pas de problèmes, Boule de gomme.

— Finalement, je crois que je préfère Grey.

— Je venais aux nouvelles. Si tu avais des informations au sujet de Hank, ça m'aiderait. Tu penses qu'il nous a identifiés l'autre soir, près de son entrepôt ?

J'étais presque certaine que Hank ne soupçonnait rien. Il ne m'avait pas paru plus angoissant que d'habitude, ce qui, en y réfléchissant, ne signifiait pas grand-chose.

— Non, je crois qu'on est tranquilles.

— C'est bien. Excellent, même, commenta Scott en faisant tourner l'anneau de la Main noire autour de son doigt.

J'étais soulagée qu'il ne s'en soit pas séparé.

— Il se peut que je sorte de l'ombre plus tôt que prévu.

— Pour l'instant, tu ne m'as pas l'air vraiment dans l'ombre. Comment pouvais-tu être certain que je trouverais ton mot sur la porte avant Hank ?

— Hank est au garage. Et je sais à quelle heure tu rentres du lycée. Ne t'offusque pas, mais il m'arrive de te surveiller de temps à autre. Je devais saisir le moment idéal pour te contacter. Au fait, ta vie sociale fait pitié.

— La tienne fait rêver, peut-être ?

Scott éclata de rire, mais je demeurai silencieuse. Il me prit par l'épaule.

— On dirait que ça ne va pas fort, Grey.

— Marcie Millar m'a inscrite à la course au titre du bal de promo, expliquai-je en réprimant un soupir. Le scrutin aura lieu vendredi.

Il me donna l'une de ces poignées de main chorégraphiées que l'on voit parfois à la télé, comme un signe de reconnaissance entre membres d'un même gang.

— Bien joué, championne.

Pour toute réponse, je lui jetai un regard répugné.

— Qu'est-ce qui te prend ? Je pensais que les nanas adoraient ce genre de truc. Trouver « la » robe, se faire faire un beau chignon et porter ce machin qui brille sur la tête.

— On appelle ça un diadème.

— C'est ça, un diadème. Alors, où est le problème ?

— Je me sens débile de concourir face à quatre autres filles qui ont véritablement leur chance. Je vais me ramasser et passer pour une idiote. En voyant mon nom, certains ont demandé s'il s'agissait d'une erreur. En plus, je n'ai pas de cavalier. Je pourrais proposer à Vee de m'accompagner, mais j'imagine déjà les blagues graveleuses de Marcie. Même si ça n'est pas la fin du monde...

Scott écarta largement les bras, comme si la solution était toute trouvée.

— Problème réglé : allons-y ensemble.

Je levai les yeux au ciel, regrettant d'avoir abordé le sujet. En fait, je n'avais pas la moindre envie d'y penser, encore moins d'en discuter.

— Tu n'es même pas inscrit au lycée, repris-je.

— Et alors ? Ça n'est pas une loi, que je sache. À ce genre de soirées, les filles de mon école de Portland invitaient toujours des étudiants plus âgés.

— Ça n'est pas exactement une règle...

— Si c'est la Main noire qui t'inquiète, répondit-il après un silence, je doute qu'un néphil de son importance

273

s'intéresse de près aux distractions des adolescents. Il ne pensera pas que je puisse y assister.

En imaginant Hank arpenter un gymnase rempli de lycéens, je ne pus m'empêcher de m'esclaffer.

— Tu rigoles, mais tu ne m'as pas vu en smoking. Ou peut-être que les carrures d'athlète, les torses musclés et les abdos de rêve ne sont pas ton truc...

Je me mordis la lèvre pour étouffer un autre éclat de rire.

— Allez, arrête d'essayer de m'impressionner. On croirait une version inversée de *La Belle et la Bête*. On sait que tu es magnifique, Scott.

Il me serra affectueusement contre lui.

— Je ne te le redirai pas deux fois, Grey, alors écoute-moi : tu es une jolie fille. Sur une échelle d'un à dix, tu es définitivement au-dessus de la moyenne.

— Merci, Scott. Vraiment.

— Tu n'es pas le genre de filles après qui j'aurais couru à Portland, mais je ne suis plus le même type non plus. Tu es quelqu'un d'un peu trop bien et, soyons honnêtes, d'un peu trop brillant pour moi.

— Mais tu es un garçon plein de ressources, Scott.

— Arrête de m'interrompre, tu me perturbes.

— Tu avais mémorisé ce petit discours ?

— J'ai un peu trop de temps libre, répliqua-t-il avec un sourire en coin. Enfin, comme je le disais... Mince ! Qu'est-ce que je disais déjà ?

— Que j'étais plus jolie que la moitié des filles de mon lycée.

— C'était une façon de parler. Si tu veux être plus précise, eh bien, tu es plus jolie que quatre-vingt-dix pour cent d'entre elles. À quelque chose près.

— J'en reste sans voix ! m'exclamai-je d'un air moqueur.

Scott s'agenouilla devant moi et me saisit la main d'un geste théâtral.

— Oui, Nora ! Oui, je t'accompagnerai au bal de promo.

— Tu ne doutes vraiment de rien, rétorquai-je en pouffant. Je ne t'ai rien demandé.

— Tu vois ? Trop intelligente. Mais enfin, quel est le problème ? Tu as besoin d'un cavalier et, même si je ne suis pas le candidat idéal, je ferai l'affaire.

Une image nette de Patch se forma dans mon esprit, mais je l'en chassai aussitôt. Bien que Scott ne puisse pas lire mes pensées, la culpabilité me rongeait. Je ne me sentais pas encore prête à lui avouer que nous n'étions plus les seuls à lutter contre Hank, mais que j'avais demandé l'aide de mon ex-petit ami, qui était beaucoup plus ingénieux, beaucoup plus dangereux, infiniment plus séduisant... et un déchu. Je ne voulais surtout pas blesser Scott. Curieusement, je m'étais attachée à lui.

Si sa soudaine vantardise m'étonnait, en particulier dans la perspective d'un affrontement avec Hank, je n'avais pas le cœur à lui refuser une soirée de détente. Comme il l'avait lui-même remarqué, le bal de promo du lycée n'éveillerait sûrement pas la méfiance de la Main noire.

— D'accord, d'accord, cédai-je en lui donnant une tape amicale sur l'épaule. Nous irons ensemble. Mais tu n'as pas intérêt à me décevoir en costume, repris-je d'un air sévère.

Ce n'est que plus tard dans la soirée que je réalisai n'avoir rien dit à Scott de l'entrepôt-leurre de Hank et du repaire de son armée. Qui aurait cru que ce bal ridicule aurait pu éclipser la menace néphilim ? Une fois de plus, je regrettai de ne pas avoir son numéro sous la main. Bof, il ne devait même pas avoir de téléphone, après tout.

Ce soir-là, je dînai tôt, vers dix-huit heures, avec ma mère.

— Comment s'est passée ta journée ? s'enquit-elle.

— Je pourrais te raconter qu'elle était fantastique, si tu veux, répondis-je en avalant une bouchée de cannellonis.

— Ne me dis pas que la Volkswagen est encore tombée en panne ? Hank est vraiment gentil d'avoir proposé de la réparer. Et je suis certaine qu'il pourrait t'aider plus souvent, si tu le lui demandais.

L'admiration aveugle qu'elle lui vouait me rendait folle et je dus prendre une profonde inspiration pour me calmer.

— C'est pire. Marcie s'est débrouillée pour poser ma candidature pour le titre de reine du bal de promo. Pire encore : je suis nommée.

Ma mère reposa lentement sa fourchette, stupéfaite.

— Nous parlons bien de la même Marcie ?

— À ce qu'elle m'a dit, Hank lui aurait touché un mot de mes hallucinations et, depuis, elle veut me faire une fleur. C'est curieux, je ne me souviens pas d'avoir parlé de tout cela à Hank.

— Non, c'est moi qui l'ai mis au courant, réponditelle, de plus en plus surprise. Je n'arrive pas à croire qu'il l'ait répété à Marcie. Je me rappelle clairement lui avoir demandé de garder cela pour lui.

Elle rouvrit la bouche, puis la referma lentement.

— Du moins... j'en suis presque certaine, reprit-elle en posant ses couverts sur la table. Je t'assure, je commence à me faire vieille. Certaines choses m'échappent complètement. Je t'en prie, ne sois pas furieuse contre lui. Tout est ma faute.

Je ne pouvais supporter de sentir ma mère perdue, presque désemparée. L'âge n'était pour rien dans ses trous de mémoire. Patch avait vu juste, cela ne faisait aucun doute. Hank la tenait sous sa coupe. L'envoûtait-il jour après jour ou avait-il implanté en elle une notion inéluctable d'obéissance et de loyauté ?

— Aucune importance, murmurai-je.

Je remuai ma fourchette dans mon assiette, mais j'avais perdu l'appétit. Patch m'avait convaincue de ne pas tenter d'expliquer la situation à ma mère – elle ne m'aurait pas crue –, mais je n'en avais pas moins envie de hurler. Je n'étais pas certaine de pouvoir jouer cette comédie bien longtemps : manger, dormir, sourire, comme si de rien n'était.

— Voilà pourquoi il m'a proposé que Marcie t'accompagne pour acheter une nouvelle robe ! s'exclama ma mère. Je lui ai répondu qu'il serait surprenant que tu veuilles assister à cette soirée du lycée, mais il devait déjà connaître les projets de sa fille. Bien sûr, tu n'es pas obligée de fréquenter Marcie, s'empressa-t-elle d'ajouter. Ça serait généreux de ta part, mais Hank ne réalise sans doute pas la nature de vos relations. Je crois qu'il rêverait de voir nos familles s'entendre, conclut-elle avec un petit rire amer.

Vu les circonstances, j'étais incapable de l'imiter. Comment discerner ses paroles les plus sincères de celles dictées par Hank et ses manœuvres ? Mais puisqu'elle songeait déjà au mariage, Patch et moi devions accélérer nos plans.

— Marcie m'a interceptée à la sortie des cours pour m'informer – oui, « m'informer » – que nous irions acheter une tenue ensemble ce soir. Comme si je n'avais pas mon mot à dire dans l'affaire. Heureusement, Vee avait prévu le coup. J'ai envoyé un SMS à Marcie, expliquant que je n'avais pas les moyens de m'offrir une nouvelle robe, en précisant à quel point j'étais déçue, car je comptais vraiment sur son avis. Elle m'a répondu presque aussitôt en m'annonçant que Hank lui avait prêté sa carte de crédit et qu'elle paierait la robe.

Malgré une exclamation outrée, je surpris le regard amusé de ma mère.

— Nora, dis-moi que je t'ai élevée mieux que ça.

— J'ai déjà choisi la robe, poursuivis-je, tout excitée. Marcie passera à la caisse et, en sortant de la boutique, Vee se trouvera là, comme par hasard. Mon achat sous le bras, il ne me restera plus qu'à planter Marcie et à aller prendre un donut avec Vee !

— Et à quoi ressemble cette merveille ?

— Vee et moi l'avions repérée chez Silk Garden. C'est une robe de soirée au-dessus du genou.

— De quelle couleur ?

— Ah... surprise, esquivai-je avec un sourire diabolique. Sache seulement qu'elle coûte 150 dollars.

— Hank ne remarquera sans doute rien, soupira-t-elle avec un geste évasif. Il ne compte absolument pas.

Je me redressai sur ma chaise, contente de moi.

— Alors j'imagine qu'il ne verra pas d'inconvénient à m'offrir les chaussures assorties.

J'étais censée retrouver Marcie à dix-neuf heures, devant la boutique de Silk Garden, une enseigne assez chic, située à l'angle de la dixième rue et de la rue Asher. Vue de l'extérieur, l'entrée ressemblait à celle d'un château, avec sa large porte en chêne et en fer forgé, précédée d'une allée pavée. De chaque côté, des buis étaient décorés de lumignons bleutés. Les vitrines regorgeaient de mannequins vêtus de robes adorables. Lorsque j'étais enfant, mon rêve était de devenir une princesse et d'élire domicile dans ce magasin.

À dix-neuf heures vingt, je faisais toujours les cent pas sur le parking, guettant la Toyota de Marcie, un modèle flambant neuf et bien évidemment suréquipé. Elle, au moins, n'avait pas à réemboîter son levier de vitesse ou à tambouriner sur le tableau de bord pendant dix minutes avant que le moteur daigne réagir. Jetant un regard désespéré à ma Volkswagen garée un peu plus loin, je soupirai.

Enfin, la voiture rutilante de Marcie s'engouffra dans le parking.

— Désolée pour le retard, me lança-t-elle en passant son sac à main sur son épaule. Mon chien a eu du mal à me laisser partir.

— Ton chien ?

— Boomer. Tu sais, les chiens sont comme les humains. Ils ont des sentiments.

Je saisis l'occasion.

— Aucune importance. J'en ai profité pour jeter un œil dans la boutique et j'ai trouvé ma robe. On peut régler ça en un clin d'œil et ne pas faire attendre Boomer.

— Et mon avis, alors ? riposta-t-elle, la mine défaite. Tu comptais sur mon avis.

Non, c'est sur la carte de crédit de ton père, que je compte.

— Eh bien, euh, je voulais vraiment que tu m'aides à choisir. Mais en voyant la robe, j'ai eu le coup de foudre...

— Vraiment ?

— Vraiment. C'était comme... un signe du ciel, tu sais, la lumière divine et les anges qui chantent « Alleluia ! ».

Ce qu'il ne fallait pas faire pour la convaincre...

— Montre-la-moi, ordonna-t-elle. Tu as pris en compte ton teint jaunâtre, j'espère ? Si tu choisis la mauvaise couleur, tu paraîtras complètement éteinte.

Une fois dans le magasin, je conduisis Marcie jusqu'à la robe. C'était un modèle court, à carreaux verts et bleu-marine, avec une jupe bouffante. D'après la vendeuse, elle mettait mes jambes en valeur. D'après Vee, elle donnait l'impression que j'avais une poitrine.

— Beurk ! s'exclama Marcie. Des carreaux ? Ça fait uniforme de pensionnat !

— C'est celle-ci qui me plaît.

Elle passa en revue les robes, cherchant ma taille.

— Voyons ce que ça donne sur toi. Mais je ne pense pas changer d'avis.

Je me dirigeai vers les cabines d'essayage presque en sautillant. C'était LA tenue. Marcie pouvait bien dire ce qu'elle voulait, elle ne parviendrait pas à me convaincre. Je me débarrassai de mon jean et me glissai dans la robe. La fermeture Éclair refusa de remonter. Tournant le vêtement, je jetai un regard à l'étiquette. Un 36. C'était peut-être une erreur, mais connaissant Marcie, elle l'avait sans doute fait exprès. J'espérais pouvoir lui clouer le bec en rentrant le ventre et, l'espace d'une seconde, je crus que ça marcherait, avant de me rendre à l'évidence.

— Marcie ? appelai-je à travers le rideau.

— Mmmh ?

Je lui tendis la robe.

— Ça n'est pas la bonne taille.

— Oh, trop grand ? demanda-t-elle avec une naïveté exagérée.

Je soufflai sur mes mèches en bataille pour éviter de l'envoyer promener.

— Un 38 ira très bien, merci.

— Ah. Donc trop petit.

Je remerciai le ciel d'être en sous-vêtements. J'aurais été tentée de sortir pour la gifler.

Quelques instants plus tard, elle passa le 38 dans l'interstice du rideau ainsi qu'une robe fourreau écarlate.

— Sans vouloir t'influencer, je pense que le rouge serait beaucoup plus judicieux. Nettement plus glam' !

J'accrochai la robe rouge au porte manteau et lui tirai la langue, avant de me glisser dans ma robe à carreaux. Je tournai sur moi-même devant le miroir, étouffant un cri enthousiaste. Je m'imaginai soudain chez moi, le soir du bal, en haut de l'escalier que Scott me regarderait descendre. Et d'un seul coup, ce n'était plus Scott que je voyais, mais Patch. Accoudé à la rambarde, il portait smoking noir et cravate grise.

Je lui adressai un sourire audacieux et il m'offrit son bras pour franchir la porte. Son parfum était suave, ambré, comme le sable réchauffé par le soleil.

Incapable de me contrôler, je l'attrapai par les revers de sa veste et l'attirai pour l'embrasser.

— On parie que j'arrive à te faire sourire comme ça ? Et sans TVA.

Je me retournai et vis Patch derrière moi, dans la cabine d'essayage, en jean et tee-shirt blanc. Les bras croisés, il me toisait de son regard noir et malicieux.

Un frisson tiède, qui n'était pas tout à fait désagréable, me parcourut.

— Je pourrais faire toutes sortes de blagues sur les pervers, lui lançai-je.

— Je pourrais te dire combien tu me plais dans cette robe.

— Comment es-tu entré ?

— Mes voies sont impénétrables.

— Je crois que ce sont celles du Seigneur, qui sont impénétrables. Toi, tu aurais tendance à faire comme la foudre. Tu tombes toujours lorsqu'on ne t'attend pas. Ça fait longtemps que tu es là ? ajoutai-je, mortifiée à l'idée qu'il m'ait vue me tortiller dans la robe trop petite, ou pire, me déshabiller.

— J'aurais volontiers frappé, mais je ne voulais pas croiser Marcie. Hank ne doit pas savoir que toi et moi sommes de retour aux affaires.

Je tentai de ne pas m'attarder sur la signification du « retour aux affaires ».

— Il y a du nouveau, poursuivit Patch. J'ai contacté Dabria. Elle accepte de nous aider, mais d'abord, je te dois la vérité. Dabria est plus qu'une simple connaissance. Nous étions proches, bien avant ma chute. Pour elle comme pour moi, c'était une relation intéressée, mais il y a encore peu de temps, elle t'a causé quelques... ennuis, expliqua-t-il avant de marquer une pause. Ce qui est une façon édulcorée de te dire qu'elle a tenté de te tuer.

Première nouvelle.

— Elle a surmonté sa... jalousie, mais je préférais te mettre au courant, conclut-il.

— Eh bien, maintenant je le suis, murmurai-je d'un air ahuri.

Je n'avais pas l'intention d'étaler mes complexes, mais n'aurait-il pas pu me raconter tout cela avant de l'appeler ?

— Et comment peut-on être certains qu'elle ne rejouera pas les assassins ?

— J'ai pris des garanties, répondit Patch avec un sourire.

— Des garanties ? Tu pourrais être plus vague ?

— Fais-moi un peu confiance.

— À quoi ressemble-t-elle ?

— Grande, plate, cheveux gras, poignées d'amour et monosourcil, énuméra-t-il, l'air moqueur. Rassurée ?

Traduction : elle était pulpeuse, splendide et possédait le Q.I. d'un ingénieur en aérospatiale.

— Tu l'as déjà revue ?

— Ça ne sera pas nécessaire. Ce que je lui demande n'est pas sorcier. Avant sa chute, Dabria était un ange de la mort et pouvait voir l'avenir. Elle prétend avoir conservé ce don qui lui rapporte pas mal d'argent par l'intermédiaire – crois-le ou non – de clients néphils.

Je compris peu à peu où il voulait en venir.

— Et elle va ouvrir grand les oreilles et espionner ses clients afin d'apprendre ce que Hank prépare ?

— Élémentaire, mon cher ange.

— Et comment comptes-tu la payer ?

— Laisse-moi m'occuper des détails.

— Ça, c'est la mauvaise réponse, répliquai-je en posant les poings sur les hanches.

— Dabria ne s'intéresse plus à moi. Ce qui l'intéresse, c'est l'argent et rien d'autre.

Il s'approcha et, d'un geste affectueux, passa le doigt le long de mon collier.

— Et elle ne m'intéresse plus non plus. J'ai l'œil ailleurs.

J'esquivai sa main, consciente qu'il pouvait, au moindre effleurement, dissiper mes pensées les plus sérieuses.

— Peut-on lui faire confiance ?

— Lorsqu'on l'a bannie, c'est moi qui ai arraché ses ailes. J'en ai conservé une plume, au cas où, et elle ne l'a pas oublié. À moins qu'elle ne veuille tenir compagnie à Rixon pour l'éternité, Dabria saura rester dans mes bonnes grâces.

Pour les garanties, Patch avait fait fort.

— Je ne peux pas m'attarder, conclut-il avec un baiser furtif. J'explore quelques pistes et je te tiendrai au courant si elles aboutissent. Tu seras chez toi, ce soir ?

— Oui, répondis-je d'un ton hésitant. Mais Hank ? Il est de plus en plus souvent chez moi. Il va finir par faire partie des meubles.

— J'ai un moyen de le contourner, assura-t-il avec un éclat mystérieux dans le regard. Je m'inviterai dans tes rêves.

Je penchai la tête de côté, sceptique.

— C'est une plaisanterie ?

— Pour que ça marche, il faut que tu sois... réceptive. Mais ça me paraît bien parti.

J'attendais la chute, mais je finis par comprendre qu'il était parfaitement sérieux.

— Comment ça fonctionne ?

— Pendant ton sommeil, je m'introduis dans ton rêve. Si tu n'essaies pas de me bloquer, je pense qu'on devrait facilement y arriver.

Je préférai ne pas lui avouer qu'en matière de rêve, j'étais parfaitement incapable de lui résister.

— Une dernière chose, ajouta-t-il. Selon mes sources, Hank a appris que Scott est de retour en ville. Je me fiche complètement qu'il se fasse prendre, mais je sais que tu tiens à lui. Qu'il garde un profil bas quelque temps. Hank n'aime pas beaucoup les déserteurs.

Une fois encore, je regrettai de n'avoir aucun moyen de contacter Scott.

Derrière le rideau, Marcie se chamaillait avec une vendeuse. Sans doute se plaignait-elle d'avoir repéré un demi-grain de poussière sur le miroir.

— Marcie sait qui est vraiment son père ?

— Marcie vit dans une bulle, même si Hank menace à tout instant de la faire éclater. Au fait, c'est pour quelle occasion ? demanda-t-il en désignant ma robe du menton.

— Le bal de promo, dis-je en exécutant une pirouette. Elle te plaît ?

— Je crois me souvenir que ce genre d'événement requiert un cavalier, non ?

— Euh, d'ailleurs, à ce sujet, balbutiai-je. J'y vais avec... Scott. Nous sommes tous les deux d'accord : Hank ne le cherchera sans doute pas à une fête de lycée.

Le sourire de Patch se figea.

— Je retire ce que j'ai dit. Si Hank veut trucider Scott, il a ma bénédiction.

— C'est juste un ami.

Il releva mon menton pour m'embrasser.

— Je l'espère bien. Scott ne pourra pas dire que je ne l'ai pas prévenu, lança-t-il en tirant ses lunettes aviateur de son col avant de les pousser sur l'arête de son nez. Je dois filer, mais je te tiendrai au courant.

Il passa sous le rideau et disparut.

24.

Après le départ de Patch, je décidai d'arrêter de jouer les princesses et de repasser mes vêtements de ville. Je venais d'enfiler mon tee-shirt lorsque je remarquai que quelque chose manquait dans la cabine. Et soudain, je réalisai : mon sac à main avait disparu.

Je jetai un œil sous le banc dans le coin, mais il n'y était pas. J'étais certaine de ne pas l'avoir accroché au portemanteau, mais je vérifiai tout de même sous la robe rouge. J'enfilai mes chaussures à la hâte et rejoignis Marcie, aux prises avec un étalage de soutiens-gorge.

— Tu n'aurais pas aperçu mon sac à main, par hasard ?

Elle hésita avant de répondre :

— Tu l'as gardé avec toi dans la cabine, non ?

Une vendeuse s'approcha.

— C'était un petit sac marron ? me demanda-t-elle.

— Oui !

— J'ai vu un homme quitter la boutique avec. Il est entré et ressorti sans un mot. Je... j'ignore pourquoi, mais j'ai cru qu'il s'agissait de votre père.

Elle posa sa main sur son front, visiblement perturbée.

— D'ailleurs, j'aurais juré que c'est ce qu'il m'avait dit... mais je l'ai peut-être rêvé. Tout cela m'a paru si étrange.

Une manipulation mentale, pensai-je aussitôt.

— Il avait des cheveux grisonnants, poursuivit-elle, et portait un pull à losanges...

— De quel côté est-il parti ? l'interrompis-je.

— La porte qui donne sur la rue, vers le parking.

Je me précipitai à l'extérieur, Marcie sur les talons.

— Tu crois vraiment que c'est une bonne idée ? lança-t-elle, essoufflée. Et s'il était armé ? Si c'était un détraqué ?

— Tu as déjà vu un homme faucher un sac à main sous un rideau de cabine d'essayage ? m'emportai-je.

— Il était peut-être désespéré... Il avait peut-être besoin d'argent.

— Alors c'est le tien qu'il aurait dû prendre !

— Tout le monde sait que Silk Garden est une boutique chic, insista Marcie. Le type a dû se dire qu'il toucherait le gros lot, de toute façon.

Je penchais plutôt pour un néphilim, ou un déchu, mais je gardai cette information pour moi. Mon instinct me disait que des raisons bien plus insidieuses qu'une poignée de billets avaient motivé le voleur.

Je déboulai sur le parking à l'instant même où une berline noire quittait son stationnement. L'éclat des phares m'éblouit et je ne pus distinguer l'homme derrière le volant. Le moteur rugit et le véhicule fonça sur nous.

— Bouge, espèce d'andouille ! me cria Marcie en me tirant par la manche.

Dans un crissement de pneus, la voiture nous frôla avant de s'engager dans la rue. Son conducteur grilla le stop, éteignit ses feux et disparut la nuit.

— Tu as reconnu le modèle ? me demanda Marcie.

— Une Audi A6. Je n'ai vu qu'une partie de la plaque d'immatriculation.

— Pas mal, championne, me lança Marcie en me regardant de haut en bas.

— Pas mal ? rétorquai-je, agacée. Ce type a filé avec mes affaires. Ça ne te paraît pas un peu curieux qu'un homme avec une grosse cylindrée vole des sacs à main ? Le mien en particulier ?

Ce qui amenait une autre question : que comptait-il en faire ?

— C'était un sac de marque ?

— À ton avis ?

— Bon, c'était l'aventure du jour, commenta Marcie en haussant les épaules. Qu'est-ce qu'on fait, maintenant ? On laisse tomber et on retourne faire nos courses ?

— J'appelle la police.

Trente minutes plus tard, une voiture de patrouille s'immobilisa devant le Silk Garden et l'inspecteur Basso en sortit. Je regrettai aussitôt de ne pas avoir suivi le conseil de Marcie et oublié toute cette histoire. La soirée, déjà mauvaise, tournait à la catastrophe.

Marcie et moi attendions dans le magasin, à faire les cent pas derrière la vitrine. En m'apercevant, l'inspecteur parut tout d'abord surpris, mais lorsqu'il passa le revers de sa main devant sa bouche, je compris qu'il dissimulait un sourire.

— On m'a volé mon sac, expliquai-je.

— Les détails ?

— Je suis entrée dans une cabine, pour essayer une robe. En me rhabillant, j'ai remarqué que mon sac n'était plus là où je l'avais posé. La vendeuse m'a affirmé qu'elle avait vu un homme sortir précipitamment avec le sac à la main.

— Il avait des cheveux gris et un pull à losanges, répéta gentiment la vendeuse.

— Il y avait une carte de crédit à l'intérieur ?

— Non ?

— Du liquide ?

— Non plus.

— À combien s'élève le montant du vol ?

— Soixante-quinze dollars.

Le sac ne m'avait coûté que vingt dollars, mais les deux heures de queue que j'allais devoir subir afin d'obtenir un nouveau permis valaient bien cinquante dollars.

— Je prendrai la déposition, mais nous ne pourrons pas faire grand-chose. Dans le meilleur des cas, le voleur se débarrassera du sac et quelqu'un nous le rapportera. Dans le pire, tu devras en racheter un autre.

Marcie me prit par le bras en me tapotant la main.

— Vois le côté positif. Tu as perdu un sac bon marché, mais tu as gagné une superbe robe. Voilà, c'est tout réglé. Tu me remercieras plus tard, ajouta-t-elle en me tendant un paquet imprimé « Silk Garden ». Je jetai un œil à l'intérieur. Le fourreau rouge y était soigneusement plié.

Seule dans ma chambre, j'engloutissais rageusement un morceau de gâteau au chocolat en lançant un regard mauvais à la robe écarlate, que j'avais suspendue à la porte du placard. Je ne l'avais pas encore essayée, mais j'avais la nette impression que j'allais ressembler à Jessica dans *Qui veut la peau de Roger Rabbit*, sans la poitrine.

Oubliant ma contrariété, je me brossai les dents, me passai un peu d'eau sur le visage avant de m'enduire de crème hydratante. Je souhaitai bonne nuit à ma mère et rejoignis ma chambre, où j'enfilai mon plus joli pyjama en flanelle et éteignis la lumière.

Suivant les instructions de Patch, je fis le vide pour me préparer au sommeil. D'après lui, pour qu'il entre dans mes rêves, il suffisait que je sois réceptive. J'hésitais entre le scepticisme et l'optimisme. En tout cas, j'étais loin d'être opposée à l'idée. Une seule chose aurait pu rattraper cette affreuse soirée : que Patch me prenne dans ses bras. Même si ce n'était qu'en songe.

Allongée dans mon lit, je pensai à la journée écoulée, laissant mon inconscient déformer la réalité pour en tirer la substance des rêves. Mon esprit jonglait avec des fragments de dialogues, des visions colorées. Tout à coup, je me retrouvai dans la cabine d'essayage de Silk Garden avec Patch. Mais cette fois, il agrippait les passants de mon jean et mes mains glissées entre ses mèches ébouriffaient ses cheveux.

Nos lèvres se touchaient presque, et je pouvais sentir son souffle.

Cette chimère m'avait presque entièrement absorbée lorsqu'on tira brutalement mes couvertures. En me redressant, j'aperçus Patch, debout près de moi. Il portait le même jean et le même tee-shirt que je lui avais vus plus tôt dans la soirée. Repliant le couvre-lit, il le jeta de côté.

— On faisait de beaux rêves ? me lança-t-il, les yeux pleins de malice.

Autour de moi, dans la chambre, rien ne me semblait différent. La porte était fermée, la lampe allumée. Mes vêtements étaient posés sur le fauteuil, là où je les avais laissés, et la robe de Jessica Rabbit demeurait accrochée au placard. Mais malgré tout, quelque chose paraissait... bizarre.

— C'est la réalité, ou bien mon rêve ?

— Ton rêve.

— Waouh, répondis-je avec un rire impressionné. C'est à s'y méprendre. Ça semble si réel.

— Comme la plupart des rêves. C'est au réveil qu'on remarque les incohérences.

— Explique.

— Je fais partie du paysage de ton rêve. Imagine que ton subconscient et le mien entrent tous les deux par une même porte, créée par ton esprit. Nous sommes ensemble dans cette chambre, qui n'est pourtant pas un environnement tangible. La pièce est fictive, mais nos pensées ne le sont pas. C'est toi qui décides du cadre, des vêtements que tu portes et de tes paroles. Mais moi, je me trouve avec toi dans ton rêve, je ne suis pas une représentation mentale, aussi ce que je dis ou fais ne fait pas partie de ton imagination. Je contrôle ces éléments.

J'en compris suffisamment pour avancer

— Et nous sommes en sécurité, ici ?

— Si tu crains que Hank vienne nous épier, je pense que les chances sont minces.

— Mais puisque tu en es capable, qu'est-ce qui l'en empêche ? Je sais qu'il n'est pas un déchu, mais d'après ce que j'ai pu comprendre, les néphils possèdent certains pouvoirs similaires

— Jusqu'à ce que je tente de te rejoindre dans tes rêves, il y a quelques mois, le procédé m'échappait un peu. J'ai depuis appris qu'il nécessitait une forte connexion entre les deux sujets. Celui qui rêve doit être dans une phase de sommeil profond. Trouver le bon moment peut s'avérer compliqué et cela demande beaucoup de patience. Si l'on pénètre trop tôt dans le songe, on court le risque de réveiller l'autre. Si deux anges, deux néphils ou une combinaison des deux font irruption au même moment, bousculant chacun le rêve avec des intentions différentes, il est probable que celui qui rêve se réveillera. Que ça te plaise ou non, cette forte connexion existe entre Hank et toi. Mais puisqu'il n'a jamais tenté de s'introduire dans ton sommeil, je ne vois pas pourquoi il commencerait aujourd'hui.

— Comment sais-tu tout cela ?

— Par tâtonnements, répondit-il d'un ton hésitant, comme réticent à en dire davantage. J'ai aussi reçu quelques conseils d'un ange récemment déchu. Avant d'être bannie, elle connaissait les lois des anges, ce qui n'était pas mon cas. Je ne serais pas surpris qu'elle ait appris par cœur le Livre d'Hénoch, un écrit relatant l'histoire des déchus. Je savais que si quelqu'un possédait les réponses, cela ne pouvait être qu'elle. J'ai dû lui... forcer la main, mais elle a fini par vider son sac. Quand je dis « elle », je parle de Dabria, conclut-il, impassible.

Malgré moi, je sentis mon cœur se serrer. Je ne voulais pas me montrer jalouse. Je n'étais pas dupe : Patch avait forcément eu d'autres histoires. Pourtant, j'éprouvais une aversion irrépressible envers cette Dabria. Peut-être était-ce de la colère ? Après tout elle avait tenté de me tuer. Ou mon instinct m'avertissait-il qu'elle n'hésiterait pas à nous trahir une fois encore ?

— Nous nous sommes croisés, il y a quelques jours, et pendant que je l'avais sous la main, j'ai décidé de creuser quelques sujets qui me tracassaient. Je cherchais une façon d'entrer en contact avec toi sans être repéré et je n'allais pas gâcher l'opportunité d'obtenir des réponses.

Je l'entendis à peine.

— Comment t'a-t-elle retrouvé ?

— Elle ne me l'a pas dit et c'est sans importance. Nous avons ce que nous voulions, c'est tout ce qui compte. Nous avons désormais le moyen de communiquer sans que personne ne le sache.

— Elle a toujours ses poignées d'amour ?

Patch leva les yeux au ciel, mais j'avais bien conscience qu'il éludait la question.

— Elle est venue chez toi ?

— Ça commence à ressembler à un interrogatoire, mon ange.

292

— Ça veut dire oui ?

— Non, elle n'était pas chez moi, répondit Patch avec un soupir. Est-ce qu'on peut changer de sujet, maintenant ?

— Alors, quand est-ce que je la rencontrerai ?

Histoire de l'avertir de ne pas s'approcher trop près.

Patch se frotta la joue. Je vis qu'il tiquait.

— Ça n'est sans doute pas une très bonne idée.

— Ce qui veut dire ? Tu penses que je ne suis pas capable de me tenir ? Merci pour la confiance ! grinçai-je en maudissant mes complexes.

— Si tu veux mon avis, Dabria est une narcissique et une mégalomane. Mieux vaut garder ses distances.

— Un conseil que tu devrais toi-même suivre.

J'allais me détourner, mais Patch me rattrapa par le bras et pressa son front contre le mien. Je cherchai à me dégager, mais il me prit par la main pour me serrer contre lui.

— Que dois-je faire pour te convaincre que j'utilise Dabria dans un but et un seul : anéantir Hank, le tailler en pièces s'il le faut et lui faire payer le mal qu'il a fait à celle que j'aime ?

— Je n'ai aucune confiance en Dabria, grommelai-je d'un ton rancunier.

Il ferma les yeux et laissa échapper un soupir à peine audible.

— Enfin ! On tombe d'accord sur quelque chose !

— Je préférerais ne pas me servir d'elle, même si elle peut infiltrer les proches de Hank plus rapidement que nous.

— Si je disposais de davantage de temps, ou d'une autre solution, je n'hésiterais pas. Mais pour l'instant, Dabria reste notre meilleure chance. Elle ne me trahira pas, elle est trop futée pour cela. Elle se contentera de l'argent que je lui propose et, même si cela lui en coûte, elle mettra sa fierté dans sa poche.

— Ça ne me plaît pas, insistai-je en me blottissant dans ses bras, qui, même en rêve, dégageaient une chaleur dissipant tous mes frissons. Mais j'ai confiance en toi.

Il me donna un baiser, long et réconfortant.

— Il est arrivé quelque chose de bizarre, ce soir. Quelqu'un m'a volé mon sac, dans la cabine d'essayage.

Aussitôt, Patch fronça les sourcils.

— C'est arrivé après mon départ ?

— Ou alors, avant ton arrivée.

— Tu as vu le voleur ?

— Non, mais la vendeuse a identifié un homme assez vieux pour être mon père. Elle l'a laissé sortir tranquillement du magasin, mais il a pu l'hypnotiser. D'après toi, est-ce une coïncidence si un immortel a volé mon sac ?

— Je ne crois pas aux coïncidences. Marcie a vu quelque chose ?

— Apparemment pas, même si la boutique était presque déserte, dis-je en scrutant son regard, calme, mais réfléchi. Tu penses qu'elle est mêlée à cette histoire, c'est ça ?

— Difficile d'imaginer qu'elle n'ait rien remarqué. J'ai comme l'impression que toute cette sortie n'était qu'un piège. Lorsque tu es entrée dans la cabine, elle aurait pu passer un coup de fil et prévenir le voleur que la voie était libre. Elle aurait pu apercevoir ton sac sous le rideau, et préparer cette mise en scène.

— Mais pourquoi dérober mon sac ? m'exclamai-je avant de m'interrompre subitement. Elle croyait que j'avais la chaîne ! Hank l'a persuadée de monter ce canular et elle a joué les intermédiaires pour lui.

— Il n'hésiterait pas à placer sa fille en première ligne, observa Patch avec une moue lugubre, avant d'attarder son regard sur moi. Il l'a prouvé avec toi.

— Et tu imagines toujours que Marcie ignore qui est vraiment son père ?

— Elle ne le sait pas. Du moins, pas encore. Hank a pu lui mentir sur ses motivations pour récupérer cette chaîne. Il a pu prétendre qu'elle lui appartenait, afin qu'elle ne pose pas de question. Dès que Marcie a une cible, elle se transforme en pitbull.

Un pitbull. C'était exactement ça.

— Autre chose : j'ai aperçu la voiture du voleur avant qu'il ne prenne la fuite. C'était une Audi A6.

Je compris immédiatement que ce détail l'intéressait.

— Le bras droit de Hank, un néphil du nom de Blakely, a une Audi.

— Tout ça commence à me faire peur, dis-je en refoulant mon angoisse. Hank est persuadé qu'il peut faire parler l'archange avec cet objet. Qu'a-t-il tant besoin de savoir ? Quelle information le pousse à risquer la colère des archanges ?

— Et si près d'Heshvan, murmura Patch, les yeux dans le vague.

— On pourrait tenter de libérer cet archange, proposai-je. Même si Hank mettait la main sur une chaîne, il n'y aurait plus personne pour lui faire de révélations.

— J'y ai pensé, mais nous avons deux gros problèmes. Primo, l'archange se méfie plus de moi que de Hank et si elle me voit près de sa cage, elle ne se tiendra pas tranquille. Secundo, l'entrepôt de Hank grouille de néphils. Il me faudrait ma propre armée de déchus pour les affronter et j'aurais beaucoup de mal à les convaincre de sauver un archange.

Nous étions dans l'impasse et évaluâmes les possibilités en silence.

— Qu'est-il arrivé à l'autre ? demanda enfin Patch.

Je suivis son regard, braqué sur la robe de Jessica Rabbit.

— Marcie a pensé que le rouge m'irait mieux, admis-je avec un soupir.

— Et toi, qu'est-ce que tu en penses ?

— Je pense que Marcie et Dabria s'entendraient à merveille.

Patch éclata d'un rire grave, qui fit courir un frémissent le long de ma peau, comme s'il l'avait effleuré du bout des lèvres.

— Tu veux mon avis ?

— Pourquoi pas, puisque tout le monde y va du sien.

Il s'assit sur mon lit, s'appuyant nonchalamment sur ses coudes.

— Essaie-la.

— Elle est sans doute un peu serrée, avouai-je en piquant un fard. La seule chose sur laquelle Marcie radine, c'est les tailles.

Patch parut amusé.

— Et elle est fendue jusqu'à la cuisse.

Son sourire s'élargit.

Je me réfugiai derrière les portes du placard et enfilai la robe, qui glissa comme un liquide sur mes courbes. La fente s'ouvrit au-dessus du genou, révélant ma jambe. J'avançai dans la chambre faiblement éclairée, en relevant mes cheveux.

— Tu peux m'aider ? demandai-je en désignant la fermeture Éclair.

Patch me dévorait du regard, les yeux soudain plus noirs que d'habitude.

— Je vais avoir du mal à te laisser aux mains de Scott dans cette tenue. Petit avertissement : si à ton retour, la robe a le moindre accroc, je l'étripe.

— Je transmettrai le message.

— Si tu me révélais sa cachette, je pourrais le lui donner moi-même.

— Quelque chose me dit que les arguments seraient plus... percutants, remarquai-je en luttant pour ne pas rire.

— Disons simplement qu'ils ne laisseraient pas de place au doute.

Patch m'attira par le poignet pour m'embrasser, mais quelque chose n'allait pas. Le contour de son visage devenait flou et disparaissait. Lorsque ses lèvres touchèrent les miennes, je les sentis à peine. Pire, j'eus l'impression d'être arrachée à lui comme un morceau de Scotch qu'on aurait décollé d'une vitre.

Patch parut remarquer la même chose et jura dans sa barbe.

— Que se passe-t-il ? demandai-je

— Encore lui ! gronda-t-il.

— Scott ?

— Il frappe à la fenêtre de ta chambre. D'une seconde à l'autre, tu vas te réveiller. Il rôde souvent par ici, au beau milieu de la nuit ?

Je crus plus prudent de ne pas répondre. Dans mon rêve, Patch ne pourrait rien faire de drastique, mais je ne voulais pas attiser leur rivalité.

— Nous reprendrons tout ça demain ! lui dis-je, juste avant que Patch ne disparaisse de mon esprit.

Le songe s'effilocha et, comme prévu, je trouvai Scott dans ma chambre, refermant la fenêtre derrière lui.

— Debout, marmotte, lança-t-il.

— Scott, grommelai-je, évite les visites nocturnes. J'ai cours dans la matinée. Et j'étais au beau milieu d'un rêve très agréable.

— J'y étais ? demanda Scott avec un sourire satisfait.

— Tu as intérêt à avoir du nouveau, me contentai-je de répondre.

— Un peu ! J'ai dégoté une place de bassiste dans un groupe qui s'appelle Serpentine. On donne un concert au *Sac du diable* le week-end prochain. Les membres ont deux invitations chacun et elles sont pour toi, petite veinarde.

Avec un geste théâtral, il jeta deux billets sur mon lit.

— Tu es dingue ou quoi ? m'emportai-je, soudain parfaitement réveillée. Tu es censé être en cavale ! Assister au bal du lycée est une chose, mais là, tu dépasses les bornes !

Sa mine joviale disparut, remplacée par un rictus dépité.

— Je pensais que tu te réjouirais pour moi, Grey. Je suis resté deux mois en planque. Maintenant je vis dans une grotte, je dois chercher ma propre nourriture, ce qui s'avère de plus en plus difficile à l'approche de l'hiver. Je dois me jeter dans l'océan trois fois par semaine pour prendre un bain et je passe le plus clair de mon temps à grelotter devant un feu de camp. Je n'ai ni télé, ni portable. Tu veux que je te dise ? J'en ai assez. Ça n'est pas une vie ! Autant être mort, conclut-il en faisant tourner l'anneau de la Main noire autour de son doigt. Je suis heureux que tu m'aies persuadé de l'utiliser de nouveau. Si Hank tente quelque chose, il sera sacrément surpris. Mes pouvoirs se sont intensifiés.

Je repoussai mes couvertures et bondis hors du lit.

— Scott, Hank a appris ton retour. Ses hommes sont à ta recherche. Tu dois rester caché... au moins... jusqu'à

Heshvan, bredouillai-je, persuadée que l'intérêt de Hank pour Scott s'amenuiserait après avoir mis son mystérieux plan à exécution.

— C'est ce que je croyais, mais au fond il ne sait peut-être rien ! rétorqua-t-il. Et s'il m'avait complètement oublié ? Si j'avais pris toutes ces précautions inutilement ?

— Je t'assure qu'il te cherche ! J'en suis certaine.

— Tu l'as entendu de sa bouche ? insista-t-il.

— En quelque sorte.

Vu son état d'esprit, mieux valait ne pas mentionner ma source. Scott n'accorderait aucun crédit aux avertissements de Patch. Et il m'aurait aussi fallu expliquer le retour de Patch dans ma vie.

— L'information vient d'une personne de confiance.

— Tu essaies de m'effrayer, rétorqua-t-il en secouant la tête, mais ma décision est prise. J'y ai bien réfléchi et quoiqu'il arrive, je n'ai pas peur. Quelques mois de liberté valent mieux qu'une vie passée à fuir.

— Tu ne peux pas risquer que Hank te retrouve ! contrai-je. S'il mettait la main sur toi, tu serais enfermé, torturé. Tu dois ronger ton frein encore quelque temps, je t'en supplie. Rien que quelques semaines.

— Tant pis. Ça m'est égal. Je jouerai au *Sac du diable*, que tu viennes ou non.

Son attitude brusquement désinvolte me surprit. Il avait jusque-là fait preuve d'une prudence acharnée. À présent, il risquait sa tête pour quelque chose d'aussi insignifiant qu'un bal de lycée... et un concert ?

Un idée terrifiante me frappa alors.

— Scott, tu as admis que l'anneau de la Main noire te liait à lui. Crois-tu qu'il puisse t'attirer vers lui ? La bague fait peut-être plus qu'accroître tes capacités. Ça pourrait être... un signal.

—La Main noire n'est pas près de m'attraper, s'offusqua-t-il.

—Tu te trompes. Et si tu continues comme ça, il te retrouvera plus tôt que tu ne l'imagines, dis-je doucement, mais fermement

Je voulus le retenir, mais il se dégagea.

Avant que j'aie pu l'en empêcher, il se glissa par la fenêtre qu'il referma d'un coup sec.

25.

Nous étions vendredi et les élections pour le titre de reine du bal devaient avoir lieu pendant la pause déjeuner. Assise en cours de biologie, je guettais la fin de l'heure. J'essayais de ne pas imaginer que moins de dix minutes plus tard, tous ceux qu'il me faudrait croiser chaque jour au lycée prendraient un fou rire en voyant mon nom sur la liste. Je préférai me concentrer sur Scott.

Je devais absolument le convaincre de se terrer dans sa grotte jusqu'à Heshvan et, par précaution, l'amener à ôter l'anneau de la Main noire. Puisqu'il n'était pas disposé à m'écouter, je devais trouver le moyen de l'y forcer. J'envisageai brièvement de requérir l'aide de Patch. Il connaissait sans doute quelques endroits où retenir Scott, mais prendrait-il cette peine ? Et même si je parvenais à persuader Patch de m'épauler, regagnerais-je jamais la confiance de Scott ? Il se sentirait trahi et refuserait de comprendre que j'agissais pour son bien. La veille, il m'avait clairement signifié qu'il n'avait aucun scrupule à mettre sa vie en danger. *J'en ai assez de me cacher. Autant être mort.*

La salle de cours était reliée au secrétariat par un interphone. Lorsque celui-ci sonna, je fus tirée de mes pensées. La voix de la surveillante retentit.

301

— Mademoiselle Jarbowski ? Voudriez-vous envoyer Nora Grey au bureau de la scolarité ? demanda-t-elle d'un ton emphatique.

Furieuse d'être interrompue, ma professeur agita la main dans ma direction.

— Prends tes affaires avec toi, Nora. Je doute que tu aies le temps de revenir avant la fin du cours.

Je rangeai mon livre dans mon sac et me dirigeai vers le couloir, intriguée par cette convocation. Généralement, elle ne pouvait avoir que deux motifs : absence injustifiée, ou problèmes en cours. Je n'avais ni l'un ni l'autre à mon actif.

Je tirai la porte et l'aperçus. Hank Millar, assis dans la salle d'attente, les épaules voûtées, l'air hagard. Le menton posé sur sa main, il avait les yeux dans le vague.

Instinctivement, j'eus un mouvement de recul. Trop tard. En me voyant, il se leva. Sa mine compatissante me donnait la nausée.

— Que se passe-t-il ? m'entendis-je bredouiller.

— Un accident, répondit-il en évitant mon regard.

Ses mots résonnèrent, comme un écho dans du vide. Ma première réaction fut l'indifférence. Lui, un accident ? Et alors ? Pourquoi venir jusqu'au lycée pour m'en informer ?

— Ta mère a fait une chute dans les escaliers. Elle portait des talons hauts et elle a perdu l'équilibre. C'est un traumatisme crânien...

Submergée par la panique, je balbutiai quelque chose qui aurait pu ressembler à « non » ou « nous ». Non, ça ne pouvait pas être vrai ! Nous devions nous retrouver, immédiatement ! Je regrettai aussitôt tous mes mots durs des semaines passées. Mes angoisses les plus sombres refaisaient surface. J'avais déjà perdu mon père. Et si ma mère, elle aussi...

— C'est grave ? demandai-je d'une voix chevrotante.

Je ne voulais pas pleurer devant lui, mais cette fierté idiote s'évanouit en imaginant le visage de ma mère. Je fermai les yeux pour retenir mes larmes.

— Quand j'ai quitté l'hôpital, ils ne pouvaient encore rien me dire. Je suis aussitôt venu te chercher. J'ai déjà signé l'autorisation de sortie pour la secrétaire, expliqua Hank. Je vais te conduire jusqu'aux urgences.

Il me tint la porte et je me baissai automatiquement pour éviter son bras. Mes jambes me portèrent laborieusement le long du couloir. Dehors, la lumière me parut trop crue. Ce jour resterait-il à jamais gravé dans ma mémoire ? Y associerais-je désormais et pour toujours les mêmes insupportables sentiments qui accompagnaient le souvenir de la mort de mon père : la confusion, l'amertume, l'impuissance ? L'abandon ? Incapable de me contrôler plus longtemps, je sanglotai.

Hank m'ouvrit sans un mot la porte de son Land Cruiser. Il leva la main, comme pour serrer affectueusement mon épaule, mais hésita, referma le poing et laissa retomber son bras le long du corps.

Soudain, je réalisai. Tout paraissait un peu trop convenu. Était-ce mon aversion pour Hank... ou se pouvait-il qu'il ait inventé toute cette histoire pour me persuader de monter dans sa voiture ?

— Je voudrais appeler l'hôpital, dis-je de but en blanc. Savoir s'ils ont du nouveau...

— Nous sommes en route, objecta Hank en fronçant les sourcils. Nous serons aux urgences d'ici dix minutes et tu pourras parler directement au médecin.

— Désolée de me montrer angoissée, répliquai-je d'une voix douce quoique déterminée, mais il s'agit de ma mère.

Hank composa un numéro sur son portable et me le tendit. Le répondeur automatique de l'hôpital s'enclencha me proposant plusieurs options. Moins d'une minute plus tard, j'étais en ligne avec une secrétaire.

— Pourriez-vous me confirmer que Blythe Grey a été admise aux urgences ? demandai-je à l'opératrice, sans regarder Hank.

— Oui, nous avons une Blythe Grey sur notre registre.

Je poussai un soupir. Hank n'avait pas menti au sujet de l'accident, mais ça ne prouvait pas pour autant son innocence. Toutes ces années, jamais ma mère n'avait glissé dans les escaliers.

— Je suis sa fille. Pouvez-vous me donner des informations concernant son état ?

— Je peux laisser un message au médecin, afin qu'il vous rappelle.

— Merci, dis-je avant de lui indiquer mon numéro de portable.

— Des nouvelles ? demanda Hank.

— Comment saviez-vous qu'elle était tombée ? Vous l'avez vue ?

— Nous devions déjeuner ensemble. J'ai frappé, mais elle ne répondait pas, alors je suis entré et l'ai trouvée en bas des escaliers.

Avait-il senti la suspicion dans ma voix ? Il n'en laissa rien paraître. Il semblait simplement inquiet et dénoua nerveusement sa cravate avant d'éponger la sueur sur son front.

— S'il lui arrivait quelque chose…, murmura-t-il pour lui même, sans achever sa phrase. On y va ?

Monte dans cette voiture, m'intima une petite voix dans ma tête. Et aussitôt, mes soupçons s'évanouirent. Une seule pensée s'imprimait dans mon esprit : il fallait suivre Hank.

Cette petite voix avait quelque chose d'étrange, mais mon cerveau embrumé ne parvenait pas à comprendre pourquoi. Mon raisonnement s'effondrait, laissant place à un ordre unique qui se répétait à l'infini : *monte dans cette voiture*.

Je redressai la tête. Hank clignait innocemment des yeux. Sur l'instant, je voulus l'accuser, mais de quoi, exactement ? Après tout, il était là pour m'aider. Et il tenait tant à ma mère...

Docilement, je me glissai sur le siège passager.

J'ignore combien de temps nous roulâmes en silence. Dans mon esprit, une idée chassait l'autre, jusqu'à ce qu'enfin, il se racle la gorge.

— Nora, sache qu'elle est entre de bonnes mains. J'ai demandé au Dr Howlett de s'occuper personnellement de son cas. C'est un vieil ami, nous partagions une chambre à l'université du Maine avant qu'il n'intègre la fac John Hopkins.

Le Dr Howlett ? Je dus lutter pour identifier ce nom. C'était le médecin qui m'avait examinée à mon retour. Ou plutôt, à ma libération. Et j'apprenais à présent que le docteur et Hank, mon ravisseur, étaient proches ? L'anxiété éclipsa brutalement mon apathie. Ce Dr Howlett m'inspira une méfiance instantanée.

Préoccupée par le curieux lien entre ces deux hommes, je ne prêtai aucune attention au véhicule qui arriva à notre hauteur pour nous doubler. Brusquement, il percuta le nôtre.

Projeté sur la droite, le Land Cruiser heurta le rail de sécurité. Le frottement de la carrosserie sur le métal provoqua une pluie d'étincelles. À peine eus-je le temps de pousser un cri que le chauffard nous toucha une seconde fois. Hank fit une embardée et la voiture partit en tête-à-queue.

— Il essaie de nous faire sortir de la route, avertit Hank. Accroche-toi !

— Qui est-ce ? répliquai-je en m'assurant que ma ceinture était solidement attachée.

D'un coup de volant, Hank évita une nouvelle collision. Je concentrai mon attention sur la route qui suivait un virage en épingle, le long d'un ravin profond et abrupt. Hank accéléra pour tenter de distancer le véhicule, un pick-up marron, mais il nous rattrapa et fit un écart brutal sur la chaussée devant nous. Derrière le pare-brise, je distinguai trois silhouettes : trois hommes.

Immédiatement, je songeai à Gabe, Dominic et Jeremiah. Ce n'était qu'une hypothèse, puisque j'étais incapable de voir leur visage, mais cette simple perspective m'arracha un hurlement.

— Arrêtez-vous ! lançai-je à Hank. C'est un piège ! Faites demi-tour !

Au tournant, les pneus du pick-up crissèrent, et le véhicule mordit la ligne blanche. Hank le suivit, frôlant dangereusement le garde-fou. La courbe donnait à pic dans le ravin. De là, on n'apercevait que du vide, et Hank rasait le précipice. Terrifiée, je me cramponnai à l'accoudoir.

Devant nous, les feux arrière du pick-up lancèrent des éclairs rouges.

— Attention ! hurlai-je en plaquant une main contre la vitre et l'autre sur l'épaule de Hank, cherchant vainement à stopper l'inévitable.

Hank donna un coup de volant qui fit passer le 4 x 4 sur deux roues. Je fus projetée en avant, violemment retenue par ma ceinture de sécurité. Ma tête heurta la vitre et aussitôt, ma vue se brouilla. Un fracas assourdissant résonnait tout autour de moi. Je reconnus le bruit de la tôle qui se froisse, du verre qui se brise et du métal qui grince dans toutes les directions.

Je crus entendre Hank grommeler quelque chose – « Foutus déchus ! » – avant d'être catapultée dans les airs.

Ou plutôt... de tomber, entraînée dans une chute sans fin.

Je ne sentis pas le choc, mais lorsque je repris en partie connaissance, j'étais allongée sur le dos. Je n'étais plus dans la voiture. Je reconnus la terre. Les feuilles. Les rocailles s'enfonçaient contre ma peau.

Dur et mal. Dur et mal. Comme une litanie se limitant à ces trois petits mots. Je les voyais danser devant mes yeux.

— Nora ! cria Hank d'une voix lointaine.

J'étais certaine d'avoir ouvert les paupières, mais ne distinguai rien. Des lumières vives obstruaient mon champ de vision. Je luttai pour me redresser. Les ordres transmis à mes muscles durent se perdre en chemin : j'étais incapable de bouger.

On m'attrapa, d'abord par les chevilles puis par les poignets, et je fus traînée dans la terre et les feuilles mortes, avec un curieux bruit de froissement. Je me passai ma langue sur les lèvres et tentai d'appeler Hank, mais lorsque j'entrouvris la bouche, les mauvais mots s'en échappèrent.

Dur et mal. Dur et mal.

Je voulais sortir de cette stupeur. Non ! hurlai-je intérieurement. *Non ! Non ! Non ! Patch ! Au secours ! Patch, Patch, Patch !*

— Dur... et... mal, murmurai-je confusément.

Mais il était trop tard pour me reprendre. Ma bouche se referma pour de bon, tout comme mes paupières.

Deux mains m'agrippèrent fermement par les épaules pour me secouer.

— Nora, tu m'entends ? N'essaie pas de te lever. Reste allongée. Je t'emmène à l'hôpital.

Je clignai des yeux. Au-dessus de moi, les branches des arbres tanguaient. Elles tamisaient la clarté du soleil qui projetait d'étranges ombres. Le monde oscillait entre le noir et la lumière.

Hank Millar se pencha vers moi. Le visage lacéré, les joues, les cheveux maculés de sang. Il remua les lèvres, mais tenter de faire sens de ses paroles devenait trop douloureux.

Je me détournai. *Dur et mal.*

Je me réveillai à l'hôpital, sur un lit dissimulé derrière un rideau blanc. La chambre était calme, presque trop. Des fourmillements se propageaient dans mes doigts et mes orteils et j'avais la sensation d'avoir la tête tapissée de toiles d'araignées. Les médicaments, pensai-je distraitement.

Un visage inconnu se pencha vers moi. Le Dr Howlett sourit, toutefois sans découvrir les dents.

— Vous avez pris un sacré choc, jeune fille. Des ecchymoses en pagaille, mais rien de cassé. L'infirmière vous a donné de l'ibuprofène et je vous prescrirai des médicaments avant votre sortie. Vous allez vous sentir sonnée pendant quelques jours, mais au vu des circonstances, je crois que vous pouvez vous estimer chanceuse.

— Hank ? articulai-je entre mes lèvres desséchées.

Le Dr Howlett secoua la tête, laissant échapper un petit rire rauque.

— Cela va vous paraître injuste, mais lui s'en est tiré sans une égratignure.

L'esprit embrumé, je réfléchis. Quelque chose clochait. Et ma mémoire se mit en marche.

— Non... il était blessé... Et perdait beaucoup de sang.

— Vous vous trompez. Lorsqu'il est arrivé, Hank était couvert de sang, mais c'était le vôtre. C'est vous qui avez subi le pire.

— Mais je l'ai vu...

— Hank Millar se porte comme un charme, coupa-t-il. Et vous ferez de même, dès que les points auront sauté. Vous pourrez sortir aussitôt vos pansements changés.

En dépit de ses paroles rassurantes, j'aurais dû paniquer. Trop de questions demeuraient sans réponses. *Dur et mal. Dur et mal.*

L'éclat des phares. L'accident. Le ravin.

— Voilà qui devrait faire l'affaire, commenta Howlett tandis qu'un pincement sur mon bras me surprit.

Un léger picotement accompagna le fluide qu'il m'injecta dans le sang.

— Mais... je viens juste de reprendre connaissance, murmurai-je tandis qu'une délicieuse sensation d'épuisement artificielle m'enveloppait tout entière. Comment puis-je si rapidement être sur pied ? Je ne me sens pas très bien.

— Vous vous remettrez plus vite chez vous, s'esclaffa-t-il. Ici, les infirmières passeraient la nuit à vous inspecter de près.

La nuit ?

— Comment peut-il déjà faire nuit ? Il était à peine midi. Avant que Hank... le cours de bio... je n'avais pas déjeuné.

— La journée a été longue, acquiesça le Dr Howlett avec empathie.

Sous ces strates de calmants, je voulais hurler. Mais seul un faible soupir m'échappa.

— Je me sens toute chose, remarquai-je en posant une main sur mon ventre.

— D'après l'IRM, aucun risque d'hémorragie interne. Ne forcez pas trop pendant quelques jours et vous serez sur pied en un rien de temps. En revanche, je ne vous promets pas que vous serez d'humeur à remonter en voiture de sitôt !

Au milieu du brouillard, je songeai alors à ma mère.

— Est-ce que Hank est auprès de ma mère ? Comment va-t-elle ? Quand pourrai-je la voir ? Est-elle au courant, pour l'accident ?

— Mme Grey se remet très vite, m'assura-t-il. Elle est toujours en soins intensifs et ne peut pas recevoir de visiteurs pour l'instant, mais nous la transférerons dans une chambre individuelle demain. Vous pourrez revenir la voir. Entre nous, ajouta-t-il en se penchant d'un air complice, si le règlement n'était pas si drastique, je vous laisserais y aller tout de suite. C'est un vilain traumatisme crânien et il a d'abord paru s'accompagner d'une perte de mémoire. N'ayez crainte, elle se remettra vite. La chance semble vous sourire, dans la famille, conclut-il en me tapotant la joue.

— La chance, répétai-je d'un ton apathique.

Rongée par l'angoisse, j'avais la certitude que la chance n'était pour rien dans nos rémissions respectives.

Et encore moins dans nos accidents.

26.

Après que le Dr Howlett eut signé ma décharge, je m'engouffrai dans l'ascenseur pour regagner le rez-de-chaussée. Je composai le numéro de Vee. Je n'avais personne pour venir me raccompagner, à cette heure-ci et sa mère ne l'empêcherait pas de sortir.

L'ascenseur s'immobilisa. Lorsque les portes s'ouvrirent, je lâchai mon téléphone.

— Bonsoir, Nora, me dit Hank.

Les secondes s'égrenèrent avant que je ne retrouve ma voix.

— Vous montez ? demandai-je d'un ton que j'espérais posé.

— À vrai dire, c'est toi que je cherchais.

— Je suis assez pressée, m'excusai-je en ramassant mon portable.

— Puisque tu dois rentrer, j'ai appelé le garage, afin que l'un de mes employés m'amène une location.

— Merci, j'ai déjà prévenu une amie.

Son sourire se figea.

— Laisse-moi au moins te raccompagner jusqu'à la sortie.

— Je dois passer aux toilettes, esquivai-je. Pas la peine de m'attendre. Je vais très bien et je suis sûre que Marcie est impatiente de vous retrouver.

— Ta mère préférerait que je veille sur toi.

Les yeux injectés de sang, il paraissait à bout de nerfs, mais je ne crus pas une seconde à son numéro d'amant désespéré. Le Dr Howlett pouvait bien me raconter ce qu'il voulait, j'avais vu de mes yeux Hank blessé, bien plus que moi. Bien plus qu'il n'aurait dû l'être, d'ailleurs.

Dans mon souvenir trouble, je devinais son visage, la chair à vif, déchiquetée. Sa constitution de néphil l'avait instantanément guéri, mais j'avais su à l'instant où il s'était penché sur moi que quelque chose lui était arrivé durant ces brèves minutes où j'étais restée inconsciente. Il pouvait tout nier en bloc, mais j'étais certaine de ce que j'avais vu : il paraissait sortir de la fosse aux lions.

Son air hagard, épuisé, était le résultat d'un affrontement avec une bande de déchus. C'était du moins ma première impression et la seule explication logique. « Foutus déchus ! » N'était-ce pas ce qu'il avait crié, quelques fractions de seconde avant l'accident ? Il ne s'attendait pas à croiser leur route... Quelles avaient été ses véritables intentions ?

Un affreux pressentiment me saisit. Une sensation, je le réalisai soudain, qui m'avait tenaillée depuis qu'il était venu me chercher, au lycée. Hank était-il à l'origine de cette chaîne d'événements ? Avait-il poussé ma mère dans l'escalier ? Le Dr Howlett avait parlé d'une perte de mémoire, un tour aisé pour Hank, qui l'aurait employé afin de lui faire oublier l'incident. Il s'était ensuite rendu jusqu'au lycée... mais dans quel but ? Un détail m'échappait, mais lequel ?

— Ça chauffe là-dedans, ironisa Hank qui surprit mon air concentré. On se creuse les méninges ?

Je levai les yeux vers lui, espérant que son expression trahirait quelque chose, et remarquai qu'il me dévisageait avec la même intensité. Son regard si pénétrant devenait presque hypnotique.

La conclusion de mon raisonnement fut aussitôt balayée. Un curieux vide éclipsa le reste. Ma réflexion m'échappa totalement. Toutes mes tentatives paraissaient reléguer mes idées dans un recoin sombre de mon esprit, hors d'atteinte.

Un épais cocon semblait se former, muselant tout processus cognitif. Encore cette sensation ! Cette impression confuse, lourde, d'être incapable de contrôler mes propres pensées.

— Ton amie a-t-elle accepté de venir te chercher, Nora ? demanda-t-il, avec cette même implacable sagacité.

Quelque part, au fond de moi-même, je savais que j'aurais dû esquiver. J'aurais dû prétendre que Vee devait me retrouver. Mais pourquoi lui mentir ? Si je ne voulais pas passer la nuit à l'hôpital, je devais lui dire la vérité.

— J'ai appelé Vee, mais elle ne m'a pas répondu.

— Je serai ravi de te ramener, Nora.

— Oui, merci, acceptai-je en hochant la tête.

Incapable de me concentrer, je suivis Hank le long du couloir. Mes mains glacées tremblaient. Pourquoi ces craintes ? Hank me proposait gentiment de me raccompagner chez moi. Il tenait tant à ma mère qu'il était prêt à se mettre en quatre pour me rendre service.

Le trajet se passa sans incident et, une fois à la ferme, Hank m'escorta jusqu'à la porte.

— Qu'est-ce que vous faites ? demandai-je après une hésitation.

— J'ai promis à Blythe de veiller sur toi, ce soir.

— Vous comptez rester toute la nuit ?

Mes mains tremblaient et, du tréfonds de mon esprit embrumé, la prudence m'intima l'ordre de le dissuader.

Le laisser dormir chez moi n'était pas une bonne idée. Mais comment l'en empêcher ? Il était bien plus fort que moi. Et même si je parvenais à le mettre dehors, ma mère lui avait récemment donné une clé de la maison. Il pouvait rentrer à sa guise.

— Il y a un courant d'air, remarqua Hank en ôtant mes doigts de la poignée. Laisse-moi faire.

Bien sûr, pensai-je, m'amusant de ma propre méfiance. Il était là pour m'aider.

Hank jeta ses clés sur la table et s'installa sur le canapé, allongeant ses jambes sur le repose-pied.

— Tu veux te détendre devant la télé ? proposa-t-il.

— Je suis fatiguée, répondis-je en serrant mes bras flageolants contre ma poitrine.

— Tu as eu une longue journée. Et le repos, c'est précisément ce que le médecin préconise.

Je luttai, en vain, pour me débarrasser de ces ténèbres oppressantes.

— Hank ? demandai-je soudain. Pourquoi vouloir passer la nuit ici ?

— Nora, tu m'as l'air absolument terrifiée, s'esclaffa-t-il. Sois raisonnable et monte te coucher. Je ne vais pas t'étrangler durant ton sommeil.

Une fois dans ma chambre, je poussai ma commode pour bloquer la porte. J'ignorais pourquoi, puisque je n'avais rien à craindre de Hank. S'il était là, c'était pour tenir une promesse faite à ma mère. Il voulait me protéger. D'ailleurs, s'il frappait, je lui ouvrirais aussitôt...

Et pourtant...

Je me glissai sous les couvertures et fermai les yeux. Terrassée par la fatigue, je tremblais à présent de tous mes membres et redoutai d'avoir pris froid. Lorsque je sentis le sommeil m'engourdir, je ne luttai pas. Derrière mes paupières closes, des formes et des couleurs floues dansaient. Mes pensées plongèrent plus profondément vers l'inconscient. Hank avait raison : la journée avait été longue. J'avais besoin de dormir.

En me retrouvant devant l'appartement de Patch, je réalisai que quelque chose n'allait pas. À mesure que cet étrange brouillard se dissipait, je compris que Hank m'avait manipulée pour mieux me soumettre. Je poussai la porte et me précipitai à l'intérieur en appelant Patch.

Je le rejoignis dans la cuisine, où il était accoudé au bar. Un seul regard et il sauta de son tabouret pour s'avancer vers moi.

— Nora ? Comment es-tu arrivée jusqu'ici ? Tu... t'es glissée dans mon esprit ! s'exclama-t-il. Est-ce que tu rêves ?

Il scrutait mon visage, cherchant une réponse.

— Je ne sais pas. Je ne crois pas. Je me suis couchée en espérant trouver un moyen de te retrouver et... me voilà. Toi aussi, tu es endormi ?

— Je suis éveillé, expliqua-t-il en secouant la tête, mais tu as infiltré mes pensées. J'ignore comment tu y es parvenue.

— Il s'est produit quelque chose de grave, soufflai-je en me jetant dans ses bras pour mieux réprimer mes tremblements convulsifs. D'abord, ma mère a fait une chute dans l'escalier. Hank me conduisait à l'hôpital lorsqu'une voiture nous a percutés. Avant de perdre connaissance, j'ai entendu Hank dire que des déchus étaient au volant. En sortant de l'hôpital, Hank m'a ramenée chez moi, je lui ai demandé de me laisser, mais il a insisté pour rester...

— Attends, coupa-t-il d'un air inquiet, tu veux dire que tu es seule chez toi avec Hank en ce moment même ?

Je hochai la tête.

— Réveille-toi. J'arrive.

Quinze minutes plus tard, on tapota doucement à ma porte. Poussant la commode, j'entrouvris la porte et j'aperçus Patch dans le couloir. Agrippant sa manche, je l'attirai dans ma chambre.

— Il est en bas, devant la télé, soufflai-je.

Hank avait eu raison sur un point : le sommeil m'avait fait un bien fou. En sortant de mon rêve, j'avais retrouvé mes esprits, du moins assez pour réaliser ce qui m'avait jusque-là échappé : j'avais été victime d'une manipulation mentale. J'avais laissé Hank me raccompagner sans opposer la moindre résistance avant de lui permettre d'entrer dans la maison et de s'y installer comme chez lui. Il m'avait persuadée qu'il cherchait à me protéger, mais je n'étais plus dupe.

Patch referma doucement la porte du bout du pied. Il m'observa de haut en bas.

— J'ai dû passer par les combles. Est-ce que ça va ? demanda-t-il, le regard furieux, en suivant du doigt le pansement sur mon front, qui recouvrait une coupure.

— Hank m'a manipulée toute la soirée.

— Raconte-moi tout, en commençant par la chute de ta mère.

Je pris une profonde inspiration et lui fis le récit de ma journée.

— À quoi ressemblait le véhicule des déchus ?

— Un pick-up. Marron.

Patch caressa distraitement son menton.

— Tu penses que c'était Gabe ? Ça ne correspond pas à sa voiture habituelle, mais ça ne veut pas dire grand-chose.

— Ils étaient trois. Je n'ai pas aperçu leur visage. Mais il aurait pu s'agir de Gabe, Dominic et Jeremiah.

— Ou n'importe quels autres déchus qui chercheraient à se débarrasser de Hank. Maintenant que Rixon est hors jeu, sa tête est mise à prix. Il est la Main noire, le plus puissant néphil encore en vie, et on ne compte plus ceux qui, par vanité, souhaiteraient l'avoir pour vassal. Combien de temps es-tu restée sans connaissance avant que Hank ne te conduise aux urgences ?

— Je dirais... quelques minutes, tout au plus. Lorsque je suis revenue à moi, Hank était en sang et paraissait épuisé. Il a à peine réussi à me porter jusqu'à la voiture. Et ses blessures ne semblaient pas résulter de l'accident. Il est possible qu'on ait tenté de lui faire prêter allégeance.

— Ça suffit ! s'emporta Patch dont la colère déformait les traits. Il n'est plus question que tu sois mêlée à tout cela. Je sais que tu es déterminée à causer sa perte, mais je refuse de te mettre en danger une fois de plus. Laisse-moi m'en charger, reprit-il tout en faisant les cent pas, clairement perturbé. Laisse-moi le lui faire payer !

— Patch, c'est mon combat, pas le tien, répondis-je d'une voix calme.

Son regard brillait d'une lueur que je ne lui connaissais pas.

— Tu es à moi, mon ange, ne l'oublie jamais. Tes combats sont les miens. Et s'il t'était arrivé quelque chose, aujourd'hui ? J'ai suffisamment souffert en pensant que tu me hantais, lorsque tu avais disparu, je ne crois pas pouvoir affronter cette réalité.

Je me glissai derrière lui pour l'enlacer.

— Il aurait pu arriver quelque chose, mais tout s'est bien terminé, repris-je doucement. Et même s'il s'agissait de Gabe, il n'a visiblement pas obtenu ce qu'il cherchait.

— Je me fiche de Gabe ! Hank mijote quelque chose qui t'implique. Ta mère est peut-être aussi concernée. Concentrons-nous là-dessus. Je veux que tu te caches quelque temps. Si tu refuses de venir chez moi, ça ne fait rien, nous trouverons un autre endroit. Et tu n'en

317

sortiras pas tant que Hank ne sera pas mort, enterré et réduit en poussière.

— Impossible : Hank se douterait aussitôt de quelque chose. Et je ne peux pas faire ça à ma mère. Si je disparaissais une fois de plus, elle ne s'en relèverait pas. Regarde-la ! Elle n'est plus la même qu'il y a trois mois. C'est sans doute en partie dû aux hypnoses prolongées de Hank, mais mon enlèvement a laissé des séquelles dont elle ne se remettra jamais, je dois l'accepter. Dès son réveil, chaque matin, elle est terrifiée. Le sentiment de sécurité n'existe plus pour elle.

— Et une fois encore, c'est la faute de Hank, répliqua-t-il froidement.

— Je ne peux rien changer à ce que Hank nous a fait subir, mais je peux décider de ce que je dois faire. Et je ne partirai pas. Tu l'as compris : je n'ai pas l'intention de m'effacer pour te laisser affronter seul Hank Millar. Promets-moi que quoi qu'il arrive, tu ne me trahiras pas. Promets-moi de ne rien manigancer à mon insu pour te débarrasser tranquillement de lui, même si tu es persuadé d'agir pour mon bien.

— Oh, je doute qu'il se laisse faire « tranquillement », s'emporta Patch.

— Promets-le-moi, Patch.

Il m'observa longuement en silence. Nous savions tous les deux qu'il était plus rapide, plus aguerri au combat et, lorsqu'il le fallait, se montrait plus impitoyable. À plusieurs reprises, il m'avait sauvé la vie, mais pour une fois, une seule, je devais livrer moi-même cette bataille.

À contrecœur, il finit par acquiescer.

— Ne compte pas sur moi pour jouer les spectateurs, mais je te promets de ne pas agir seul. Avant de lui mettre la main dessus, je m'assurerai que c'est bien ce que tu veux.

Il me tournait le dos, mais je pressai ma joue contre son épaule et le serrai contre moi.

— Merci.

— Si les déchus attaquaient une fois de plus, vise leurs cicatrices.

Je ne compris pas immédiatement, mais il poursuivit :

— Frappe ce point avec une batte de baseball, ou plante un bâton dans les cicatrices, si tu n'as rien d'autre sous la main. Les cicatrices de nos ailes sont notre talon d'Achille. Les déchus ne peuvent pas ressentir la douleur, mais un choc sur ces stigmates les paralyse. En fonction de la gravité des blessures, tu peux les immobiliser pendant plusieurs heures. Te rappelles-tu le coup de barre de fer que j'ai asséné à Gabe ? Je doute qu'il ait pu s'en remettre avant huit bonnes heures.

— J'essaierai de m'en souvenir, soufflai-je, avant de reprendre : Patch ?

— Mmmh ? répondit-il, nerveux.

— Je ne veux pas me disputer.

Je suivis du bout du doigt le dessin de ses omoplates, de ses muscles contractés par la colère. Tout son corps était tendu, en proie à une insupportable frustration.

— Hank m'a déjà privée de ma mère et je refuse qu'il nous sépare, nous aussi ? Tu comprends pourquoi je dois le faire ? Pourquoi je ne peux pas t'envoyer te battre à ma place, même si nous savons tous les deux que tu gagnes à tous les coups sur ce terrain ?

Lentement, il poussa un soupir et je sentis son corps se relâcher.

— Je ne suis plus certain que d'une chose.

Il se retourna, les yeux noirs, comme du velours.

— C'est que je ferais n'importe quoi pour toi, même si je devais renier mon instinct ou ma propre nature. Je donnerais tout ce que je possède, jusqu'à mon âme, pour toi. Et si ça, ce n'est pas de l'amour, je n'ai rien de mieux à t'offrir.

Je ne sus quoi lui répondre. Rien ne paraissait approprié. Aussi je pris son visage grave, déterminé entre mes mains et l'embrassai.

Lentement, les lèvres de Patch épousèrent les miennes. Une tension délicieuse sillonnait ma peau tandis que sa bouche se faisait plus audacieuse. Je ne voulais pas qu'il m'en veuille, mais plutôt qu'il me fasse confiance, comme j'avais confiance en lui.

— Mon ange, souffla-t-il, mais mon nom mourut sur ses lèvres.

Il se recula, le regard incertain. Incapable de le sentir si proche sans chercher son contact, je croisai mes doigts derrière sa nuque et l'attirai vers moi pour l'embrasser à nouveau. Son baiser se fit plus ardent, plus intense et ses mains parcoururent mon corps, provoquant en moi des frissons électriques.

Du bout de l'index, il détacha un, deux, trois, puis quatre boutons de mon cardigan, qui glissa sur mes bras. Patch joua distraitement avec l'ourlet de mon débardeur, passant son pouce le long de mon ventre. Brusquement, ma respiration devint erratique.

Son sourire de loup se lisait dans ses yeux tandis qu'il concentrait son attention plus haut et enfouissait son visage contre mon cou où il déposa des baisers, rugueux comme sa barbe naissante.

Il me renversa doucement sur mon lit, se pencha au-dessus de moi et, soudain, il était partout. Je sentis son genou paralyser ma jambe et l'effleurement de ses lèvres, chaudes, brusques, sensuelles. Il déploya une main au creux de mon dos pour mieux me serrer contre lui, m'incitant à presser mes doigts contre sa peau. Je me cramponnais à lui comme si, en le lâchant, je pouvais perdre une partie de moi-même.

— Nora ?

Je levai les yeux vers la porte et poussai un cri.

Hank se tenait dans l'embrasure, accoudé au chambranle. Il balaya la pièce du regard, le visage tendu, en alerte.

— Qu'est-ce que vous voulez ? hurlai-je, le cœur battant.

Il ne répondit pas, les yeux toujours rivés sur les recoins de ma chambre.

J'ignorais où Patch s'était caché, comme s'il avait senti la présence de Hank une fraction de seconde avant que celui-ci ne tourne la poignée de ma porte. Il devait être tout près, tapi dans l'ombre, peut-être sur le point d'être découvert... Je bondis hors du lit.

— Sortez d'ici ! Vous avez une clé de la maison, mais ça ne vous donne pas le droit d'entrer dans ma chambre. Je vous l'interdis !

Il jeta un rapide coup d'œil au placard, légèrement entrouvert.

— J'ai cru entendre du bruit.

— Désolée d'exister et de respirer, mais oui, il m'arrive parfois de faire du bruit !

Là-dessus, je lui claquai la porte au nez et m'y appuyai avant de m'effondrer sur le sol. Mon cœur battait à tout rompre. Hank demeura quelques instants dans le couloir, probablement pour tenter, une fois encore, de comprendre l'origine du bruit qui l'avait attiré jusque-là. Enfin, il s'éloigna. Son irruption m'avait terrorisée et j'étais au bord des larmes. Cependant, je les séchai aussitôt et me repassai en boucle la scène, à l'affut d'un indice. Hank savait-il ou non que Patch se trouvait dans ma chambre ?

Cinq interminables minutes s'écoulèrent avant que je n'ose entrouvrir ma porte. Il n'y avait personne dans le couloir et je me retournai vers ma chambre.

— Patch ? appelai-je dans un murmure à peine audible. J'étais seule.

Ce n'est qu'en me rendormant que je parvins à le retrouver. Dans mon rêve, je traversais un champ en friche, écartant les herbes hautes qui frôlaient mes hanches. Devant moi, j'aperçus un arbre mort au tronc noueux et tortueux. Patch s'y adossait, les mains enfoncées dans les poches. Entièrement vêtue de noir, sa silhouette tranchait dans le blanc crémeux de fleurs.

Je courus jusqu'à lui et il referma sur nous sa veste en cuir, un geste plus possessif que protecteur.

— Je veux rester avec toi, ce soir, lui dis-je. Je crains que Hank ne tente quelque chose.

— Je ne vous perds pas de vue, mon ange, ni toi, ni lui, répondit-il d'un ton presque menaçant.

— Tu crois qu'il sait que tu étais dans ma chambre ? J'entendis à peine son soupir troublé.

— Une chose est certaine, il a perçu quelque chose. J'ai sans doute fait forte impression, assez pour qu'il soit monté vérifier. Je commence à me demander s'il n'est pas plus fort que je l'imaginais. Ses hommes sont parfaitement organisés et entraînés. Il a réussi à capturer un archange. Et à présent, il peut sentir ma présence sans se trouver dans la même pièce. Cela ne peut signifier qu'une chose : il se sert du démonium. Il a découvert le moyen de le maîtriser, ou a conclu un marché. Quoi qu'il en soit, il invoque les forces de l'enfer.

— Tu me fais peur, répondis-je avec un frisson. L'autre soir, devant le *Bloody Mary*, les deux néphils qui me poursuivaient ont fait allusion à ce démonium. Mais selon leurs dires, Hank aurait déclaré qu'il s'agissait d'un mythe.

— Hank cherche sans doute à dissimuler ses plans. Cela expliquerait pourquoi il pense pouvoir renverser les déchus dès Heshvan. Je ne suis pas un expert en la matière, mais il paraît que le démonium pourrait être employé afin de renier un serment, même prononcé devant le ciel. Il compte peut-être là-dessus pour abjurer des centaines de milliers d'allégeances prêtées par les néphilims aux déchus au fil des siècles.

— En d'autres termes, tu ne crois pas qu'il s'agisse d'un mythe.

— J'étais un archange. Tout ceci ne me concernait pas, mais j'avais connaissance de son existence. C'est d'ailleurs à peu près tout ce qu'on en savait, le reste n'est que spéculations. Le démonium trouve ses origines en enfer et, hors de ses frontières, il est proscrit. Les archanges auraient dû suivre tout cela de près, conclut-il avec un agacement perceptible.

— Et s'ils n'étaient pas au courant? Si Hank avait découvert le moyen de le leur cacher? Peut-être le manie-t-il avec précaution, afin qu'ils ne se rendent compte de rien.

— En voilà, une bonne nouvelle, ironisa Patch avec un rire forcé. En imaginant qu'il emploie le démonium pour manipuler les particules de l'air, cela expliquerait pourquoi j'ai eu tant de mal à le pister. Depuis plusieurs mois, je l'espionne et surveille ses activités, pour tenter de comprendre à quoi lui servent les informations que je lui ai fournies. Et ce n'est pas facile, car il file comme un fantôme. Il devrait laisser des traces derrière lui, mais aucune ne subsiste. Il se peut qu'il utilise le démonium afin d'altérer purement et simplement la matière. J'ignore depuis quand il le maîtrise et à quel point.

Nous réfléchîmes à ces éventualités dans un silence glaçant. Altérer la matière ? Si Hank avait la capacité de manipuler les éléments les plus essentiels de notre monde, quelle était la véritable étendue de ses pouvoirs ?

Après quelques instants, Patch glissa ses doigts sous le col de sa chemise et détacha une chaîne d'une extrême finesse. Elle était constituée de petits maillons en argent massif quelque peu terni.

— L'été dernier, je t'ai offert cette chaîne. Tu me l'avais rendue, mais je veux que tu la reprennes. Elle ne fonctionne plus pour moi, mais elle pourrait s'avérer utile.

— Hank ferait n'importe quoi pour s'en emparer ! protestai-je en écartant sa main tendue. Garde-la. Tu dois la mettre en sécurité. Il ne doit pas la retrouver, à aucun prix.

— Si Hank passe cette chaîne au cou de l'archange, elle n'aura pas d'autre choix que de lui dire la vérité. Elle lui transmettra volontairement une version pure et impartiale des faits. Sur ce point, tu as raison. Mais cet échange sera également consigné dans la chaîne, qui en conservera l'empreinte. Tôt ou tard, Hank parviendra à se procurer l'une de ces chaînes. Mieux vaut qu'il se serve de la mienne.

— Une empreinte ?

— Je voudrais que tu trouves le moyen de la faire passer à Marcie sans qu'elle se doute de rien, expliqua-t-il en l'attachant autour de mon cou. Elle doit croire qu'elle te l'a dérobée. Hank va l'interroger, il faut donc qu'elle soit persuadée de t'avoir bernée. Tu penses y arriver ?

Je me reculai en lui jetant un regard dubitatif.

— On peut savoir quel est ton plan ?

— Je n'appellerais pas ça un plan, dit-il avec un bref sourire. Plutôt une dernière prière avant que le compte à rebours ne s'arrête.

Je réfléchis longuement à ce qu'il exigeait de moi.

— Je pourrais inviter Marcie chez moi, déclarai-je enfin. Je prétexterai avoir besoin d'aide pour choisir les bijoux assortis à ma robe, pour la soirée du lycée. Si elle seconde Hank dans ses recherches et qu'elle pense que c'est moi qui ai la chaîne, elle sautera sur l'occasion pour fouiller ma chambre. L'idée qu'elle fourre son nez dans mes affaires ne m'enchante pas, mais je le ferai. Mais avant, repris-je après un silence éloquent, je veux savoir exactement pourquoi.

— Hank doit faire parler l'archange. Dans notre intérêt. C'est le seul moyen de prévenir les archanges qu'il utilise le démonium. Je suis un déchu et jamais les archanges ne m'écouteront, mais si Hank touche ma chaîne, celle-ci en gardera la trace. Elle détectera également l'emploi du démonium. Ma parole ne vaut rien pour les archanges, mais ce genre de preuve suffirait à les convaincre. Tout ce qu'il resterait à faire, c'est de remettre la chaîne entre leurs mains.

Je demeurais sceptique.

— Et si ça ne marchait pas ? Si Hank obtenait les informations qu'il recherche sans que nous parvenions à le piéger ?

Il acquiesça d'un léger hochement de tête.

— Que préférerais-tu que je fasse ?

Je réfléchis, sans résultat. Patch avait raison. Nous manquions de temps et de possibilités. Notre position devenait intenable, mais quelque chose me disait que Patch avait, au cours de sa longue existence, fait les bons choix dans les situations critiques. Et dans un pari aussi dangereux que celui-ci, il était la seule personne que je désirais avoir à mes côtés.

27.

Le vendredi suivant, Hank et ma mère étaient pelotonnés l'un contre l'autre devant la télé, avec du popcorn. Je m'étais isolée dans ma chambre, ayant promis à Patch de ne pas éveiller les soupçons de Hank.

Depuis quelques jours, ce dernier avait usé d'un féroce numéro de charme. Il avait ramené ma mère chez nous à sa sortie de l'hôpital, s'invitait chaque soir après être passé chez le traiteur et, le matin même, avait nettoyé toutes les gouttières autour de la maison. Je n'étais pas près de me laisser berner, mais je devenais folle en essayant de comprendre ses motivations. Il préparait quelque chose, mais quoi ?

Le rire de ma mère, qui porta jusqu'à l'étage, acheva de m'agacer. Rageusement, je composai un SMS pour Vee.

YO ! répondit-elle quelques instants plus tard.

J'AI 2 TICKETS POUR SERPENTINE. ÇA TE DIT ?

SERPENTQUOI ?

NOUVEAU GROUPE D'1 COPAIN DE LA FAMILLE. PREMIER CONCERT CE SOIR.

JE PASSE TE PRENDRE DANS 20 MIN.

Avec une précision diabolique, les pneus de sa voiture crissèrent dans l'allée. Je dévalai l'escalier, espérant atteindre la portée d'entrée avant d'avoir pu entendre ma mère embrasser goûlument Hank qui – j'avais eu la joie de l'apprendre – donnait des baisers mouillés.

— Nora ? appela ma mère à l'autre bout du couloir. Où vas-tu ?

— Je sors, avec Vee. Je serai à la maison vers vingt-trois heures.

Avant qu'elle ait pu s'interposer, je me précipitai à l'extérieur et me jetai dans la vieille Neon de Vee.

— Fonce ! Fonce ! Fonce ! m'exclamai-je.

Une chose était certaine, en cas d'échec à la fac, Vee pourrait toujours se recycler dans les cascades automobiles. Elle m'offrit une échappée spectaculaire, suffisamment bruyante pour effrayer un groupe d'oiseaux qui s'enfuirent aussitôt de l'arbre le plus proche.

— À qui était cette voiture, dans l'allée ? me demandat-elle en traversant la ville à toute allure, ignorant les panneaux de limitation.

Elle était parvenue, à grand renfort de larmes, à esquiver trois amendes pour excès de vitesse et se persuadait depuis qu'aucune loi ne pouvait lui résister.

— Hank, il l'a récupérée après l'accident.

— Notre très chère Marcie a dit à Lexi Hawkins, qui a dit à Michelle Van Tassel, qui me l'a répété, que Hank offre une coquette somme à qui donnera des informations menant à l'arrestation des barjots qui vous ont percutés sur la route.

Bonne chance, pensai-je.

Mais je me contentai de sourire, afin de ne pas éveiller les soupçons de Vee. Idéalement, j'aurais voulu tout lui raconter, à commencer par la façon dont Hank avait effacé mes souvenirs. Mais comment ? Comment lui expliquer ce que j'avais moi-même du mal à comprendre ?

Comment lui révéler ce monde cauchemardesque dont j'étais incapable de prouver l'existence ?

— Combien propose-t-il ? demandai-je. Ça me persuaderait peut-être de me remémorer un ou deux détails.

— Oublie ça. Vole-lui sa carte bancaire, ce sera plus rapide. Je doute qu'il remarque la disparition de quelques centaines de dollars. Et puis, même si tu te faisais prendre, il n'oserait pas porter plainte. Ça ficherait par terre toutes ses chances avec ta mère.

Si seulement c'était aussi simple, songeai-je avec amertume. Si seulement Hank était celui qu'il semblait être.

Le minuscule parking situé derrière le *Sac du diable* était bondé. Vee tourna en rond pendant quelques minutes, sans succès. Elle s'aventura donc quelques pâtés de maisons plus loin, et finit par effectuer un créneau approximatif, laissant l'arrière de sa voiture dépasser largement à l'intersection.

Elle sortit, observa son œuvre et haussa les épaules.

— Ce qui compte, c'est l'originalité, conclut-elle.

Nous ralliâmes la salle de concert à pied.

— Alors, qui est ce mystérieux ami de la famille ? Il est sexy ? Célibataire ?

— Eh bien, oui, je crois. Je te présente ?

— Merci, mais non merci. Je voulais simplement savoir s'il fallait l'avoir à l'œil. Je me méfie des hommes et mon radar anti-goujat s'affole d'autant plus quand il s'agit de jolis garçons.

Je m'esclaffai, imaginant un Scott reluisant et apprêté.

— Scott Parnell est tout sauf un joli garçon.

— Quoi ? Attends une seconde. C'est quoi cette histoire ? Tu ne m'a jamais dit que l'ami en question était Scotty le dieu du lit.

Je ne pouvais lui expliquer pourquoi je désirais ne pas ébruiter le retour de Scott, craignant que la nouvelle ne revienne aux oreilles de Hank.

— Désolée, ça m'est sorti de l'esprit, répondis-je innocemment.

— Notre Scotty a un corps qu'on n'oublie pas. Il faut le lui reconnaître.

Elle avait raison. Sans être une armoire à glace, Scott était très musclé et arborait une carrure parfaitement proportionnée qui n'avait rien à envier aux plus grands athlètes. S'il n'affichait pas perpétuellement cet air narquois, presque méprisant, Scott aurait sans doute attiré des wagons de filles. Même Vee, qui s'autoproclamait pourtant ennemie de la gent masculine.

À l'angle de la rue, le *Sac du diable* apparut. C'était un bâtiment sans âme de trois étages, à la façade recouverte de lierre et aux fenêtres condamnées. À droite du club, on trouvait le mont-de-piété et à gauche, une cordonnerie que je suspectais de tremper dans le trafic de fausses cartes d'identité. De nos jours, qui changeait encore ses semelles ?

— Ils filtrent, à l'entrée ?

— Pas ce soir. Il ne serviront pas d'alcool, puisque la moitié des membres du groupe sont mineurs. Scott n'a parlé que des billets.

Nous rejoignîmes la file qui s'était formée et, cinq minutes plus tard, nous passâmes les portes. La salle était spacieuse, avec des box à banquettes contre le bar et des tables dispersées plus près de la scène. Il y avait du monde, la queue s'allongeait encore à l'entrée et soudain je m'inquiétai pour Scott. J'observai la foule, guettant d'éventuels néphils. Je doutais que les sbires de Hank fréquentent l'endroit, cependant mieux valait rester sur ses gardes.

Vee et moi nous dirigeâmes vers le bar.

— Vous prenez quelque chose ? nous lança le serveur, un jeune homme roux qui ne lésinait ni sur l'eye-liner, ni sur les piercings.

— Un « suicide », répondit Vee. Vous savez, c'est quand on mélange un peu de tout dans le verre ?

— Vee, on a quel âge, là ? lui soufflai-je.

— Puisque nous n'avons pas l'âge de boire, autant profiter de notre enfance.

— Un Cherry Coke, dis-je au barman.

Tandis que nous sirotions nos sodas, nous fondant peu à peu dans l'ambiance de la salle, une blonde filiforme, ses longs cheveux négligemment ramenés en chignon, s'approcha d'un pas nonchalant. Elle s'accouda au comptoir en m'adressant un bref regard. Elle portait une grande robe de style bohémienne et adoptait sans effort un style hippie chic. Elle n'était pas maquillée, à l'exception du rouge carmin qui attirait l'attention sur ses lèvres dessinées et sa moue boudeuse.

— C'est la première fois que je vous vois, les filles, nous lança-t-elle, les yeux rivés sur la scène.

— Et alors ? rétorqua Vee.

La jeune femme éclata d'un rire doux et enfantin, qui avait pourtant quelque chose de glaçant.

— Lycéennes ? devina-t-elle.

Vee parut méfiante.

— Peut-être, peut-être pas. Et tu es... ?

— Dabria, se présenta la blonde avec un sourire ravageur, tout en me dévisageant. J'ai entendu parler de cette histoire d'amnésie. Pas de bol.

Je manquai de m'étouffer avec mon Cherry Coke.

— Ton visage me dit quelque chose, intervint Vee d'un air pincé. Mais pas ton nom.

Pour toute réponse, Dabria la toisa froidement.

— Non, je ne t'ai jamais rencontrée, reprit Vee d'une voix monocorde et lointaine. C'est la première fois que nous nous voyons.

— Est-ce qu'on peut parler ? Seules ? demandai-je à Dabria.

— J'attendais que tu me le proposes !

Je fendis la foule et suivis le couloir menant aux toilettes. Une fois à l'écart, je lui fis face.

— Primo, cesse d'hypnotiser mon amie. Secundo, qu'est-ce que tu fiches ici ? Tertio, tu es nettement plus jolie que Patch l'avait dit.

J'aurais sans doute pu me dispenser de cette dernière remarque, mais maintenant que nous étions seul à seul, je n'étais pas d'humeur à tourner autour du pot. Autant être directe.

— Et toi, répliqua-t-elle avec un sourire condescendant, tu es nettement plus quelconque que dans mon souvenir.

Je regrettai soudain de ne pas avoir passé quelque chose de plus habillé qu'un jean boyfriend, un tee-shirt et une casquette.

— Histoire d'être claire, tu ne l'intéresses plus, attaquai-je.

Dabria examina ses ongles avant de me jeter un regard sous ses longs cils.

— J'aimerais pouvoir en dire autant, répondit-elle sans dissimuler son amertume.

Qu'est-ce que je t'avais dit ? pensai-je à l'intention de Patch.

— Aimer sans retour, c'est moche, philosophai-je platement.

Dabria leva la tête pour observer la foule.

— Il est ici ?

— Non. Mais tu le savais sans doute puisque tu t'ingénies à le suivre.

— Oh ? demanda-t-elle malicieusement. Alors, il l'a remarqué ?

— Difficile de faire autrement puisque ton but dans la vie, c'est de te jeter à son cou.

— Soyons claires, contra-t-elle avec un sourire brusquement plus menaçant, si Jev n'était pas en possession d'unes de mes plumes, je t'emmènerais faire un petit tour dans la rue pour te flanquer sans hésitation sous les roues d'une voiture. Ton chevalier servant a pris l'habitude de te sauver la mise, mais à ta place, je me méfierais. Au fil des années, il a collectionné les ennemis, et inutile de te dire combien d'entre eux rêveraient de l'enchaîner en enfer. On ne peut pas traiter les gens comme il l'a fait et dormir sur ses deux oreilles.

Une froideur menaçante s'insinuait dans sa voix.

— S'il entend rester sur Terre, il serait préférable de ne pas se laisser distraire par une..., hésita-t-elle en me dévisageant de la tête aux pieds,... gamine comme toi. Ce dont il a besoin, c'est d'un allié. De quelqu'un qui puisse surveiller ses arrières et lui être utile...

— Et tu penses être la personne idéale ? grinçai-je.

— Je pense surtout que tu ferais mieux de viser parmi tes semblables. Jev ne veut pas d'attache. On voit tout de suite qu'avec lui, tu as du pain sur la planche.

— Il a changé, répliquai-je. Il n'est plus celui que tu as connu.

Son rire résonna dans le couloir.

— Je n'arrive pas à décider si ta naïveté m'enchante ou mérite une bonne paire de claques. Jev ne changera jamais. Il ne t'aime pas. Il se sert de toi pour atteindre la Main noire. As-tu une idée du prix sur la tête de Hank Millar ? Des millions. Jev veut cet argent autant que les autres déchus, et peut-être même davantage, car il lui permettrait de se débarrasser de ses ennemis qui, crois-moi, ne le lâcheront pas si facilement. Avec toi, l'héritière de la Main noire, il a une longueur d'avance. Tu peux l'approcher d'une façon qui ferait rêver n'importe quel déchu.

— Tu mens, répondis-je sans ciller.

— Je sais que tu souhaites la chute de Hank, chérie. Je sais aussi que tu désires l'anéantir de tes propres mains. Ce n'est pas une mince affaire, mais imaginons un instant que ce soit possible. Crois-tu vraiment que Jev te servirait Hank sur un plateau alors qu'il pourrait le remettre aux bonnes personnes, qui le lui échangeraient contre quelques dizaines de millions ? Réfléchis à tout ça.

Les sourcils levés, elle tourna les talons.

— Je ne sais pas toi, me lança Vee lorsque je regagnai le bar, mais cette fille ne me plaît pas. Mon détecteur de garces me dit qu'elle pourrait bien rivaliser avec Marcie.

Elle est pire, grinçai-je intérieurement. Bien pire.

— En parlant d'instinct, j'ignore quoi penser de ce Roméo, là-bas, reprit-elle en se redressant sur son tabouret.

Je suivis son regard et aperçus Scott, qui se frayait un chemin vers nous et dépassait le reste de la foule d'une bonne tête. Ses cheveux bruns décolorés par le soleil retombaient en bataille. Avec son jean déchiré et son tee-shirt à logo, il incarnait à merveille le rôle de bassiste du dernier groupe à la mode.

— Tu es venue ! me lança-t-il.

À son sourire en coin, je compris qu'il était ravi de me voir.

— Je n'aurais manqué ça pour rien au monde, plaisantai-je pour mieux dissimuler mon malaise quant à sa nouvelle attitude.

Un bref regard en direction de ses doigts m'apprit qu'il portait toujours l'anneau de la Main noire.

— Scott, je te présente ma meilleure amie, Vee Sky. Je ne sais plus si vous vous étiez déjà rencontrés.

— Enfin quelqu'un de plus grand que moi ici, déclara Vee en lui serrant la main.

— Euh oui, c'est de famille, du côté de mon père, répondit Scott, cherchant à éluder. Au sujet du bal de promo, poursuivit-il en se tournant vers moi. Une voiture passera te prendre demain soir à vingt et une heures. Le chauffeur te conduira jusqu'au gymnase et je te retrouverai là-bas. Oh, j'étais censé t'apporter ce machin en forme de fleurs, que tu accroches à ton poignet ? Je n'y avais pas pensé !

— Vous allez au bal ensemble ? s'exclama Vee, les sourcils froncés, agitant son index entre Scott et moi.

Quelle imbécile ! J'avais oublié de lui en parler. À ma décharge, j'avais des ennuis plus pressants.

— En amis, la rassurai-je. Veux-tu te joindre à nous ? Plus on est de fous, plus on rit.

— Mais c'est trop tard pour dénicher une robe ! gémit-elle.

— Nous irons chez Silk Garden demain matin, promis-je pour trouver une parade. Nous avons tout le temps. Tu louchais sur le modèle mauve à sequins, dans la vitrine !

Scott fit un geste en direction de la scène.

— Je vais m'échauffer un peu. Si ça vous dit de rester après le concert, retrouvez-moi dans les coulisses pour un accès VIP !

Au regard que me lança Vee, je sus que Scott venait de marquer des points. Pour ma part, j'espérais que Scott vivrait assez longtemps pour honorer sa promesse.

Scrutant discrètement la foule, je guettai le moindre signe de Hank, de ses hommes ou de tout autre problème.

Serpentine arriva sur scène, effectuant les derniers réglages sur les instruments. Scott bondit, fermant la marche, et passa la bandoulière de sa basse derrière son épaule. Le médiator entre les dents, il essaya quelques notes en dodelinant de la tête en rythme. Je me tournai vers Vee, qui tapait déjà du pied, dans le ton.

— Tu aurais quelque chose à me dire ? demandai-je avec un coup de coude.

— Il est sympa, admit-elle en dissimulant un sourire.

— Je croyais que tu étais en désintox ?

Elle me rendit violemment mon coup de coude.

— Ne joue pas les rabat-joie.

— Je voulais juste tirer les choses au clair.

— Imagine : si on finit ensemble, il m'écrira des chansons. Il faut le reconnaître : rien n'est plus sexy qu'un musicien.

— C'est ça, ironisai-je.

— Gnagnagna.

Les ingénieurs du son aidaient le groupe dans ses balances. L'un d'eux, à genoux, fixait des câbles avec du chatterton lorsqu'il releva la tête pour s'éponger le front. Mon regard se posa sur son bras et soudain, j'eus un mouvement de recul, surprise par une violente sensation de déjà-vu. Trois mots étaient tatoués sur sa peau.

DUR AU MAL

J'ignorais ce que cette combinaison de mots pouvait signifier, mais j'étais persuadée de les avoir déjà vus. Un voile se leva sur ma mémoire et je me souvins l'avoir aperçu, quelques instants après avoir été projetée hors de la voiture de Hank. *Dur et mal*, avais-je cru lire alors. Ce détail m'était sorti de l'esprit, mais j'étais certaine de ne pas me tromper. L'homme sur scène s'était trouvé là, immédiatement après l'accident. Il m'avait saisie par les poignets tandis que je perdais connaissance et m'avait traînée sur le sol, dans la boue. C'était forcément l'un des passagers du coupé marron.

Tandis que je tirais ces stupéfiantes conclusions, le déchu épousseta ses mains et sauta au bas de la scène, se frayant un chemin parmi les spectateurs. Il échangea quelques mots avec plusieurs personnes, s'avançant peu à peu vers le fond de la salle. Brutalement, il changea de trajectoire et s'engouffra dans le même étroit couloir où je m'étais trouvée avec Dabria quelques minutes auparavant.

—Je file aux toilettes, soufflai-je à Vee. Garde-moi la place.

Longeant la foule amassée devant le bar, je suivis le déchu. Au bout du corridor, je l'aperçus. Il était légèrement penché en avant et, en tournant, son profil se dessina sous la lumière. Il approcha un briquet de la cigarette coincée entre ses lèvres. Exhalant un panache de fumée, il sortit.

Je lui laissai quelques secondes d'avance et entrouvris la porte. Quelques fumeurs traînaient dans le passage, mais ils ne m'accordèrent qu'un regard distrait. Je m'avançai et cherchai le déchu. Il regagnait la rue. Il préférait peut-être s'isoler pour fumer, mais j'avais plutôt l'impression qu'il quittait les lieux.

Que faire ? J'aurais pu retourner prévenir Vee, mais je voulais autant que possible éviter de l'impliquer. J'aurais pu passer un coup de fil à Patch, mais le temps qu'il me rejoigne, le déchu aurait filé. Restait la solution proposée par Patch : immobiliser le déchu en frappant ses cicatrices et ensuite demander son aide.

Je décidai donc de l'avertir en priant pour qu'il se dépêche. Nous avions convenu de limiter nos communications aux cas d'extrême urgence, afin d'éviter toute trace d'appel. Mais si cette situation n'était pas critique, j'ignorais quand j'en verrais une.

SUIS DANS RUELLE DERRIÈRE SAC DU DIABLE, pianotai-je à la hâte. VU DÉCHU IMPLIQUÉ DS L'ACCIDENT. VISERAI LES CICATRICES.

J'atteignis la porte de service de la cordonnerie et remarquai une pelle à neige appuyée contre le mur. Sans réfléchir, je m'en saisis. Je n'avais pas le moindre plan, mais pour frapper le déchu, il me fallait une arme. Tout en gardant mes distances, je le suivis jusqu'au bout du passage. Il tourna au coin de la rue, jeta son mégot dans le caniveau et composa un numéro sur son portable.

Dissimulée dans l'ombre, je saisis des bribes de conversation.

— C'est fait. Il est ici. Oui, j'en suis certain.

Il raccrocha en se grattant la nuque et poussa un soupir hésitant. Ou peut-être résigné. Profitant de ce moment de flottement, je me glissai derrière lui et envoyai férocement la pelle dans son dos. Le choc fut bien plus puissant que je ne l'aurais cru. Dans le mille.

Le déchu chancela et plia le genou.

Je fis une seconde tentative, plus décidée, cette fois. Puis une troisième, une quatrième et encore une cinquième. Sachant que je ne pouvais le tuer, je lui assenai un dernier coup à la tête pour faire bonne mesure.

Flageolant, il perdit l'équilibre et s'effondra sur le sol. Du bout de ma chaussure, je m'assurai qu'il était bel et bien sonné.

L'écho de pas pressés résonna derrière moi et je me retournai, agrippant fermement le manche. Patch sortit de l'ombre, essoufflé par sa course. Il regarda le déchu, puis moi.

— Je... je l'ai eu, balbutiai-je, encore ébahie d'être parvenue si facilement à mes fins.

Doucement, Patch me prit la pelle des mains et la déposa sur le côté, un léger sourire au coin des lèvres.

— Mon ange, ce type n'est pas un déchu.

— Quoi ? m'exclamai-je en clignant des yeux.

Il s'agenouilla près de ma victime, dont il déchira la chemise. Je scrutai son dos, lisse et musclé, qui ne portait pas la moindre cicatrice.

— J'en étais pourtant certaine, bredouillai-je. J'étais persuadée que c'était lui ! J'ai reconnu son tatouage.

Patch leva les yeux vers moi.

— C'est un néphil.

Un néphil ? J'avais mis un néphil K.O. ?

Patch le fit rouler sur le dos et déboutonna sa chemise, examinant sa poitrine. Nos regards se posèrent simultanément sur une marque juste au-dessous de la clavicule. Elle représentait un poing fermé, devenu bien trop familier.

— Le symbole de la Main noire, commentai-je, surprise. Ceux qui nous ont attaqués ce jour-là et ont provoqué l'accident étaient des hommes de Hank ?

Qu'est-ce que cela pouvait bien signifier ? Et comment Hank avait-il pu se tromper à ce point ? Il avait pourtant dit qu'il s'agissait de déchus... Il paraissait si sûr de lui.

— Tu es persuadée de le reconnaître ? Il était dans la voiture marron ?

La colère bouillonnait en moi tandis que je réalisais l'étendue de mon erreur.

— Certaine.

28.

—Hank a orchestré cet accident, repris-je avec un calme effrayant. J'avais d'abord cru que cette embardée contrariait ses plans, mais rien de tout cela n'était dû au hasard. Il a ordonné à ses hommes de nous percuter, pour me persuader qu'il s'agissait des déchus. Et j'ai été assez stupide pour tomber dans le panneau !

Patch dissimula tant bien que mal le néphil derrière une haie envahie par les herbes.

—Comme ça, personne ne le remarquera avant qu'il ne se réveille, expliqua-t-il. Est-ce qu'il t'a reconnue ?

—Non, je l'ai pris par surprise, répondis-je distraitement. Mais pourquoi Hank aurait-il monté ce canular ? Cela semble complètement inutile. Il a démoli son 4 x 4 et reçu quelques méchants coups, pourquoi ? Ça n'a aucun sens.

—Et c'est pourquoi je ne te perds plus de vue avant d'avoir résolu le mystère, déclara Patch. Retourne à l'intérieur et explique à Vee que tu rentres sans elle. Je te retrouve devant l'entrée dans cinq minutes.

J'eus soudain très froid et frictionnai vigoureusement mes bras.

—Viens avec moi. Je ne veux pas rester seule. Et si d'autres sbires de Hank se promenaient dans la salle ?

Il jura, trahissant son impuissance.

— Si Vee nous aperçoit ensemble, les choses risquent de se compliquer. Trouve un prétexte pour t'en aller et dis-lui que tu l'appelleras plus tard. Je t'attends devant les portes et je ne te quitte pas des yeux.

— Elle ne marchera pas. Elle est devenue bien trop méfiante. Je rentre avec elle, proposai-je, cherchant une alternative. Dès qu'elle sera partie, je te retrouverai sur la route, en bas de chez moi. Hank est avec ma mère, donc ne t'approche pas trop près.

Patch m'attira contre lui pour me donner un baiser bref et déterminé.

— Sois prudente.

Dans la salle, une rumeur impatiente parcourait le public. Les gens jetaient des serviettes en papier et des pailles en plastique sur la scène. Sur le côté droit, une bande d'ados se mit à scander « REMBOURSEZ ! ». Je me frayai un chemin jusqu'à Vee.

— Que se passe-t-il ?

— Scott s'est débiné. Il a pris ses jambes à son cou. Et le groupe ne peut pas jouer sans lui.

Je pâlis.

— Débiné ? Mais pourquoi ?

— J'aurais pu lui poser la question si je l'avais rattrapé, mais il a filé plus vite que son ombre pour rejoindre la sortie. Au début, tout le monde a cru à une blague.

— On ferait mieux de partir d'ici. Ça risque de tourner à l'émeute.

— Je vote pour, acquiesça Vee en se laissant glisser du tabouret avant de se diriger vers les portes.

Vee me raccompagna jusque chez moi. Elle immobilisa sa voiture devant la maison et reprit :

— D'après toi, quelle mouche l'a piqué ?

Je fus tentée d'éluder, mais j'étais fatiguée de ces mensonges.

— Je crains qu'il n'ait des ennuis.

— Quel genre d'ennuis ?

— Il a fait pas mal de bêtises et s'est mis les mauvaises personnes à dos.

Tout d'abord stupéfaite, Vee parut soudain sceptique.

— Des mauvaises personnes ? Qui, par exemple ?

— Des gens très dangereux, Vee.

Pas la peine de lui en dire davantage.

— Alors qu'est-ce qu'on fait encore ici ? s'exclama-t-elle en passant aussitôt la marche arrière. Scott est seul quelque part et il a besoin de notre aide.

— On ne peut rien pour lui. Ceux qui sont à sa recherche n'ont aucun scrupule et n'hésiteraient pas à s'en prendre à nous. Mais je connais quelqu'un qui, avec un peu de chance, lui permettra de quitter la ville dès ce soir.

— Quitter la ville ???

— Il n'est plus en sécurité, ici. Ses poursuivants se doutent probablement qu'il essaiera de filer, mais Patch trouvera le moyen de les berner.

— Minute ! Attends un peu, c'est ce cinglé que tu as chargé d'aider Scott ? s'écria-t-elle, le regard furibond. Ta mère sait que tu le revois ? Et ça ne t'a jamais effleurée, ne serait-ce qu'une seconde, de me mettre au courant ? Je t'ai menti à son sujet, prétendant qu'il n'avait jamais existé, et pendant tout ce temps tu le retrouvais en douce ?

Cette confession éhontée, qui ne trahissait pas le moindre remords, me mit hors de moi.

— Alors, tu t'es décidée à avouer, au sujet de Patch.

— Avouer ? Avouer ? Je t'ai menti parce que, contrairement à cette ordure, je m'inquiète pour toi. Ce type

341

est un malade. Depuis qu'il est apparu, ta vie a complètement changé. La mienne aussi, puisqu'on en parle. Je
préférerais en découdre avec des repris de justice plutôt
que de croiser Patch dans une rue sombre. Il sait exactement comment se servir des gens et, visiblement, il a
déjà recommencé.

J'ouvris la bouche, si ulcérée que j'avais du mal à penser clairement.

— Si tu le voyais comme je le vois...

— Si ça devait arriver, je m'empresserais de m'arracher les yeux !

Je fis de mon mieux pour me dominer. Même hors
de moi, je devais rester logique.

— Tu m'as menti, Vee. Tu m'as menti sans hésiter.
Ça ne m'a pas surpris de la part de ma mère, de la
tienne, si ! conclus-je en poussant la portière. Comment
comptais-tu te justifier une fois que j'aurais retrouvé la
mémoire ?

— J'espérais que ça n'arriverait pas ! rétorqua-t-elle
en levant les mains. Voilà, c'est dit. Si ça te permettait
d'oublier ce tordu, c'était mieux pour toi. Quand tu es
avec lui, tu n'es plus toi-même. C'est comme si tu ne
voyais que le minuscule fragment de type honnête qui
subsiste en lui, en oubliant qu'il est à quatre-vingt-dix-
neuf pour cent psychopathe.

J'en restai bouche bée.

— Autre chose ? grinçai-je.

— Non. Ça résume assez bien mon sentiment sur le
sujet.

Je bondis hors de la voiture et claquai la portière. Vee
ouvrit sa vitre pour y passer la tête.

— Quand tu reprendras tes esprits, tu sais où me
joindre, lança-t-elle.

Elle fit vrombir le moteur et fit demi-tour, avant de disparaître dans la nuit.

Je me tins dans l'ombre de la maison, tâchant de retrouver mon calme. Je songeai aux bribes de réponses, toujours vagues, que Vee s'était contentée de me donner à ma sortie de l'hôpital, alors que j'étais totalement impuissante, et je sentis ma colère sur le point d'exploser. Je lui avais fait confiance. Je comptais sur elle pour me révéler ce dont j'étais incapable de me souvenir. Pire, elle avait comploté avec ma mère derrière mon dos, se servant de mon amnésie pour me cacher la vérité. Par leur faute, j'aurais pu ne jamais retrouver Patch.

Folle de rage, je faillis en oublier mon rendez-vous avec lui, en bas de la route. Muselant ma colère, je quittai la maison en courant, guettant le moindre signe de sa présence. Lorsque enfin je distinguai sa silhouette, l'impression d'avoir été trahie s'estompait peu à peu, mais je n'étais pas près de pardonner à Vee.

Patch m'attendait sur le bas-côté, juché sur une vieille Harley-Davidson Sportster noire. En le voyant, je perçus un changement palpable dans l'atmosphère ; une sensation enivrante de danger vibrait dans l'air comme une onde électrique. Je l'aperçus et m'arrêtai net. Mon cœur palpitait, comme si Patch le tenait serré au creux de sa main et lui intimait ses volontés, par d'étranges et secrets desseins. Baignant dans le rayon de lune, il aurait presque pris des allures de criminel.

Lorsque je m'approchai, il me tendit un casque.

— Qu'as-tu fait du 4 x 4 ?

— J'ai dû m'en débarrasser. Trop reconnaissable, surtout pour les hommes de Hank. Je l'ai abandonné dans un champ en friche. Un clochard du nom de Chambers y a élu domicile.

Malgré mon humeur massacrante, j'éclatai de rire. Patch leva un sourcil, surpris.

— Après la soirée que je viens de passer, j'avais besoin de ça.

Il m'embrassa, puis ajusta la sangle sous mon menton.

— Ravi d'être utile. Allez, grimpe, mon ange. Je te ramène à la maison.

Malgré sa situation souterraine, une douce chaleur régnait dans l'appartement de Patch lorsque nous y pénétrâmes. Je me demandai brièvement si les tuyaux de vapeur qui parcouraient le sous-sol de Delphic le maintenaient à une certaine température. Il y avait aussi une cheminée, que Patch s'empressa d'allumer. Il suspendit mon manteau dans un placard, derrière l'entrée.

— Tu as faim ? s'enquit-il.

— Ne me dis pas que tu as fait les courses pour moi ! répondis-je, abasourdie.

Il m'avait expliqué que les anges ne possédaient pas le sens du goût et n'avaient pas besoin de nourriture, ce qui rendait ce genre de corvée superflu.

— Il y a un supermarché bio à la sortie de l'autoroute. Je n'avais plus mis les pieds dans ce type de magasins depuis des lustres ! ajouta-t-il, les yeux rieurs. Je me suis peut-être un peu emballé.

Je pénétrai dans la cuisine flambant neuve. Elle était équipée d'appareils dernier cri, avec un plan de travail en granit noir et des placards en noyer. Le style avait quelque chose de viril et racé. Je passai en revue le contenu du réfrigérateur.

Outre des bouteilles d'eau diverses, je dénombrai un assortiment hétéroclite de salades, pousses d'épinards, champignons, gingembre, gorgonzola, fêta, beurre de cacahuète et lait d'un côté, puis de hot-dogs, charcuterie,

Coca, mousse au chocolat et chantilly de l'autre. Je luttai pour réprimer un fou rire en imaginant Patch pousser un caddie dans les rayons et le remplir au gré de sa fantaisie.

J'attrapai un pot de mousse et lui en proposai un, qu'il refusa d'un signe de tête. Il se hissa sur l'un des tabourets et s'accouda au bar, pensif.

— Est-ce que tu te rappelles quelque chose d'autre après la collision, avant que tu ne perdes connaissance ?

Je dénichai une cuillère dans un tiroir et entamai la mousse au chocolat.

— Non. Mais il y a quelque chose de bizarre : l'accident s'est produit juste avant la pause déjeuner. J'ai d'abord cru avoir perdu conscience seulement quelques minutes, mais quand je me suis réveillée à l'hôpital, il faisait déjà nuit. Ce qui implique un trou de six heures, durant lesquelles j'ignore ce qui a pu arriver. Étais-je avec Hank ? Aux urgences ?

L'inquiétude parut le gagner.

— Je sais que ça ne te plaira pas, mais si Dabria pouvait approcher Hank, elle pourrait tenter d'en apprendre davantage. Elle ne peut voir son passé, mais si vraiment elle possède toujours certains de ses pouvoirs et peut lire son avenir, nous aurions quelques pistes. Quoi qu'il lui réserve, le futur dépend de son passé. Cependant, il ne sera pas simple de mettre Dabria en présence de Hank. Celui-ci se montre particulièrement prudent et ne se déplace jamais sans une bonne vingtaine d'hommes qui forment une barrière infranchissable autour de lui. Même lorsqu'il est chez toi, ses sbires montent la garde près de la maison et quadrillent les champs avoisinants, jusqu'à la route.

Je ne m'en étais jamais rendu compte et cette nouvelle ne fit qu'accentuer mon impression d'intrusion.

— En parlant de Dabria, elle était au *Sac du diable*, ce soir, repris-je, feignant le détachement. Elle est gentiment venue se présenter.

Je guettai la réaction de Patch. J'ignorais ce que je cherchais, mais je savais reconnaître un signe lorsque j'en voyais un. À sa décharge, et à ma grande frustration, il ne trahit rien.

— Elle disait que la tête de Hank était mise à prix, poursuivis-je. Dix millions de dollars au déchu qui pourra le livrer. D'après elle, certains voudraient étouffer dans l'œuf sa rébellion et, même si elle ne m'a pas donné de détails, je pense pouvoir comprendre seule le reste. Je ne serais pas surprise que quelques néphils s'opposent à l'ascension de Hank. Des néphils qui préféreraient le voir enfermé. Des néphils, repris-je après une pause emphatique, qui vont tenter de le renverser.

— Dix millions, c'est une jolie somme, commenta-t-il avec toujours autant d'indifférence.

— Tu comptais me vendre à ce prix, Patch ?

Un long silence s'installa et, lorsqu'il me répondit enfin, sa voix contint mal son ironie.

— Tu réalises ce que Dabria essaie de faire ? Elle t'a suivie jusqu'au *Sac du diable* dans un but et un seul : te faire douter de moi. Que t'a-t-elle raconté ? Que j'ai perdu toute ma fortune au jeu et que je ne résisterais pas à une récompense aussi tentante ? Non, à voir ton expression, ça n'est pas ça. Alors elle t'a sûrement dit que j'avais des filles dans chaque port et que dix millions ne seraient pas de trop pour toutes les entretenir, peut-être ? La jalousie serait davantage son style, et je parie que si je n'ai pas encore touché au but, je brûle...

Je relevai le menton, dissimulant mes craintes derrière une autre bravade.

— D'après elle, tu as une longue liste d'ennemis dont tu souhaiterais te débarrasser avec de l'argent.

Patch éclata de rire.

— Effectivement, je ne compte plus les ennemis. Je n'ai pas l'intention de le nier. Pourrais-je m'en libérer avec dix millions ? Peut-être, peut-être pas, la question n'est pas là. J'ai toujours une longueur d'avance sur mes adversaires et j'entends la garder. Obtenir la tête de Hank sur un plateau représente bien davantage pour moi qu'une grosse somme, et maintenant que tu partages ce désir, ma détermination est encore plus grande, néphil ou pas.

Je ne sus quoi répondre. Patch avait raison. On ne pouvait se contenter d'enfermer Hank pour le restant de ses jours. Il avait détruit ma vie, ma famille et ne méritait rien de moins que de disparaître.

Il pressa son index sur ses lèvres et aussitôt, je me tus. Quelques instants plus tard, on tambourina énergiquement à la porte.

Nous échangeâmes un regard et la voix de Patch s'insinua dans mes pensées.

Je n'attendais personne. Enferme-toi dans la chambre.

J'acquiesçai d'un signe de tête et traversai furtivement l'appartement pour me réfugier dans la chambre de Patch. À travers la porte, je l'entendis éclater d'un rire rauque. Les paroles qui suivirent me parurent menaçantes.

— Qu'est-ce que tu fais là ?

— Je tombe mal ? répondit une voix étouffée.

Une voix féminine qui m'était étrangement familière.

— Comme tu dis.

— C'était important.

L'inquiétude et l'agacement montèrent en moi tandis que je devinais peu à peu l'identité de ce visiteur. Dabria s'était invitée à l'improviste.

— J'ai quelque chose pour toi, susurra-t-elle, un rien trop mielleuse, un rien trop aguicheuse.

Ben voyons. J'étais tentée de sortir pour lui souhaiter moi aussi la bienvenue, mais me retins. Elle serait sans doute mieux disposée à parler si elle ignorait ma présence. Entre ma fierté et la perspective de renseignements, cette dernière finit par l'emporter.

— La chance est avec nous. La Main noire m'a contactée un peu plus tôt dans la soirée, poursuivit-elle. Il me proposait un rendez-vous contre une rétribution alléchante et j'ai accepté.

— Il veut que tu lui prédises son avenir.

— Exact, pour la seconde fois en deux jours. Nous avons un néphil très précautionneux entre les mains. Il est minutieux, mais moins prudent qu'il ne l'était. Il commet quelques petites erreurs. Cette fois, il n'a même pas pris la peine de s'encombrer de ses gardes du corps. Sans doute voulait-il garder notre conversation secrète. Il m'a demandé de lire son avenir à deux reprises, afin de s'assurer que les deux versions concordaient. J'ai fait mine de ne pas m'en offusquer, mais je n'apprécie pas qu'on mette ma parole en doute.

— Que lui as-tu dit ?

— En théorie, les visions doivent rester entre le client et la prophétesse, mais je suis disposée à conclure un marché, annonça-t-elle, d'un air enjôleur. Qu'as-tu à me proposer ?

— Prophétesse ?

— Ça sonne bien, tu ne trouves pas ?

J'entendis presque Patch lever les yeux au ciel.

— Dix milles.

— Quinze.

— Douze. Ne pousse pas trop.

— Toujours un plaisir de traiter avec toi, Jev. Comme au bon vieux temps. Nous formions une belle équipe.

Ce fut à mon tour de lever les yeux au ciel.

— À présent, parle, intima Patch.

— J'ai vu la mort de Hank et la lui ai annoncé sans détour. Je ne pouvais lui donner les détails, mais j'ai prédit que le monde perdrait l'un de ses néphils très bientôt. Je commence à croire que l'expression « immortel » est abusive. D'abord Chauncey, maintenant Hank...

— Sa réaction ?

— Aucune. Il a quitté les lieux sans un mot.

— Autre chose ?

— Tu dois savoir qu'il est en possession d'une chaîne d'archange. J'ai senti sa présence.

Marcie était-elle parvenue à me voler celle de Patch ? Bizarrement, elle avait décliné ma proposition et refusé de venir chez moi afin de trouver les bijoux assortis à ma robe. Bien sûr, je n'aurais pas été surprise que Hank lui ait donné les clés de la maison pour fouiller ma chambre pendant mon absence.

— Tu ne connaîtrais pas un ancien archange qui aurait perdu sa chaîne, par hasard ? demanda Dabria, suspicieuse.

— Je te virerai l'argent dès demain, se contenta de répondre Patch.

— Pourquoi Hank voulait-il cet objet ? insista-t-elle. Lorsqu'il est sorti, je l'ai entendu ordonner qu'on l'emmène à « l'entrepôt ». Qu'y a-t-il dans cet entrepôt ?

— C'est toi la prophétesse, non ? répliqua-t-il d'un ton moqueur.

Le rire cristallin de Dabria résonna dans l'appartement. Elle se fit plus taquine.

— Je devrais peut-être regarder ton avenir de plus près. Il se pourrait que je sois concernée.

Là-dessus, je bondis et sortis de la chambre, tout sourire.

— Bonsoir, Dabria. Quelle bonne surprise !

Elle se retourna et m'observa d'un air furieux. Je m'étirai.

— Je faisais une petite sieste. Ta voix si mélodieuse m'a réveillée.

— Dabria, intervint Patch d'un ton jovial. Je crois que tu connais ma petite amie.

— Oh, on se connaît, répondis-je. J'ai même survécu à notre rencontre.

Dabria ouvrit la bouche et la referma. Ses joues se coloraient d'un rose de plus en plus vif.

— Il semble que Hank ait mis la main sur une chaîne d'archange, m'informa Patch.

— On peut dire que ça tombe bien.

— Maintenant, nous devons découvrir ce qu'il a l'intention d'en faire.

— Je prends mon manteau.

— Tu restes ici, mon ange, ordonna Patch d'une voix qui ne me plaisait guère.

Il n'avait pas pour habitude de laisser paraître ses émotions, mais je décelai dans son ton une détermination mêlée à... l'inquiétude.

— Tu comptes y aller seul ?

— D'abord, Hank ne doit pas nous voir ensemble. Ensuite, je ne veux pas t'attirer dans une situation qui pourrait rapidement dégénérer. Et s'il te faut une troisième raison, je t'aime. Pour l'instant, je m'aventure dans le noir, mais j'ai besoin de savoir qu'à la fin de la nuit, je pourrai te retrouver.

Je clignai des yeux. Jamais Patch n'avait prononcé de paroles aussi tendres. Mais il n'était pas question de céder.

— Tu avais promis, lui rappelai-je.

— Et je tiendrai ma promesse, répondit-il en enfilant son blouson de cuir.

Il traversa la pièce et inclina la tête vers moi.

Ne songe même pas à mettre un pied dehors, mon ange. Je reviendrai le plus vite possible. Je ne peux pas laisser Hank passer la chaîne au cou de l'archange sans écouter leur conversation. En restant à découvert, tu risques trop gros. Il a déjà obtenu l'une des choses qu'il désirait, ne lui en offrons pas une autre. Nous allons en finir, une fois pour toutes.

— Promets-moi de rester ici, où je te sais en sécurité, insista-t-il à voix haute. Sinon, je demande à Dabria de jouer les chiens de garde.

Il leva un sourcil, comme pour me dire « à toi de choisir ».

J'échangeai un regard avec Dabria, qui paraissait aussi furieuse que moi.

— Reviens vite, le suppliai-je.

29.

Je fis les cent pas dans l'appartement en me persuadant de ne pas me lancer à sa poursuite. Il m'avait pourtant promis – promis ! – de ne pas se charger seul de Hank. Ce combat était autant le mien que le sien, peut-être même davantage. Après ce que Hank m'avait fait subir, j'avais gagné le droit de lui infliger moi-même son châtiment. Patch m'avait assuré qu'il trouverait le moyen de tuer Hank et je voulais être celle qui l'enverrait dans une autre vie, où les crimes qu'il avait pu commettre le hanteraient pour l'éternité.

Mais la petite voix du doute s'insinuait dans mon esprit. *Dabria a raison... Patch a besoin d'argent. Il compte livrer Hank aux bonnes bonnes personnes, me donner ma part et s'en tenir là.* Entre demander la permission et implorer le pardon, il préférait toujours la deuxième solution. N'était-ce pas ce qu'il avait dit lui-même ?

J'agrippai le dossier du canapé et pris une profonde inspiration afin de me calmer, tout en imaginant des raffinements de tortures que je réservais à Patch s'il s'avisait de rentrer sans ramener Hank – en vie.

La sonnerie de mon portable retentit au fond de mon sac.

— Où es-tu ? répondis-je aussitôt.

À l'autre bout de la ligne, je ne perçus d'abord qu'une respiration saccadée.

— Ils sont sur mes traces, Grey. Ils étaient au *Sac du diable*. Les hommes de Hank. J'ai filé.

— Scott !

Ça n'était pas la voix que j'attendais, mais celle-ci n'en demeurait pas moins importante.

— Où es-tu ?

— Je ne peux rien dire au téléphone. Je dois quitter la ville. En atteignant la gare des bus, j'ai découvert que Hank avait déjà fait surveiller l'endroit. Il a des hommes partout, des amis dans la police, auxquels il a sans doute transmis mon signalement. Deux flics m'ont pris en chasse jusque dans une supérette, mais j'ai pu les semer en filant par la porte de derrière. J'ai dû abandonner mon coupé et je n'ai plus de véhicule. Il me faut de l'argent, autant de liquide que tu pourras en réunir, de quoi teindre mes cheveux et de nouveaux vêtements. Si tu peux te passer de la Volkswagen, je te l'emprunte aussi. Je te rembourserai dès que possible. Tu peux me retrouver d'ici une demi-heure dans ma cachette ?

Que pouvais-je répondre ? Patch m'avait demandé de ne pas bouger, mais comment attendre tranquillement son retour alors que l'étau se resserrait autour de Scott ? Puisque Hank était occupé à l'entrepôt, le moment semblait idéal pour tenter de lui faire quitter la ville. Moi aussi, j'implorerais son pardon plus tard.

Dès que j'eus raccroché, je retournai l'appartement, fouillant placard et tiroirs à la recherche de tout ce qui pourrait être utile à Scott : jeans, tee-shirt, chaussettes, chaussures... Il était légèrement plus grand, mais ça ferait l'affaire.

En ouvrant une armoire ancienne en acajou, je m'arrêtai net, stupéfaite par son contenu. Sa garde-robe

était impeccablement organisée. Les pantalons s'empilaient sur les étagères, les chemises repassées se succédaient sur des cintres. Patch possédait pas moins de trois
costumes, un noir ajusté aux revers étroits, un autre à
rayures, et un dernier, gris anthracite à surpiqûres. Une
boîte renfermait un assortiment de pochettes en soie et,
dans un tiroir, je remarquai une collection de cravates
couvrant toute une gamme de couleurs, des rouges au
noir en passant par le mauve. Parmi ses chaussures, on
trouvait des baskets noires, des Converse, des mocassins
et même une paire de tongs en cuir pour faire bonne
mesure. L'odeur boisée du cèdre embaumait le meuble.
Je découvrais un aspect de sa personnalité qui m'était
totalement étranger. Le Patch que je connaissais ne portait que des jeans, des tee-shirts et une casquette
informe. Verrais-je jamais cette facette de son personnage ? Y'avait-il une limite au nombre de visages qu'il
pouvait arborer ? Plus je pensais le connaître et plus le
mystère s'épaississait. Et cette nouvelle vague de doutes
raviva mes interrogations : Patch s'apprêtait-il à me trahir ?

Je refusais d'y croire, mais je devais me rendre à l'évidence : j'étais au pied du mur.

Dans la salle de bains, je fourrai un rasoir, du savon
et de la crème à raser dans un sac de voyage. Je dénichai
ensuite un bonnet, des gants et une paire de Ray-Ban
aux verres fumés. Dans l'un des tiroirs de la cuisine, je
mis la main sur plusieurs fausses cartes d'identité ainsi que
sur un rouleau de billets qui se montait à un peu plus de
cinq cents dollars. Patch ne serait pas ravi d'apprendre
que je le détroussais au profit de Scott, mais étant donné
les circonstances, je n'avais d'autre choix que de jouer
les Robin des Bois.

Je n'avais aucun moyen de locomotion, mais la grotte de Scott ne pouvait se trouver à plus de six kilomètres du parc. Je longeai la route à petites foulées, dissimulant mon visage sous la capuche d'une veste empruntée à Patch. À mesure que minuit approchait, un flot croissant de voitures quittait le parking de Delphic. En me dépassant, certaines klaxonnèrent, mais je parvins à me faire relativement discrète.

Laissant les lumières de Delphic derrière moi, je finis par reconnaître au loin la bretelle d'accès à l'autoroute. Je sautai par-dessus la barrière et me dirigeai vers la plage. Me félicitant d'avoir pensé à prendre une lampe, j'entamai la portion la plus difficile du trajet en promenant le faisceau le long de la roche inégale.

Je comptai vingt minutes de marche. Puis trente. J'ignorais où j'étais, incapable de me repérer sur cette partie du littoral où l'océan, noir et scintillant, s'étendait à perte de vue. Je songeai à crier pour prévenir Scott, mais m'abstins, tenaillée par la crainte que les hommes de Hank lui aient tendu un piège. De temps à autre, j'orientais ma lampe électrique vers la plage, dans l'espoir de lui indiquer ma présence.

Dix minutes plus tard, un étrange cri d'oiseau me parvint des rochers, un peu plus haut. Je m'arrêtai et tendis l'oreille. L'appel reprit, plus fort. Je levai la torche.

— Baisse ta lampe ! siffla Scott.

Je grimpai sur les rochers, traînant laborieusement le sac de voyage derrière moi.

— Désolée d'être en retard, dis-je en lâchant le sac à ses pieds avant de m'effondrer sur une pierre, à bout de souffle. J'étais à Delphic quand tu m'as appelée. Je n'ai pas la Volkswagen, mais je t'ai trouvé des vêtements chauds et un bonnet pour dissimuler tes cheveux. Il y a aussi cinq cents dollars en liquide. Je n'ai pas pu faire mieux.

Certaine qu'il me questionnerait sur l'origine des affaires et de l'argent, il me surprit en me serrant dans ses bras.

— Merci, Grey, murmura-t-il avec ferveur à mon oreille.

— Tu vas t'en sortir ? soufflai-je.

— Ce que tu m'as apporté m'aidera. Je peux peut-être quitter la ville en stop.

— Si je te demandais d'abord de faire quelque chose pour moi, tu serais prêt à m'écouter ?

Il parut intrigué et je pris une profonde inspiration.

— Je veux que tu te débarrasses de l'anneau de la Main noire. Jette-le dans l'océan. J'y ai bien réfléchi. La bague t'attire vers Hank. Il l'a sûrement ensorcelée et, en la portant, tu lui permets d'exercer un pouvoir sur toi.

J'étais désormais persuadée que Hank s'était servi du démonium sur l'anneau. Plus il resterait au doigt de Scott, plus il lui serait difficile de l'enlever.

— C'est la seule explication possible. Réfléchis ! Hank veut te retrouver. Il cherche à t'attirer dans un piège et cette bague s'avère particulièrement efficace.

Je m'attendais à des protestations, mais à son expression résignée, je compris qu'il partageait mes conclusions. Il avait simplement refusé de les admettre.

— Et les pouvoirs ?

— Ils n'en valent pas la peine. Tu as tenu trois mois en ne comptant que sur tes propres forces. Quel que soit le sortilège jeté sur l'anneau, il est plus dangereux qu'utile.

— Ça a tellement d'importance pour toi ? me demanda doucement Scott.

— C'est toi qui as de l'importance.

— Et si je refuse ?

—Je tenterai de te l'enlever de force. Je n'ai aucune chance de te battre, mais je me dois au moins d'essayer.

—Tu te risquerais à m'affronter, Grey? dit-il d'un ton plein de dérision.

—Ne m'oblige pas à te le prouver.

Stupéfaite, je le regardai ôter l'anneau. Il le tint entre ses doigts et le considéra longuement.

—Voilà ta minute émotion, lança-t-il en jetant la bague dans les vagues.

Je poussai un profond soupir.

—Merci, Scott.

—D'autres requêtes de dernière minute?

—Oui : file ! grinçai-je, tâchant de dissimuler mon chagrin.

Maintenant que les événements prenaient une tournure inattendue, je réalisais brusquement que je ne voulais pas le voir partir. Et si nos adieux étaient définitifs? Je clignai furieusement des yeux pour ravaler mes larmes.

—Tu rendras visite à ma mère, de temps à autre? me demanda-t-il en soufflant sur ses mains glacées. Pour t'assurer qu'elle tient le coup?

—Bien sûr.

—Tu ne dois rien lui dire, à mon sujet. La Main noire ne la laissera pas tranquille s'il pense qu'elle sait quelque chose.

—Je veillerai sur elle, promis-je en le poussant légèrement. Maintenant, va-t'en, avant que je ne me mette à pleurer.

Scott se tint un instant immobile. Une curieuse expression passa sur son visage. Il paraissait nerveux, mais pas tout à fait. Plus optimiste qu'angoissé. Il se pencha et m'embrassa, pressant tendrement ses lèvres contre les miennes. Abasourdie, je n'eus pas le temps de réagir.

— Tu auras été une amie fidèle, déclara-t-il. Merci de m'avoir aidé.

Je posai les doigts sur mes lèvres. J'avais tant à lui dire, mais les mots s'évanouirent. Car ce n'était plus Scott que je voyais, mais les hommes derrière lui. Un groupe de néphils grimpaient sur les rochers, armés, le regard aussi dur que déterminé.

Les mains en l'air ! Les mains en l'air !

Je perçus l'ordre, mais les voix me parurent curieusement déformées, comme passées au ralenti. Un bourdonnement étrange résonna à mes oreilles et s'amplifia jusqu'à devenir un rugissement. Leurs bouches, contractées par la colère, s'ouvraient et se refermaient. L'acier des armes luisait dans la nuit. Arrivant de toutes les directions, ils nous avaient encerclés.

La lueur d'espoir qui éclairait le regard de Scott disparut, remplacée par la peur.

Il lâcha le sac de voyage et plaça les mains derrière la tête. Quelque chose, un coude peut-être, sortit de nulle part et s'abattit violemment sur son crâne.

Lorsque Scott s'effondra, je cherchais encore mes mots. La peur agissait comme un bâillon, que même un cri ne put franchir.

Au bout du compte, entre nous, seul demeurait le silence.

30.

On m'enferma dans le coffre d'une Audi, les poings ligotés et les yeux bandés. J'avais hurlé jusqu'à perdre la voix, mais le conducteur avait dû emprunter une route déserte, car il n'avait même pas tenté de me faire taire.

J'ignorais ce qu'il était advenu de Scott. Les hommes de Hank nous avaient encerclés sur la plage, puis traînés dans des directions opposées. Je l'imaginai enchaîné, prisonnier d'une geôle souterraine, à la merci de Hank...

Je me débattis à coups de pied, jurant et vociférant. Un sanglot m'échappa et je fondis en larmes.

Enfin, le véhicule ralentit et s'arrêta. Des pas crissèrent sur des graviers et je perçus le grincement de la clé dans la serrure. Le coffre s'ouvrit et deux paires de mains me soulevèrent avant de me laisser tomber sur le sol. Engourdies durant le trajet, mes jambes fourmillaient comme si on m'enfonçait des centaines d'épingles dans la plante des pieds.

— Et celle-ci, qu'est-ce qu'on en fait, Blakely ? demanda l'un de mes ravisseurs.

Sa voix indiquait qu'il ne devait pas avoir plus de dix-huit ou dix-neuf ans. Sa force était herculéenne.

— À l'intérieur, répondit un autre – sans doute Blakely.

On me poussa le long d'une rampe d'accès, puis on me fit passer une porte. Le froid et le silence régnaient dans le bâtiment. La pièce empestait l'essence et la térébenthine. Étais-je dans l'un des hangars de Hank ?

— Vous me faites mal, dis-je aux deux hommes qui m'encadraient. Vous voyez bien que je ne peux pas m'enfuir, détachez-moi au moins les mains !

Sans même répondre, ils m'entraînèrent en haut d'un escalier, puis au travers d'une seconde porte. On me fit ensuite asseoir sur un siège en métal, auquel on m'attacha les chevilles.

Quelques minutes plus tard, la porte se rouvrit. Avant même qu'il ait prononcé un mot, je reconnus Hank à son parfum écœurant qui me glaça.

Ses doigts fins dénouèrent mon bandeau, qui retomba sur mon cou. Je clignai des yeux, tâchant de discerner la pièce autour de moi. À l'exception d'une table et d'une seconde chaise pliante, elle était totalement vide.

— Qu'est-ce que vous voulez ? lançai-je, d'une voix légèrement tremblante.

— Discuter, répondit-il en tirant la chaise qu'il positionna face à moi.

— Je ne suis pas d'humeur, répliquai-je placidement.

Il se pencha vers moi et plissa les yeux, accentuant les ridules qui encadraient ses paupières.

— Sais-tu qui je suis, Nora ?

— Au hasard ? rétorquai-je avec des sueurs froides. Un menteur, un manipulateur, une espèce de sale petit…

La gifle partit avant que j'aie eu le temps d'esquiver. La violence du coup me fit reculer, trop choquée pour pleurer.

— Sais-tu que je suis ton véritable père ? demanda-t-il d'un ton qui m'agaçait.

— Un père, c'est une idée si abstraite. Une ordure, en revanche...

— Alors laisse-moi te poser la question, poursuivit-il avec un bref hochement de tête. Est-ce ainsi qu'on parle à son père ?

Cette fois, je sentis les larmes monter.

— Rien de ce que vous avez fait ne vous donne ce droit.

— Peut-être, mais le fait est que mon sang coule dans tes veines. Tu portes ma marque. Je ne peux plus le nier, Nora, comme tu ne peux renier ton destin.

Je tentai, en vain, de m'essuyer le nez sur ma veste.

— Mon destin n'est certainement pas lié au vôtre. Vous m'avez abandonnée, alors que je n'étais qu'un bébé, ce qui vous ôte tout droit de regard sur mon existence.

— Contrairement à ce que tu imagines, j'ai toujours été impliqué dans ta vie et ce, depuis ta naissance. Je t'ai abandonnée pour mieux te protéger. À cause des déchus, j'ai dû sacrifier ma famille...

Je l'interrompis d'un rire méprisant.

— Épargnez-moi le rôle de la pauvre victime. Ne rendez pas les déchus responsables de vos propres choix. Vous avez décidé de m'abandonner. À cette époque, je représentais peut-être quelque chose à vos yeux, mais aujourd'hui, seule compte votre confrérie de néphils. Vous n'êtes qu'un fanatique. Vous êtes le seul coupable.

Ses lèvres pincées semblaient aussi minces qu'un fil.

— Je devrais te tuer sur-le-champ, pour avoir osé me ridiculiser, moi, mon organisation et la race néphil tout entière.

— Alors, qu'est-ce que vous attendez ? grinçai-je, la colère l'emportant sur la peur.

Il plongea la main dans sa poche et en sortit une longue plume noire qui ressemblait étonnamment à celle que j'avais dissimulée dans ma commode.

— L'un de mes conseillers a retrouvé ceci dans ta chambre. C'est la plume d'un déchu. Imagine ma surprise en découvrant que ma propre progéniture pactise avec l'ennemi. Tu m'as bien eu. Il semble que tu aies fréquenté les déchus trop longtemps : leur goût du mensonge a déteint sur toi. Ce déchu, c'est Patch ? demanda-t-il sans détour.

— Vous êtes un paranoïaque. Vous avez trouvé une plume en fouillant dans mes tiroirs, et alors ? Qu'est-ce que cela prouve ? Que vous êtes un pervers ?

Il s'enfonça dans sa chaise et croisa les jambes.

— C'est vraiment l'attitude que tu comptes adopter ? Je n'ai pas le moindre doute sur ta relation avec Patch. J'ai senti sa présence l'autre soir, dans ta chambre.

— C'est curieux, vous m'interrogez alors que vous en savez visiblement bien plus que moi. On devrait peut-être échanger les rôles, non ?

— Vraiment ? Alors à qui appartient cette plume, qui se trouvait dans tes affaires ? reprit-il avec un rien d'amusement.

— Aucune idée, répliquai-je avec tout le défi que je pus rassembler. Je l'ai ramassée dans le cimetière, le soir où vous m'y avez abandonnée.

Un sourire diabolique se dessina sur ses lèvres.

— Mes hommes ont arraché ses ailes dans ce même cimetière. J'en conclus donc qu'il s'agit de l'une de ses plumes. Et tu commences à t'embrouiller dans tes propres mensonges.

Je haussai les épaules, mais la situation était critique. Hank avait-il conscience du pouvoir que cet objet lui donnait sur Patch ? Je priai pour que ce ne soit pas le cas.

—Je sais que l'accident était un coup monté, poursuivis-je, cherchant à changer de sujet. Je sais que ce sont vos hommes qui nous ont percutés. Pourquoi cette mascarade ?

Son sourire méprisant me troubla.

—Voilà l'une des choses dont je souhaitais te parler. Alors que tu étais inconsciente, je t'ai transfusé du sang, déclara-t-il tranquillement. Mon sang, Nora. Celui d'un néphil de première génération.

Un silence électrique suivit.

—Ce genre de procédure était totalement inédite, ou du moins, elle n'avait jamais abouti, mais j'ai trouvé comment altérer les lois de la nature. Jusqu'ici, les choses se sont déroulées au-delà de mes espérances. Ma plus grande crainte, si j'ose te l'avouer, était que tu n'y survives pas.

Je cherchais désespérément des réponses, un moyen de faire sens des monstruosités qu'il m'énonçait, mais mes idées devenaient confuses. Une transfusion ? Pourquoi ? Pourquoi ? Pourquoi ? Cela expliquait mon malaise à l'hôpital. Et l'épuisement de Hank.

—Vous avez employé le démonium pour y parvenir ! déclarai-je, horrifiée.

—Tu as donc entendu parler du démonium, s'étonna-t-il, avant de deviner, l'air mauvais : l'ange s'en est aperçu ?

—Pourquoi cette transfusion ?

Je tentais d'en comprendre le but, en vain. Avait-il besoin de moi pour un sacrifice ? La création d'un double ? Une expérience sordide ? Quoi ?

—Tu portes mon sang depuis que ta mère t'a mise au monde, mais il n'était pas suffisamment présent. Tu n'étais pas une néphil de première génération et il fallait que tu sois de race pure, Nora. À présent, tu en es si proche... Il ne reste qu'à prononcer le serment de la métamorphose devant le ciel et l'enfer, et la transformation sera complète.

J'accusai le coup, répugnée.

— Vous comptiez faire de moi l'un de vos soldats néphils, asservis par des lavages de cerveau ? criai-je en me débattant sur ma chaise, dans une vaine tentative pour me défaire de mes liens.

— Une prophétie annonce ma mort prochaine. Je l'ai d'abord apprise grâce à une technique augmentée par le démonium, et une seconde prédiction l'a confirmée.

Je l'écoutais à peine. Son aveu me mit hors de moi. Hank m'avait détruite, de toutes les façons possibles. Après avoir bouleversé ma vie, il cherchait à faire de moi sa créature. Il m'avait injecté son sang vicié, meurtrier dans les veines !

— Vous êtes un néphil, Hank. Vous ne pouvez pas mourir et vous ne mourrez pas, même si je ne souhaite rien d'autre.

— Ma technique et l'ange de la mort ont conclu à la même chose. Il ne me reste que peu de temps. Je consacrerai mes derniers jours sur cette terre à te préparer, afin de mener mon armée contre les déchus, déclara-t-il avec, pour la première fois, un rien de résignation.

Peu à peu, tout prenait du sens.

— Vous comptez fonder vos plans sur la parole de Dabria ? Ses dons sont fictifs et elle n'est motivée que par l'argent. Elle ne peut pas prédire l'avenir, pas plus que vous ou moi. Il ne vous est jamais venu à l'esprit qu'en ce moment même, elle puisse encore rire du tour qu'elle vous a joué ?

— Ça, j'en doute, ironisa-t-il, comme s'il savait quelque chose que j'ignorais. Il fallait que tu sois une néphil de sang pur, Nora, afin de commander mon armée. De diriger mon organisation. De trouver ta place en tant qu'héritière légitime, et d'affranchir les néphilims. Après cet Heshvan, nous redeviendrons nos propres maîtres et nous libérerons du joug des déchus.

— Vous êtes complètement fou. Jamais je ne vous aiderai, ni ne prêterai votre stupide serment.

— Tu portes la marque, c'est ton destin. Crois-tu vraiment que je souhaite que tu prennes la tête de tout ce que j'ai créé ? s'emporta-t-il. Tu n'es pas la seule à qui on impose des choix. C'est le destin qui décide pour nous, pas l'inverse. D'abord, il y a eu Chauncey. Puis moi. À présent, cette responsabilité t'incombe.

Je le fusillai du regard, laissant libre cours à ma haine.

— Si vous voulez qu'un parent de sang dirige votre armée, adressez-vous à Marcie. Elle n'aime rien tant que commander son petit monde. Elle est faite pour ça !

— Sa mère est une néphil de première génération.

— En voilà une que je n'avais pas vue venir, mais c'est encore mieux. Cela signifie donc que Marcie a aussi du sang néphil « pur ».

Quel joyeux trio de suprémacistes !

Le rire de Hank parut de plus en plus tendu.

— Nous n'avions jamais cru que Susanna pourrait concevoir. Les néphils de race pure ne peuvent normalement pas procréer entre eux. Depuis le début, nous avions conscience que Marcie était un véritable miracle et qu'elle ne vivrait pas longtemps. Elle ne possédait pas ma marque. Elle a toujours été une enfant chétive, malingre, qui luttait pour survivre. Il ne lui reste que peu de temps, sa mère et moi l'avons tous les deux senti.

Une foule de souvenirs sembla refaire surface. Je me rappelai avoir déjà évoqué cela. Comment tuer un néphil. Le sacrifice de l'une de ses descendantes, qui aurait atteint l'âge de seize ans. Je me remémorai mes interrogations au sujet de mon véritable père, des raisons qu'il aurait eues de m'abandonner. Enfin, je retrouvai la mémoire…

À cet instant, tout devint clair.

— Voilà pourquoi vous n'avez pas caché à Rixon l'existence de Marcie. Voilà pourquoi vous m'avez rejetée, moi, et pas elle. Vous pensiez qu'elle ne vivrait pas assez longtemps pour être sacrifiée.

Moi, en revanche, j'avais le profil idéal : je possédais la marque de Hank et d'excellentes chances de survie. Enfant, on m'avait dissimulée afin d'empêcher Rixon de me retrouver. Mais, par un caprice du sort, Hank s'attendait désormais à ce que je mène sa révolution. Je fermai résolument les paupières, regrettant de ne pouvoir tenir à distance cette terrible vérité.

— Nora, reprit Hank. Ouvre les yeux. Regarde-moi.

— Je ne prêterai aucun serment, lâchai-je en secouant la tête. Ni maintenant, ni plus tard, ni jamais.

Je sentais mon nez couler et mes lèvres trembler. J'ignorais ce qui était le plus humiliant.

— J'admire ta bravoure. Mais il existe toutes sortes de courage et celui-ci ne te convient pas.

Sa douceur sonnait faux. Je tressaillis lorsqu'il ramena l'une de mes mèches derrière mon oreille, d'un geste presque paternel.

— Jure de devenir une néphil de sang pur, de commander mon armée, et je vous relâcherai, toi et ta mère. Je ne veux pas te faire de mal, Nora. Le choix t'appartient. Prête serment et tu pourras tirer un trait sur cette nuit. Elle ne sera plus qu'un souvenir, ajouta-t-il en dénouant les liens de mes poignets, qui tombèrent sur le sol.

Je frottai mes mains tremblantes sur mes genoux. Ses paroles, plus que le froid, les faisaient frémir.

— Ma mère ?

— Exact. Elle est ici. Elle dort, dans l'une des pièces, en bas.

Je sentis cet odieux picotement revenir au coin de mes yeux.

— Que lui avez-vous fait ?

Il ne répondit pas directement à ma question.

— Je suis la Main noire. Je suis un homme très occupé et, pour être franc, j'aurais préféré me trouver ailleurs. J'aurais préféré faire autre chose. Mais je suis impuissant, car c'est toi qui dois décider. Prononce ce serment et ta mère et toi pourrez repartir.

— L'avez-vous seulement aimée ?

Il cligna des yeux, surpris.

— Blythe ? Évidemment que je l'ai aimée ! À une certaine époque, elle représentait beaucoup pour moi. Mais à présent, le monde est différent. J'ai dû sacrifier mon amour dans l'intérêt de ma race tout entière.

— Vous comptez la tuer, n'est-ce pas ? Si je refuse, vous n'hésiterez pas.

— Toute ma vie a été régie par des choix difficiles. Et je n'entends pas les arrêter ce soir.

Il esquivait, mais ne me laissait aucun doute quant à ses intentions.

— Je veux la voir.

Hank désigna les baies vitrées, à l'autre bout de la pièce. Très lentement, je me levai, redoutant le pire. Jetant un regard à travers la vitre, je réalisai que nous nous trouvions dans une sorte de bureau, qui surplombait une ancienne manufacture. Ma mère était pelotonnée dans un lit de camp, surveillée dans son sommeil par trois néphils armés. Je me demandai si, comme moi, ses rêves lui avaient permis d'y voir plus clair et si elle comprenait à présent le monstre que Hank était devenu. Lorsqu'il sortirait pour de bon de son existence et cesserait de la manipuler, le verrait-elle enfin tel que je le voyais, moi ?

La réponse à ces questions me donna le courage de me retourner.

— Vous avez fait semblant de l'aimer pour pouvoir m'approcher ? Tant de mensonges pour un si bref instant...

— Tu es gelée, observa Hank sans s'énerver, fatiguée, affamée. Jure et finissons-en.

— Si je prononce ce serment et que vous continuez malgré tout à vivre, j'exige que vous me fassiez vous aussi une promesse : vous quitterez la ville et disparaîtrez de la vie de ma mère.

— C'est d'accord.

— Et avant tout, je veux prévenir Patch.

— Pas question, rétorqua Hank en éclatant de rire. Tu pourras toi-même lui annoncer la nouvelle après avoir prêté serment.

Sa réponse ne me surprit pas, mais cela valait la peine d'essayer. Je rassemblai tout mon courage et adoptai un air de défi.

— Ce n'est pas pour vous que je le fais, mais pour elle, repris-je avec un regard en direction des vitres.

Hank me mit un couteau à cran d'arrêt entre les mains.

— Entaille ta peau. Jure sur ton sang de devenir une néphil de race pure et, à ma mort, de prendre le commandement de mon armée. Si tu brisais ton serment, la sentence serait immédiate : la mort pour toi... et ta mère.

— Ça n'était pas ce qui était convenu, dis-je en le regardant dans les yeux.

— À présent, ça l'est. Et tu as cinq secondes pour accepter. Ma prochaine proposition comptera aussi la mort de ton amie, Vee.

J'étais incrédule, furieuse, mais prise au piège.

— Vous d'abord, exigeai-je.

Derrière son masque de détermination, il parut presque amusé. Il lacéra sa peau et déclara :

— Si je vis au-delà du mois prochain, je jure de quitter Coldwater et de ne jamais plus approcher ta mère ou toi. Si je brisais mon serment, que mon corps retourne à la poussière.

Je pris le couteau et enfonçai la pointe dans ma paume, versant quelques gouttes de sang, comme j'avais vu Patch le faire dans son souvenir. En silence, je priai pour qu'il me pardonne ce que je m'apprêtais à faire, pour qu'en dépit de tout, l'amour que nous partagions dépasse le sang, les races. Mais j'arrêtai là mes réflexions, car à trop penser à Patch, je craignais de perdre courage. Déchirée, je fis le vide pour affronter l'horrible geste qu'il me restait à accomplir.

— Je jure à présent qu'un nouveau sang coule dans mes veines, que je ne suis plus humaine, mais une néphil de sang pur. Et que si vous veniez à mourir, je mènerais votre armée. J'ai conscience que rompre ma promesse signifierait la mort, pour ma mère comme pour moi.

Comparées au poids de leur conséquence, les paroles me parurent bien dérisoires. Je jetai un regard acéré à Hank.

— Était-ce correct ? Faut-il dire autre chose ?

Son hochement de tête empressé m'apprit tout ce que j'avais besoin de savoir.

Ma vie humaine venait de prendre fin.

Je ne me rappelai pas avoir quitté Hank, ou m'être éloignée du hangar en soutenant ma mère, qu'il avait droguée, chancelante. Comment étais-je passée de cette pièce exiguë aux rues sombres de la ville ? Je l'ignorais.

Ma mère, secouée de tremblements, murmurait des paroles incohérentes à mon oreille. J'avais froid, moi aussi, mais le remarquais à peine. Je soufflais de petits nuages de buée glacée. Je redoutais que ma mère n'entre en hypothermie avant que je ne l'aie mise à l'abri.

La situation était-elle désespérée ? Comment savoir ? Désormais, je n'étais plus sûre de rien. Pouvais-je mourir de froid ? Pouvais-je mourir tout court ? Qu'avait changé ce serment, exactement ? Tout ?

J'aperçus une voiture garée un peu plus loin dans la rue. L'un de ses pneus était marqué pour un prochain enlèvement par la fourrière. Sans même réfléchir, j'essayai d'ouvrir la portière. Ce fut mon premier coup de chance de la soirée : elle n'était pas verrouillée. J'étendis avec précaution ma mère sur la banquette arrière, puis tripotai les fils derrière le volant. Après quelques tentatives, le moteur rugit.

— Ne t'en fais pas, soufflai-je à ma mère. Nous allons rentrer à la maison. C'est fini. C'est enfin fini.

C'était surtout pour moi-même que je répétais ces mots auxquels j'avais besoin de croire. Je refusais de songer à ce que je venais de faire. Je ne pouvais concevoir quelles transformations lentes, douloureuses peut-être, risquaient de s'opérer lorsque tout se déclencherait. Mais allaient-elles s'opérer ? Me restait-il quelque chose à affronter ?

Pas quelque chose, mais quelqu'un. Patch. Je devais tout lui avouer. Me prendrait-il encore dans ses bras ? Comment imaginer que rien ne changerait ? Je n'étais plus simplement Nora Grey. J'étais devenue une véritable néphil. Son ennemi.

J'écrasai la pédale de frein en apercevant une silhouette pâle sur la route. La voiture pila. Deux yeux apeurés se braquèrent sur moi. La jeune fille trébucha, se releva et tituba sur le bas-côté, comme si elle essayait de courir, mais incapable de coordonner ses mouvements. Ses vêtements étaient déchirés et son visage, un masque de terreur.

— Marcie ?

Immédiatement, j'ouvris la portière côté passager.

— Monte ! lui ordonnai-je.

Elle demeurait immobile, les bras serrés contre son ventre, et poussait de petits gémissements plaintifs.

M'extirpant de la voiture, je me précipitai vers elle pour l'installer sur le siège. Elle pencha la tête entre ses genoux, le souffle court, erratique.

— Je... vais... vomir.

— Qu'est-ce que tu fais ici ?

Sans réagir, elle inspira par à-coups. Je repassai derrière le volant et démarrai en trombe, pressée de quitter ce quartier délabré.

— Tu as ton portable sur toi ?

Pour toute réponse, Marcie émit un sanglot étranglé.

— Marcie, au cas où tu ne l'aurais pas remarqué, la situation devient urgente, repris-je, plus durement que je ne l'aurais voulu, maintenant que je réalisais qui se trouvait à mes côtés.

Je venais de recueillir la fille de Hank. Ma sœur, puisqu'il fallait l'appeler ainsi. Ma sœur, une petite menteuse, perfide et imbécile.

— Ton portable : oui ou non ?

Lorsqu'elle secoua la tête, je ne compris pas si elle me disait oui ou non.

— Tu m'en veux d'avoir volé la chaîne, bafouilla-t-elle, à peine intelligible entre deux hoquets. Il m'a menti. Il prétendait vouloir te jouer un tour. C'est moi qui ai laissé le mot, sur ton oreiller, cette nuit-là, pour te faire peur : « *Tu n'es pas hors de danger.* » Mon père m'a fait quelque chose, afin que ni ta mère ni toi ne me voyiez entrer. J'étais comme hypnotisée. Je ne me suis pas méfiée et je ne lui ai pas posé de question. J'étais nerveuse, mais grisée. Et en fin de compte, tu n'étais même pas dans ta chambre. Mon père a aussi trafiqué l'encre pour qu'elle s'efface après la lecture du message. Je pensais que ça serait drôle. Je voulais te voir craquer et je n'ai pas réfléchi. J'ai suivi sans broncher les instructions de mon père. C'était comme s'il exerçait un pouvoir sur moi...

— Écoute-moi bien, Marcie, dis-je fermement. Je vais nous sortir de là. Mais si tu as un téléphone, j'en aurais vraiment besoin.

Les mains tremblantes, elle ouvrit son sac, fouilla son contenu et en tira son portable.

— Il s'est servi de moi, gémit-elle, au bord des larmes. Je pensais qu'il était mon père... Qu'il m'aimait. J'ignore si ça change quelque chose, mais je ne lui ai pas donné la chaîne. J'en avais l'intention. Je l'ai apportée à l'entrepôt, ce soir, comme il me l'avait demandé. Mais... en fin de compte... quand j'ai aperçu cette fille enfermée dans une cage...

Elle n'acheva pas sa phrase.

Marcie ne m'inspirait rien qui ressemblât à de la pitié. Je ne voulais pas d'elle dans cette voiture, voilà tout. Je ne voulais pas qu'elle compte sur moi, ni compter sur elle. En clair, je ne voulais aucun lien avec elle. Pourquoi, alors, ne pouvais-je m'empêcher de les ressentir ?

— Je t'en prie, donne-moi le téléphone, repris-je plus doucement.

Elle pressa le portable dans ma main. Ramenant ses genoux contre sa poitrine, elle y enfouit son visage et sanglota en silence.

Je composai le numéro de Patch. Je devais l'avertir que Hank n'était pas en possession de la chaîne, avant de lui révéler la terrible réalité de ce que je venais d'accomplir. À chaque sonnerie résonnant dans le vide, la barrière émotionnelle que j'avais érigée se fissurait. J'imaginai son visage lorsque je lui apprendrais la vérité, et cette vision me glaça. Son répondeur se déclencha. Mes lèvres frémirent et je sentis mon souffle se couper.

Je raccrochai pour appeler Vee.

— J'ai besoin de ton aide, lui dis-je simplement. Je voudrais que tu t'occupes de ma mère et de Marcie.

J'éloignai le téléphone de mon oreille pour échapper à la salve de hurlements à l'autre bout de la ligne.

— Oui, tu as bien entendu, Marcie Millar. Je t'expliquerai plus tard.

31.

Il était près de trois heures du matin lorsque j'abandonnai ma mère et Marcie à Vee sans autre forme d'explication. J'étais restée résolument sourde aux questions de Vee, pour mieux garder mes émotions à distance. Je la quittai sans un mot, avec l'intention de trouver une route déserte où je pourrais rouler sans but, mais il devint vite évident que mon errance en avait un.

Les kilomètres défilaient tandis que je fonçais à toute allure en direction du parc de Delphic. Avec un crissement de pneus, je garai la voiture dans le parking, absolument vide. Jusque-là, je m'étais interdit de réfléchir à ce que je venais de faire, mais dans l'immobilité de la nuit, mon courage m'abandonnait. Je n'étais pas suffisamment forte pour tout maîtriser. Le front appuyé contre le volant, je sanglotai.

Je pleurais pour le choix que j'avais dû faire, pour ce qu'il m'en avait coûté. Mais surtout parce que j'ignorais comment trouver les mots pour l'expliquer à Patch. Je devais lui annoncer la nouvelle de vive voix, mais cette perspective me tétanisait. Comment lui apprendre, alors que nous venions enfin de nous retrouver, que j'étais volontairement devenue un être qu'il méprisait par-dessus tout ?

Une fois de plus, je composai son numéro, tiraillée entre le soulagement et l'angoisse lorsque j'obtins sa messagerie. Était-il déjà au courant ? M'évitait-il le temps de faire le point sur ses propres sentiments ? Me maudissait-il pour avoir pris une décision aussi stupide, imbécile, même si je n'avais pas d'autre choix ?

Non, me dis-je. Ce n'était rien de tout cela. Patch ne fuyait jamais les confrontations – c'était plutôt mon habitude.

Je sortis de la voiture et m'avançai solennellement vers l'entrée. Je pressai mon visage contre la grille. Le froid glacé du métal piquait ma peau, mais cette douleur n'était rien, comparée au sentiment de regret, de tristesse qui me consumait. Patch ! pensai-je. Qu'est-ce que j'ai fait ?

Ne voyant aucun moyen de m'introduire dans le parc, je secouai les barreaux, lorsqu'un grincement me surprit. Entre mes mains, l'acier avait ployé, aussi mou que l'argile. Je clignai des yeux, sidérée, puis soudain je compris. Je n'étais plus humaine. J'étais une véritable néphilim et je possédais désormais leur force. La perspective de ces nouveaux pouvoirs me fascinait et me terrifiait à la fois. Si j'avais un instant espéré pouvoir me défaire de ce serment, j'approchais du point de non-retour.

J'écartai suffisamment les barreaux de la grille pour m'y glisser et traversai le parc en courant. Je ne m'arrêtai qu'en atteignant l'abri qui servait d'antichambre à son appartement. D'une main tremblante, je tournai la poignée. J'entrai dans la cabane d'un pas lourd et soulevai la trappe.

À tâtons, mais surtout de mémoire, je retrouvai la bonne porte. En pénétrant chez lui, je m'aperçus tout de suite que quelque chose n'allait pas. Sans que je puisse expliquer comment, la trace d'une violente altercation flottait dans l'air. L'impression était nette, aussi palpable que si on l'avait transcrite noir sur blanc.

Suivant cette invisible traînée d'énergie, j'avançai prudemment de pièce en pièce, ne sachant que penser de ces étranges vibrations qui m'entouraient. Du bout du pied, j'entrouvris la porte de sa chambre et c'est là que je découvris le passage secret.

L'une des parois de granit, légèrement incurvée sur la droite, donnait sur un corridor obscur. Le sol en terre battue était jalonné de flaques. Accrochées le long des murs, des torches enflammées projetaient une lueur vaporeuse. Des bruits de pas résonnaient au fond du couloir et se rapprochaient. Mon cœur se serra.

Patch. La lumière des flambeaux accentua les traits anguleux de son visage et la noirceur de ses prunelles. Perdu dans ses pensées, il me regardait sans me voir. Son expression implacable me cloua sur place, comme paralysée. Je ne pouvais pas lui faire face, mais je ne pouvais pas non plus me détourner. Mon espoir s'amenuisait à mesure que la honte m'emplissait tout entière. J'allais fermer les paupières et laisser couler mes larmes lorsqu'il braqua les yeux sur moi. Un regard échangé suffit à me libérer de ce poids. Je sentis ma carapace se fendiller.

Tremblante, j'avançai vers lui, d'abord lentement, puis me jetai dans ses bras, incapable de demeurer loin de lui plus longtemps.

— Patch, je... j'ignore par où commencer, soufflai-je avant d'éclater en sanglots.

Il me serra contre lui.

— Je sais, murmura-t-il d'une voix rauque à mon oreille.

— Non, tu ne sais pas tout, me lamentai-je. Hank m'a fait prêter un serment. Je ne suis pas... enfin, je ne suis plus...

Je ne pus me résoudre à le lui avouer. Pas à lui. Je n'aurais pas supporté qu'il me repousse. Le moindre changement dans son attitude, la moindre trace de mépris dans son regard...

— Tout va bien, mon ange, dit-il en me secouant légèrement. Écoute-moi. Je sais pour le serment de la métamorphose. Crois-moi, je sais vraiment tout.

J'agrippai son tee-shirt et sanglotai contre sa poitrine.

— Mais comment ?

— Quand je suis revenu, tu n'étais plus là.

— Je suis désolée. Scott avait besoin d'aide. Je ne pouvais pas l'abandonner. Et j'ai tout gâché !

— Je me suis lancé à ta recherche et j'ai bien sûr commencé par Hank. J'étais persuadé qu'il s'était arrangé pour te faire sortir de l'appartement. Je l'ai traîné jusqu'ici pour l'obliger à avouer.

Il poussa un soupir harassé.

— Je pourrais te raconter comment s'est déroulée ma nuit, mais autant le voir par toi-même, poursuivit-il en enlevant son tee-shirt.

Je posai mes doigts sur sa cicatrice et me concentrai sur ce que je voulais y trouver. Principalement, ce qu'il s'était passé, depuis que Patch avait quitté l'appartement, quelques heures plus tôt.

Happée dans les recoins sombres de sa mémoire, je perçus un chœur de voix cacophoniques, discordantes, tandis qu'une nuée de visages flous défilaient, méconnaissables. J'avais la sensation d'être allongée sur une route, au beau milieu de la circulation, cernée par le son strident des klaxons et des crissements des pneus, dangereusement proches.

Hank, pensai-je avec toute mon énergie. Qu'est-il arrivé lorsque Patch est parti retrouver Hank ?

L'une des voitures fonça droit sur moi et je plongeai la tête la première vers ses phares.

Le souvenir débuta sur un coin de rue sombre et brumeux, devant l'entrepôt de Hank. Ce n'était pas celui où j'étais parvenue à m'introduire, mais le leurre que Scott avait tenté de photographier. L'air était humide et lourd, les étoiles se cachaient derrière un épais rideau nuageux. Patch avançait sans bruit sur le trottoir, cherchant à prendre l'homme – sans doute un garde de Hank – par surprise. Il bondit sur lui, le ceintura et le fit basculer en arrière avant que l'autre ait pu pousser un cri. Patch le déposséda de ses armes, qu'il dissimula dans la ceinture de son jean.

À ma grande surprise, je vis Gabe – celui qui avait tenté de me tuer dans la ruelle derrière la supérette – sortir de l'ombre d'un air nonchalant. Dominic et Jeremiah le suivirent. Tous les trois arboraient un sourire diabolique.

— Ça alors, mais qui voilà ? s'exclama Gabe d'un ton moqueur en époussetant le col du néphil.

— Faites-le taire jusqu'à ce que je vous donne le signal, lança Patch en poussant le garde vers Dominic et Jeremiah.

— Ne nous déçois pas, mon pote. J'entends bien trouver la Main noire derrière cette porte, déclara Gabe en désignant la porte du hangar. Si tu nous épaules jusqu'au bout, j'oublierai mes griefs. Si tu nous as bernés, tu comprendras ce que ça fait d'avoir une barre de fer plantée dans le dos... tous les jours, pendant une année entière.

Pour toute réponse, Patch lui servit un regard froid, détaché.

— Attendez mon signal.

Il se glissa près de la porte et jeta un œil par la petite vitre.

Je vis d'abord l'archange dans sa cage, quelques-uns des néphils de Hank, mais curieusement, j'aperçus aussi Marcie Millar, en retrait, les yeux écarquillés, comme terrifiée. Au bout de ses doigts exsangues, je reconnus un collier en argent, probablement celui de Patch. Elle loucha du côté de la porte derrière laquelle nous nous trouvions.

Un terrible vacarme retentit lorsque l'archange se débattit violemment dans sa cage à coups de pied. Les hommes de Hank répondirent instantanément et firent claquer des chaînes contre les barreaux. Elles irradiaient une lumière bleutée, sans doute ensorcelées grâce au démonium. Sous leurs coups, le corps de l'ange prit cette même teinte irréelle et elle finit par s'écrouler, vaincue, sur le sol.

— À toi l'honneur, dit Hank en tendant le bras vers le collier que tenait Marcie. Ou, si tu préfères, je me chargerai de l'accrocher à son cou.

Marcie s'était mise à trembler. Livide, elle recula sans répondre.

— Viens, ma chérie, insista Hank. Tu n'as absolument rien à craindre. Mes hommes l'ont maîtrisée. Elle ne te fera aucun mal. C'est le lot des néphils : affronter nos ennemis.

— Qu... Qu'est-ce que tu comptes lui faire ?

Hank éclata de rire, mais perdait patience.

— Passer cette chaîne à son cou, bien sûr.

— Et ensuite ?

— Ensuite, elle répondra à mes questions.

— Si tu cherches seulement à lui parler, pourquoi estelle dans une cage ?

Le sourire de Hank s'assombrit.

— Donne-moi la chaîne, Marcie.

— Tu prétendais vouloir ce collier pour jouer un tour à Nora. Nous devions lui faire une blague. Tu ne m'as jamais rien dit à son sujet, gémit Marcie, observant l'archange d'un air terrifié.

— La chaîne, ordonna Hank, la main tendue.

Marcie battit en retraite vers le mur, mais ses yeux la trahirent lorsqu'ils se braquèrent sur la sortie. Hank eut un bref mouvement dans sa direction, mais Marcie fut plus rapide. Elle poussa la porte et percuta Patch de plein fouet.

Il la rattrapa et son regard s'attarda sur la chaîne qu'elle tenait toujours.

— Fais le bon choix, Marcie, lui dit-il à voix basse. Ceci ne t'appartient pas.

Je réalisai que cette scène avait dû se dérouler juste après mon départ de l'entrepôt, et juste avant que je ne retrouve Marcie sur mon chemin. Patch et moi nous étions manqués à seulement quelques minutes d'intervalle. Durant tout ce temps, il avait rassemblé Gabe et ses acolytes pour affronter Hank.

Le menton tremblant, Marcie hocha la tête et tendit la main. Sans un mot, Patch empocha la chaîne.

— Cours, ordonna-t-il d'une voix ferme.

Une fraction de seconde s'écoula et il fit signe à Gabe, Jeremiah et Dominic. Ceux-ci s'engouffrèrent aussitôt par la porte. Patch ferma la marche en poussant devant lui le garde.

Hank aperçut les déchus et étrangla un cri de surprise.

— Pas un seul de ces néphils n'a prêté allégeance, annonça Patch à Gabe. Fais-toi plaisir.

Gabe esquissa un sourire et examina les néphils à tour de rôle. Son regard s'attarda sur Hank avec une avidité évidente.

— Ce qu'il voulait dire c'est qu'aucun de vous, charmants jeunes gens, n'a prêté allégeance, *pour l'instant*.

— Qu'est-ce que vous faites ? grinça Hank.

— À ton avis, gros malin ? répliqua Gabe en faisant craquer ses poings. Quand mon pote Jev m'a appris qu'il savait où se terrait la Main noire, il a quelque peu éveillé ma convoitise. J'oublie de préciser que je suis en quête d'un nouveau vassal.

Les néphilims demeuraient immobiles, mais aucun ne parvenait à dissimuler sa nervosité et sa peur. Je n'étais pas certaine de comprendre le plan de Patch, mais il semblait sûr de lui. Il craignait que les déchus refusent de voler au secours d'un archange, mais avait finalement trouvé le moyen de les convaincre : en leur faisant miroiter des prises de guerre.

Gabe fit signe à ses deux compagnons de se déployer sur toute la largeur de la pièce.

— Vous êtes dix et nous sommes quatre, lança-t-il à Hank. Fais le compte.

— Nous sommes plus forts que vous ne le croyez, rétorqua Hank d'un air sournois. Dix contre quatre. L'issue ne me semble pas si évidente.

— C'est curieux, à moi elle me paraît pourtant claire. Tu te rappelles la formule consacrée, n'est-ce pas, Main noire ? « Seigneur, je suis ton homme ». Tu devrais t'exercer, parce que je ne partirai pas d'ici avant que tu ne me l'aies chantée. Tu es à moi, néphil... À moi, conclut Gabe avec un signe de l'index enjôleur.

— Ne restez pas plantés là, gronda Hank. Mettez-moi ce déchu arrogant à genoux !

Mais Hank ne s'attarda pas pour surveiller la progression de ses hommes. Il se rua à l'extérieur. Le rire de Gabe résonna entre les poutres métalliques. Il s'avança nonchalamment vers la porte et l'ouvrit négligemment. Sa voix porta dans la nuit.

— On a peur, néphil ? Je l'espère bien, parce que j'arrive !

À ces mots, tous les néphils se précipitèrent vers les différentes issues sans demander leur reste. Jeremiah et Dominic les prirent en chasse, hilares, en poussant des cris aigus.

Patch demeura seul dans l'entrepôt désert, face à la cage. Lorsqu'il s'approcha, l'archange se recula avec un sifflement menaçant.

— Je ne te veux aucun mal, lui dit Patch en levant les mains. Je vais ouvrir la cage et te laisser sortir.

— Pourquoi ferais-tu une telle chose ? demanda-t-elle d'une voix éraillée.

— Parce que tu n'appartiens pas à ce monde.

Les yeux cernés de l'ange scrutaient son visage.

— Et qu'exigeras-tu en retour ? Quels mystères de l'univers souhaiterais-tu percer ? Quels mensonges murmureras-tu à mon oreille pour obtenir la vérité ?

Patch ouvrit la porte de la cage et passa lentement le bras à l'intérieur pour prendre sa main.

— Je demande seulement à être écouté. Je n'ai pas besoin de chaîne pour te faire parler, car lorsque tu auras entendu ce que j'ai à te dire, tu accepteras de m'aider.

L'archange sortit de sa cage chancelante, s'appuyant à contrecœur sur Patch pour se redresser. Ses jambes portaient encore la trace bleutée du démonium.

— Combien de temps resterai-je dans cet état ? gémit-elle, les larmes aux yeux.

— Je l'ignore, mais tu sais comme moi que les archanges pourront y remédier.

— Il a coupé mes ailes, souffla-t-elle d'une voix éteinte.

Il hocha la tête.

— Mais il ne les a pas arrachées, il y a donc un espoir.

— Un espoir ? s'exclama-t-elle, le regard furibond. Vois-tu de l'espérance dans tout ceci ? Tu es bien le seul ! Pourquoi désires-tu mon aide ?

— Je veux tuer Hank Millar, répondit-il sans détour.

Le rire las de l'archange résonna dans l'entrepôt.

— Alors nous sommes deux.

— Tu peux y remédier.

Elle s'apprêtait à répliquer, mais il l'interrompit.

— Les archanges ont déjà altéré le cours de la mort. Ils pourraient recommencer.

— Que veux-tu dire ? s'étrangla-t-elle.

— Il y a cinq mois, l'une des descendantes de Chauncey Langeais s'est jetée du haut d'une poutre, dans le gymnase de son lycée. Son sacrifice a précipité la fin de Langeais. Son nom est Nora Grey, mais à ton expression, je devine qu'il ne t'est pas inconnu.

Ses paroles me choquèrent, même si je savais à quoi il faisait allusion. Dans l'un de ces souvenirs, j'avais moi-même avoué avoir tué Chauncey Langeais, mais une fois sortie de sa mémoire, j'avais résolument refusé d'y croire. À présent, je ne pouvais ignorer la vérité plus longtemps. Le brouillard de mon amnésie semblait se lever et une succession de flash-back me rappela ce gymnase et ce qui s'y était produit, plusieurs mois auparavant. Ce néphil avait voulu m'assassiner, pour atteindre Patch à travers moi, sans réaliser que j'étais l'une de ses descendantes.

— Ce que j'essaie de comprendre, c'est pourquoi son sacrifice n'a pas anéanti Hank Millar, reprit Patch. Hank était son plus proche parent et quelque chose me dit que les archanges ne sont pas étrangers à toute cette histoire.

L'archange le dévisagea sans répondre. Patch avait eu raison de son impassibilité, qu'elle avait du mal à conserver depuis le début. Avec un petit sourire moqueur, elle finit par répliquer :

— As-tu d'autres théories fantaisistes de ce genre ?

Patch secoua la tête.

— Ça n'est pas une théorie. C'est une erreur : celle qu'ont commise les archanges. Elle m'avait tout d'abord échappée, puis j'ai fini par réaliser ce qu'il s'était produit et j'ai aussitôt compris que les archanges avaient modifié le cours de la mort. Vous avez laissé Chauncey périr à la place de Hank. Et vu les problèmes qu'il vous a causés, je veux savoir pourquoi.

— Tu t'imagines vraiment que j'aborderais ce sujet avec toi ?

— Alors je vais te faire part de mon hypothèse. Voilà ce que je crois : il y a cinq mois, les archanges ont découvert que Chauncey et Hank expérimentaient le démonium et ils ont cherché à les arrêter. Pensant que, comparé à Chauncey, Hank était un moindre mal, les archanges l'ont approché. Une prédiction leur avait annoncé le sacrifice de Nora et ils ont proposé un marché à Hank. Ils permettaient que Chauncey meure à sa place contre sa promesse de ne plus toucher au démonium.

— Quelle imagination ! ironisa l'archange.

Sa voix manquait de conviction et je devinai que Patch avait visé juste.

— Tu n'as pas entendu la fin de l'histoire. Je parie que Hank a sauté sur l'occasion de trahir Chauncey. Ensuite, il a trahi les archanges. Reprenant leurs manigances là où Chauncey les avait laissées, il n'a pas cessé d'employer le démonium depuis. Les archanges désirent l'éliminer avant que son savoir ne tombe dans d'autres mains. Leur but est que le démonium retourne d'où il vient : en enfer. Et c'est là que j'interviens. Je leur demande de modifier les choses une dernière fois. Laissez-moi tuer Hank. Il emportera dans sa tombe les secrets du démonium et, si j'ai vu aussi juste que je le crois, c'est exactement ce que vous souhaitez. Vous avez chacun vos... raisons pour vouloir faire disparaître Hank Millar, conclut-il d'un air entendu.

— Imaginons un instant que nous ayons le pouvoir d'interférer dans la mort. Je ne peux pas prendre seule ce genre de décision. Il faut un vote unanime.

— Alors, passons aux urnes.

L'archange eut un geste d'impuissance.

— Au cas où tu ne l'aurais pas remarqué, je n'y suis pas. Je n'ai aucun moyen de partir d'ici. Je ne peux plus voler, je ne peux pas appeler au secours, Jev. Tant que je serai sous l'emprise du démonium, je reste un indétectable.

— Le pouvoir d'une chaîne d'archange dépasse celui du démonium.

— Je n'ai pas ma chaîne, trancha-t-elle, agacée.

— Sers-toi de la mienne. Avertis tes semblables. Expose mon idée et soumets-la au vote.

Il sortit sa chaîne de sa poche et détacha le fermoir.

— Comment être certaine qu'il ne s'agit pas d'un piège ? Comment savoir que tu ne m'obligeras pas à répondre à tes questions.

— Tu ne le peux pas. Pour l'instant, tu vas devoir me faire confiance.

— Et me fier à un traître ? Un ange banni !

Elle le regarda dans les yeux, scrutant son expression, aussi insondable qu'un lac dans la nuit.

— C'était il y a longtemps, souffla-t-il en lui tendant la chaîne. Tourne-toi et je l'attacherai autour de ton cou.

— Confiance…, répéta-t-elle dans un même murmure.

L'hésitation se lisait sur son visage. Se fier à Patch ou résoudre seule ses problèmes…

Enfin, elle se retourna et releva sa chevelure.

— Vas-y.

32.

Ma respiration redevint plus régulière à mesure que je pris conscience des bras de Patch qui m'entouraient. Assise sur le sol, dans sa chambre, j'étais appuyée contre lui. Il me berçait tout en murmurant des paroles rassurantes à mon oreille.

— Alors, c'est vrai, déclarai-je. J'ai réellement tué Chauncey. J'ai supprimé un néphil. Un être immortel. J'ai tué quelqu'un. Indirectement, mais je l'ai fait.

— C'est Hank que ton sacrifice aurait dû faire disparaître.

Je hochai distraitement la tête.

— C'est ce que tu disais à l'archange. J'ai tout vu. Tu t'es servi de Gabe, Jeremiah et Dominic pour éloigner les néphils de l'entrepôt et lui parler seul à seul.

— Oui.

— Est-ce que Gabe a contraint Hank à prêter allégeance ?

— Non. Il y serait sans doute parvenu, mais j'ai rattrapé Hank avant lui. Je n'ai pas joué franc jeu avec Gabe. Je lui ai fait croire que je lui laisserais Hank, mais j'avais posté Dabria à l'extérieur. Lorsque celui-ci s'est enfui, elle l'a intercepté. À mon retour, j'ai trouvé l'appartement vide, j'ai pensé qu'il t'avait enlevée. Après un coup de fil à Dabria, j'ai traîné Hank jusqu'ici pour l'interroger. Désolé pour Dabria, s'excusa-t-il. Je l'ai emmenée parce que je me moque de ce qui peut lui arriver. Contrairement à toi, elle ne représente rien pour moi.

— Ça m'est égal, répondis-je.

Dabria était le cadet de mes soucis. J'étais victime d'angoisses bien plus pressantes.

— Et les archanges ? Qu'ont-ils décidé ? Qu'adviendra-t-il de Hank ?

— Avant de voter, ils voulaient me voir. Après tout ce qui est arrivé, ils ne me font pas confiance. Je leur ai dit que s'ils me laissaient me charger de Hank, ils n'auraient plus à s'inquiéter du démonium. Je leur ai aussi rappelé qu'à la mort de Hank, tu prendrais sa place au commandement de l'armée des néphils. Je leur ai promis que tu mettrais un terme au conflit.

— Quel qu'en soit le prix, affirmai-je avec un hochement de tête impatient. Hank doit disparaître. Le vote a-t-il été unanime ?

— Ils veulent en finir avec cette pagaille. Ils m'ont donné carte blanche pour me charger de Hank. Nous avons jusqu'à l'aube.

C'est là que je remarquai le revolver, posé contre sa jambe.

— Je t'ai promis de ne pas te voler ce moment, et si c'est vraiment ce que tu souhaites, je ne m'y opposerai pas. Mais je refuse de t'impliquer sans connaissance de cause. La mort de Hank te marquera pour toujours. C'est un choix irréversible que tu ne pourras jamais oublier. Je pourrais le tuer, Nora. Si tu me laisses faire, je m'en chargerai pour toi. Mais cette décision t'appartient, et quelle qu'elle soit, je te soutiendrai, mais je veux que tu y sois préparée.

Sans trembler, je saisis le revolver.

— Je veux le voir. Je veux le regarder dans les yeux et y lire le remords, lorsqu'il comprendra où ses choix l'ont mené.

Un bref instant s'écoula avant que Patch n'accepte ma résolution d'un signe de tête. Il m'entraîna dans le passage secret. Les torches le long des murs offrirent une lumière diffuse sur les premiers mètres du couloir, mais au-delà, d'épaisses ténèbres engloutissaient tout.

Je suivis Patch, le long du boyau en pente douce, au plus profond du souterrain. Enfin, une porte apparut. Patch tira sur l'anneau de fer pour l'ouvrir.

À l'intérieur, Hank nous attendait. Il se jeta sur Patch, mais les chaînes qui entravaient ses poignets l'arrêtèrent. Il éclata d'un rire de dément.

— N'imagine pas pouvoir t'en tirer à si bon compte, grinça-t-il avec un regard aussi impressionné que haineux.

— Et toi, tu as cru pouvoir tromper les archanges ? répondit Patch sur le même ton.

Méfiant, Hank plissa les yeux. Il aperçut le revolver dans ma main et comprit.

— Qu'est-ce que ça signifie ? demanda-t-il d'un ton glaçant.

Je braquai l'arme sur lui. La stupéfaction et la colère qui se succédaient sur son visage me procurèrent une certaine satisfaction.

— Expliquez-vous, cracha-t-il.

— C'est fini pour toi, répondit Patch.

— Nous avons passé notre propre accord avec les archanges, ajoutai-je.

— Quel accord ? gronda Hank, bouillonnant de rage.

Je pointai le canon en direction de sa poitrine.

— Tu n'es plus éternel, Hank. La mort vient finalement frapper à ta porte.

Il laissa échapper un rire bref, incrédule, mais son regard trahit son angoisse.

— Je me demande à quoi ressemblera ta vie dans l'au-delà. Dis-moi, en cet instant précis, remets-tu en question l'existence que tu as choisie ? Doutes-tu de chaque décision, en cherchant à comprendre où les choses ont mal tourné ? Te souviens-tu de tous les gens dont tu t'es servi, de ceux que tu as brisés ? Te rappelles-tu leurs noms ? Revois-tu le visage de ma mère ? Je l'espère. Je souhaite qu'il te hante. C'est long, l'éternité, Hank...

Il tira si violemment sur ses chaînes que je crus un instant qu'elles céderaient.

— Je veux que tu te souviennes de mon nom, repris-je. Je veux que tu rappelles ce que je fais pour toi et que tu aurais dû faire pour moi : la preuve d'un peu de clémence.

Son expression déformée par la colère vira soudain à la méfiance. Malgré son intelligence, il n'avait pas encore deviné mes intentions.

— Je ne mènerai pas ta révolte néphil, lui dis-je, car tu ne mourras pas. D'ailleurs, tu vivras un bon bout de temps. Évidemment, ce ne sera pas le *Ritz*, à moins que Patch n'ait des projets d'embellissement pour ce cachot...

Je levai les yeux vers Patch, comptant sur son soutien.

Qu'est-ce que tu fais, mon ange ? souffla-t-il dans ma tête.

À ma grande stupéfaction, la transmission de pensée me vint naturellement. Un interrupteur sembla s'enclencher dans mon esprit et je pus lui imprimer mes paroles par ma simple volonté.

Je n'ai pas l'intention de le tuer. Et ne t'emballe pas, tu ne le tueras pas non plus.

Et les archanges ? Nous avions un accord.

390

Ce n'est pas une solution. Le choix de sa mort ne nous appartient pas. Je croyais le vouloir, mais tu avais raison. Je refuse de porter le fardeau de sa mort. Elle me hanterait toute ma vie et je souhaite passer à autre chose. C'est la bonne décision.

Je gardai cette opinion pour moi, mais j'étais également convaincue que les archanges se servaient de nous pour exécuter leurs basses besognes. Et j'en avais assez de me salir les mains.

Curieusement, Patch ne fit aucune objection. Il se tourna vers Hank.

— Pour ma part, j'ai un faible pour le froid, l'obscurité et les petits espaces. Oh, et je le ferai insonoriser. Tu pourras hurler aussi fort et aussi longtemps que tu le voudras, tu n'auras que ta propre solitude pour compagnie.

Merci, soufflai-je à Patch, espérant qu'il sentirait à quel point j'étais sincère.

Il esquissa un sourire machiavélique.

La mort était trop douce pour lui. C'est plus drôle comme ça.

Si l'atmosphère avait été moins pesante, j'aurais pu éclater de rire.

— Voilà ce qui arrive quand on écoute Dabria, dis-je à Hank. Ce n'est pas une prophétesse, mais une psychopathe. Retiens la leçon !

J'offrais à Hank l'opportunité de quelques dernières paroles, mais comme prévu, il resta sans voix. J'aurais cru qu'il essaierait au moins, même maladroitement, de demander pardon, mais en guise d'excuses, il esquissa un sourire étrange, presque prémonitoire. Il parvint à me déstabiliser, ce qui était sans doute son intention.

Le silence retomba dans l'étroite cellule. La tension qui s'était accumulée dans l'air s'évanouit peu à peu. Oubliant Hank, je pris conscience de la présence de Patch derrière moi. L'atmosphère changeait, l'incertitude laissant place au soulagement.

Je me laissai envahir par l'épuisement. Il eut d'abord raison de mes mains, qui se mirent à trembler, puis gagna mes genoux, et mes jambes. Comme un soudain malaise, j'eus la sensation de me vider. Les parois du cachot, l'air humide, même Hank paraissaient tourbillonner autour de moi. La seule chose qui me maintenait debout, c'était Patch.

Sans prévenir, je me jetai dans ses bras. La force de son baiser me repoussa contre le mur. Un frisson de soulagement sembla le secouer et j'agrippai fébrilement sa chemise pour l'attirer contre moi. J'éprouvais le besoin de son contact comme jamais je ne l'avais ressenti auparavant. Ses lèvres pressaient, goûtaient les miennes. Sa façon de m'embrasser n'avait plus rien d'experte, car dans l'ombre glacée de ce cachot, seul comptait notre empressement brûlant.

— Partons d'ici, murmura-t-il à mon oreille.

J'allais acquiescer, lorsque du coin de l'œil, j'aperçus une flamme. Je pensai d'abord que l'une des torches avait glissé de son logement. Mais c'était dans la main de Hank que dansait ce feu d'un bleu étrange, presque hypnotique. Je mis quelques instants à comprendre ce que je voyais, sans y croire.

Peu à peu, je réalisai ce qu'il se passait. D'une main, Hank maniait une boule brillante incandescendente et tenait la plume noire de Patch dans l'autre. Deux objets radicalement différents, comme l'ombre et la lumière. Qui se rapprochaient inexorablement l'un de l'autre. Un filet de fumée s'échappa de l'extrémité de la plume.

Je n'eus pas le temps de crier. Je n'eus le temps de rien.

Silence

En un instant ridiculement court, j'avais levé le revolver et pressai la détente.

La violence du coup de feu projeta Hank contre le mur, les bras écartés, la bouche ouverte, figée dans sa surprise.

Il ne bougea plus.

33.

Patch ne prit pas la peine de creuser une tombe. Il faisait encore nuit, et une ou deux heures avant l'aube, il le traîna jusqu'à la côte, derrière les portes de Delphic, et de la pointe de sa botte fit basculer le corps de Hank vers les rochers où se brisaient les déferlantes.

— Qu'adviendra-t-il ? demandai-je en me lovant dans ses bras pour me réchauffer.

Un vent vif s'insinuait entre mes vêtements, cinglant ma peau comme du givre, mais le froid que je ressentais venait de l'intérieur et me glaçait les os.

— La marée l'emportera et les requins feront un repas facile.

Il ne m'avait pas compris.

— Que va-t-il arriver à son âme ?

Les menaces que j'avais faites à Hank pouvaient-elles s'avérer réelles ? Souffrirait-il pour l'éternité ? Je chassai mes remords. Je n'avais pas eu l'intention de le tuer, mais il ne m'avait pas laissé le choix.

Patch demeurait silencieux, mais je remarquai qu'il resserrait son étreinte, plus protectrice.

— Tu es gelée, dit-il en frictionnant mes bras. Je te ramène chez moi.

— Qu'allons-nous faire, à présent ? murmurai-je sans bouger. J'ai éliminé Hank. Je dois diriger ses hommes, mais qu'est-ce que cela signifie, exactement ?

— Nous trouverons. Nous élaborerons un plan et je resterai à tes côtés jusqu'à ce que nous l'ayons mis à exécution.

— Tu crois vraiment que ce sera aussi simple ?

Patch eut un petit rire amusé.

— Si je voulais faire simple, j'irais directement m'enchaîner en enfer près de Rixon. On pourrait se la couler douce tous les deux...

Je jetai un regard en contrebas, où les vagues secouaient la côte.

— Quelque chose m'échappe. Tu as passé un accord avec les archanges, mais ne craignaient-ils pas que tu parles ? Pour eux, c'est risqué. Il te suffirait de faire courir le bruit qu'on peut maîtriser le démonium pour établir une sorte de marché noir entre les néphils et les déchus.

— J'ai fait le serment de ne rien dire. Cela faisait partie de notre arrangement.

— Pouvais-tu exiger quelque chose en échange de ton silence ? demandai-je à voix basse.

Il se raidit et je sentis qu'il comprenait où je voulais en venir.

— Qu'est-ce que ça change ? répliqua-t-il.

Tout. Hank mort, l'épaisse brume qui enveloppait ma mémoire se levait enfin. Les souvenirs n'étaient pas précis, mais les images demeuraient intactes. Des flash-back, des fragments s'intensifiaient. Le pouvoir de Hank, l'influence qu'il avait exercée sur moi disparaissaient avec lui et me laissaient le champ libre pour retrouver ce que Patch et moi avions vécu ensemble. Les épreuves de la trahison, de la loyauté, de la confiance que nous avions traversées me revenaient. Je savais désormais ce qui le faisait rire, ou rentrer dans des colères noires. Et je connaissais son désir le plus profond. Je le discernai soudain clairement, si clairement que j'en eus le souffle coupé.

—Tu aurais pu leur demander de devenir humain ?

Il poussa un léger soupir et reprit la parole avec une absolue franchise :

—Pour faire court, oui. Oui, j'aurais pu le demander.

Les larmes me brouillaient la vue. Je n'avais pas pris cette décision pour lui, mais elle reflétait mon égoïsme. La culpabilité me rongeait, aussi lancinante que le ressac sur la falaise.

—Nora, écoute-moi, intervint Patch en voyant ma réaction. La vérité, c'est que depuis que je te connais, j'ai changé. Radicalement. Mes désirs ne sont plus ce qu'ils étaient il y a cinq mois. Je voulais une apparence humaine, oui, c'est vrai. Aujourd'hui, ça n'a plus d'importance pour moi, poursuivit-il, déterminé. J'ai renoncé à un désir pour une nécessité. Parce que j'ai besoin de toi, mon ange. Plus que tu ne pourras jamais l'imaginer. À présent, tu es immortelle. Et moi aussi. C'est un bon début.

—Patch…

Je fermai les yeux, comme si mon cœur ne tenait plus que par un fil.

Ses lèvres effleurèrent mon oreille, une pression à peine perceptible, mais brûlante.

—Je t'aime, souffla-t-il d'une voix claire et affectueuse. Avec toi, je souhaite redevenir celui que j'étais. Quand tu es dans mes bras, j'ai l'impression que nous avons une chance, aussi minime soit-elle, d'y arriver ensemble. Je suis à toi, si tu veux de moi.

J'oubliai soudain que j'étais trempée, frigorifiée et l'héritière d'une organisation néphilim dont je refusais d'entendre parler. Patch m'aimait. Plus rien d'autre ne comptait.

— Moi aussi je t'aime.

Il enfouit son visage au creux mon cou, laissant échapper un profond soupir.

— Je t'aimais bien avant que tu ne tombes amoureuse de moi. Pour une fois, une seule, je t'ai devancée, et j'ai bien l'intention de te le rappeler aussi souvent que possible.

Contre ma peau, je sentis un sourire de loup se dessiner sur ses lèvres.

— Allons-nous-en. Je te ramène chez moi et, cette fois, pour de bon. Nous avons une petite affaire à régler et je crois qu'il est de temps d'y remédier.

J'hésitai, préoccupée par cette grande question. Le sexe était une étape que je ne souhaitais pas franchir à la légère. Je n'étais pas certaine de vouloir compliquer notre histoire – et ma vie – de cette manière, et la liste des répercussions risquait de s'allonger. Si un déchu et un humain pouvaient créer un néphil, un être qui n'était pas fait pour ce monde – que se passerait-il entre un déchu et un néphil ? Les liens entre ces deux clans n'étant pas des plus cordiaux, j'imaginais que la situation ne s'était encore jamais présentée, ce qui ne fit qu'augmenter mes craintes.

Par le passé, j'avais pris l'habitude d'accuser les archanges de tous les maux, mais le doute s'insinuait peu à peu dans mon esprit. Avaient-ils de bonnes raisons de condamner les relations amoureuses entre les anges et les humains ou, dans mon cas, les néphils ? S'agissait-il d'une loi immémoriale destinée à diviser les races... ou d'un garde-fou, afin d'empêcher le bouleversement des forces de la nature et du destin ? Patch avait un jour dit que les néphils étaient le fruit de l'orgueil des déchus, furieux d'avoir été bannis du ciel. En prenant leur revanche sur les archanges, les déchus avaient séduit les humains qu'ils étaient jusque-là censés protéger.

En assouvissant leur vengeance, les déchus avaient entretenu pendant des siècles un conflit occulte entre eux, les néphils et les humains, simples pions pris au piège de leur antagonisme. Je préférais ne pas y songer, mais Patch avait prédit que cette guère s'achèverait par l'anéantissement d'une race tout entière. Laquelle ? Nous l'ignorions encore.

Et tout cela parce qu'un déchu s'était aventuré dans le mauvais lit.

— Pas maintenant, esquivai-je.

Patch leva un sourcil inquisiteur.

— Tu ne veux pas partir ? Ou tu ne veux pas partir avec moi ?

— D'abord, j'ai quelques questions, répliquai-je d'un air entendu.

Un sourire se dessina au coin de ses lèvres, mais il ne trahit pas la moindre hésitation.

— J'aurais dû me douter que tu me gardais sous le coude pour obtenir des réponses.

— Ça et les baisers. On t'a déjà dit que tu embrassais divinement bien ?

— La seule opinion qui m'importe, c'est la tienne, s'amusa-t-il en relevant mon menton pour me regarder dans les yeux. Nous n'avons pas besoin de rentrer chez moi, mon ange. Je peux te ramener chez toi, si tu veux. Ou si tu préfères, nous pouvons rester chacun de notre côté de la chambre en traçant une ligne infranchissable au milieu. Ça ne m'emballe pas, mais je le ferai.

Émue par sa sincérité, je glissai mes doigts sous son tee-shirt, cherchant à lui exprimer ma gratitude. Ma main effleura sa peau ambrée et le désir m'ébranla. Pourquoi ? Pourquoi était-il si simple avec lui d'éprouver trop de choses, de se laisser consumer, dévorer par ces sensations et d'oublier la raison ?

— Tu l'auras sûrement deviné, assurai-je d'un ton vibrant de ferveur, mais je compte sur toi !

— Alors c'est oui ?

Il passa ses mains dans mes cheveux qu'il fit retomber sur mes épaules, scrutant mon visage.

— Je t'en prie, dis oui, souffla-t-il d'une voix rauque. Reste avec moi ce soir. Laisse-moi te prendre dans mes bras, rien que cela. Laisse-moi te protéger.

Sans un mot, je glissai mes mains dans les siennes, serrant nos doigts mêlés. Je répondis à son baiser avec une audace éhontée, avide et éperdue, tandis que ses caresses relâchaient mes tensions et que je me sentais fondre, m'égarer dans des abysses dont j'ignorais l'existence. Au fil de ses baisers, il venait à bout de ma retenue et je perdais peu à peu le contrôle pour ne plus ressentir que cette chaleur, sombre et provocante, jusqu'à ce qu'il n'y ait plus que lui et moi. Jusqu'à ne plus savoir où je finissais et où il commençait.

34.

Le soleil avait effectué la moitié de sa course lorsque Patch arrêta la moto devant la ferme. Je descendis de la selle, un sourire idiot figé sur les lèvres, une douce tiédeur réchauffant le moindre atome de peau. Un moment d'une perfection absolue.

Je n'étais pas assez naïve pour croire qu'il durerait toujours, mais vivre dans l'instant présent avait ses avantages. Je devrais affronter ma nouvelle identité de néphil pure et toutes ses conséquences, y compris la façon dont se manifesterait ma transformation, le commandement de l'armée de Hank et les problèmes qui en découleraient.

Pour l'instant, j'avais tout ce que je désirais. La liste n'était pas longue, mais gratifiante, et elle commençait par avoir retrouvé l'amour de ma vie.

— J'ai passé une excellente soirée, lui dis-je en détachant la bride de mon casque pour le lui rendre. Je suis officiellement amoureuse de tes draps.

— De mes draps ? Seulement ?

— Non. De ton matelas, aussi.

Ses yeux pétillèrent de malice.

— Mon lit est une invitation sans cesse renouvelée.

Nous n'avions pas dormi avec une ligne tracée au milieu du lit, car nous n'avions tout simplement pas dormi ensemble. J'avais pris le lit, et Patch, le canapé. Je savais qu'il voulait davantage, mais également qu'il préférait me mettre à l'aise. Il m'avait promis d'attendre et je ne doutais pas de sa sincérité.

— Attention, ça pourrait te mener loin ! Je risquerais de te le confisquer.

— Je serais le plus heureux des hommes.

— Le seul problème, avec ton appartement, c'est qu'il manque d'articles féminins. Pas d'après-shampooing, ni de baume à lèvres, ou même de crème solaire ! J'ai besoin de me brosser les dents... et de prendre une douche.

— C'est une proposition ? s'esclaffa-t-il en descendant de la moto.

Je me hissai sur la pointe des pieds pour l'embrasser.

— Quand j'aurai fini, c'est le jour J. Je passerai chez Vee pour ramener ma mère et je leur dirai tout. Maintenant que Hank est mort, il est temps de tout avouer.

La perspective de cette conversation ne m'enchantait guère, mais elle était devenue inévitable. Pendant tout ce temps, je m'étais persuadée que mon silence protégeait Vee et ma mère, mais je leur mentais pour mieux garder les faits à distance. Je les avais laissées dans l'ombre, convaincues qu'elles ne supporteraient pas la vérité. Or, cette logique n'était pas la bonne.

J'ouvris la porte d'entrée et jetai mes clés dans le vide-poche. J'avais à peine fait trois pas que je sentis Patch m'attraper par le coude. Un regard et je sus immédiatement que quelque chose clochait.

Avant qu'il ait pu faire un mouvement pour m'écarter, Scott émergea de la cuisine. Il fit un geste et deux néphils sortirent de l'ombre pour se placer à ses côtés. Ils paraissaient avoir le même âge que Scott. Grands, musclés, le visage dur, ils m'observaient avec une curiosité non dissimulée.

— Scott ! m'exclamai-je en contournant Patch pour le serrer dans mes bras. Que s'est-il passé ? Comment t'es-tu échappé ?

— Vu les circonstances, ils avaient décidé que je serais plus utile sur le champ de bataille qu'enfermé. Nora, je te présente Dante Matterazzi et Tono Grantham, dit-il. Ils sont tous les deux lieutenants de l'armée de la Main noire.

Patch fit un pas en avant.

— Tu as amené ces types chez Nora ? siffla-t-il, prêt à étrangler Scott.

— Du calme, mec. Il n'y a pas de danger. On peut leur faire confiance.

— Rassurant, de la part d'un menteur, répliqua Patch avec un rire grave et menaçant.

— À ta place, je n'entrerais pas dans ce jeu, rétorqua Scott, la mâchoire crispée. Tu as toi-même quelques cadavres dans le placard.

Ça commençait bien.

— Hank est mort, annonçai-je à Scott, préférant me montrer directe et couper court à ce concours d'insultes et de testostérone.

— Nous sommes au courant, répondit Scott en hochant la tête. Montre-lui le signe, Dante.

Dante tendit le bras. À son index, je reconnus une bague similaire à celle que Scott avait jetée dans l'océan. Surprise par son éclat, je fermai les paupières, mais le reflet intense et céruléen continua de danser devant mes yeux.

— La Main noire avait prédit que l'anneau réagirait ainsi s'il venait à mourir, expliqua Dante. Scott a raison, c'est un signe.

— C'est pour cela qu'on m'a relâché, reprit Scott. L'armée sombre dans le chaos. Personne ne sait quoi faire. Heshvan approche et la Main noire avait des projets d'offensive, mais ses hommes commencent à s'agiter. Maintenant qu'ils ont perdu leur chef, ils paniquent.

J'écoutai péniblement ces dernières révélations. Et soudain, une idée me vint.

— Ils t'ont libéré parce que tu savais où me trouver, moi, la descendante directe de Hank ? devinai-je en toisant Dante et Tono d'un air méfiant.

Scott avait beau se fier à eux, je devais me forger ma propre opinion.

— Comme je te l'ai dit, ces gars sont nets. Ils ont déjà déclaré leur loyauté envers toi. Il faut rassembler autant de néphils que possible derrière toi avant que tout ne s'écroule. Une rébellion est bien la dernière chose dont nous avons besoin en ce moment.

La tête me tournait. À dire vrai, une rébellion m'aurait parfaitement convenu. Quelqu'un voulait prendre ma place ? Je la lui donnais avec joie.

— Je m'appelle Dante, déclara l'un des néphils en s'avançant vers moi.

Il dépassait largement le mètre quatre-vingt-dix et son physique latin faisait honneur à son nom.

— Avant sa mort, la Main noire m'a informé que tu avais accepté de lui succéder dans son rôle de commandant en chef.

Je déglutis péniblement, réalisant que ce moment arrivait bien plus tôt que je ne l'aurais cru. Je savais ce que j'avais à faire, mais j'avais espéré davantage de temps. Dire que je redoutais cet instant était un euphémisme...

Je les regardai tous les trois dans les yeux.

— Oui, j'ai fait le serment de diriger l'armée de Hank. Et voici ce qu'il va se produire. Il n'y aura pas de guerre. Retrouvez vos camarades et demandez-leur de se disperser. Les néphils qui ont prêté allégeance sont liés par une loi qu'aucune armée, quelle que soit sa puissance, ne peut défaire. À ce stade, lancer une offensive serait suicidaire. Les déchus préparent déjà la riposte et notre seul espoir est de leur montrer que nous n'avons pas l'intention de nous battre. Pas de cette manière. C'est fini – et vous pouvez dire à vos hommes que c'est un ordre.

Le sourire de Dante parut se figer.

—Je préférerais ne pas discuter de tout cela en présence d'un déchu, marmonna-t-il avant de regarder Patch dans les yeux. Tu veux bien nous laisser, une minute ?

—Il est inutile de lui demander de sortir, parce qu'il saura tout. J'ai accepté de prêter serment, poursuivis-je en voyant l'air pincé de Dante, pas de rompre avec Patch. Eh oui, votre nouveau chef a une relation avec un déchu.

À présent, ils pouvaient parler... Dante hocha faiblement la tête, mais ne s'avoua pas vaincu.

—Que ce soit clair. Les choses sont loin d'être terminées. Ralenties, peut-être, mais pas terminées. La Main noire a fomenté une révolution et tout annuler maintenant ne calmera pas le jeu.

—Je me fiche de calmer le jeu. Ce qui m'importe, c'est la race des néphils tout entière, le bien du plus grand nombre !

Scott, Dante et Tono se regardèrent sans un mot. Enfin, Dante reprit la parole et parla pour ses camarades :

—Alors il va y avoir un problème. Car les néphils pensent que cette rébellion est dans leur intérêt.

—Combien d'entre eux, exactement ? intervint Patch.

—Des milliers. Assez pour occuper une ville entière. Et si tu ne les mènes pas à la liberté, poursuivit Dante en me considérant froidement, tu romps ton serment. Pour faire court, c'est ta tête qui est en jeu, Nora.

Je dévisageai Patch.

Ne cède pas, souffla-t-il calmement. *Dis-leur que cet affrontement n'aura pas lieu et que ce n'est pas négociable.*

— J'ai juré de conduire l'armée de Hank, répondis-je à Dante. Je n'ai jamais promis de leur rendre la liberté.

— Si tu ne déclares pas la guerre aux déchus, tu compteras aussitôt des milliers de néphils parmi tes ennemis, répliqua-t-il.

Et si tel est le cas, pensai-je, désespérée, autant déclarer la guerre aux archanges.

Ils avaient provoqué la mort de Hank uniquement parce que Patch leur avait assuré de mettre un terme aux hostilités.

Je me tournai vers lui et je sus que nous partagions tous deux la même idée noire.

D'une manière ou d'une autre, une guerre aurait lieu.

À présent, tout ce qu'il me restait à faire, c'était choisir mon ennemi.

Remerciements

Voici la partie où l'on fait toujours preuve d'humilité.

Tout d'abord, un coup de chapeau à ma famille qui m'offre son soutien, ses encouragements et une infinie patience 365 jours par an. Justin, dire que tu es ma pom-pom girl préférée ne fait sans doute pas honneur à ta virilité, mais tu le mérites bien. Tu es ma moitié, la meilleure des deux.

Merci à mes amis pour leur aide incommensurable, du baby-sitting à la relecture des premières moutures du texte, en passant par le rire, qui est bien le meilleur des remèdes. Sandra Roberts, Mary Louise Fitzpatrick, Shanna Butler, Lindsey Leavitt, Rachel Hawkins, Emily Wing Smith, Lisa Schroeder, Jenn Martin, Rebecca Sutton, Laura Andersen, Ginger Churchill, Patty Edsen, Nicole Wright et Meg Garvin : j'ai de la chance de vous avoir.

Je ne peux omettre d'exprimer ma gratitude à Jenn Martin et Rebecca Sutton, le duo dynamique derrière le site Fallen-Archangel.com et de les remercier d'informer mes fans, bien plus régulièrement que je ne pourrais le faire moi-même. Votre efficacité ne cesse de m'étonner.

Merci à James Porto, le génie créatif à l'origine des superbes couvertures de mes livres.

Des tonnes de remerciements à Lyndsey Blessing, mon agent pour les droits étrangers, qui a contribué à faire circuler mes romans de par le monde. Merci à mon agent, Catherine

Drayton, pour... tout (et surtout pour m'avoir persuadée d'acheter cette merveilleuse paire de chaussures à Bologne).

Comme toujours, j'ai la chance d'être appuyée par une équipe motivée et talentueuse chez Simon & Schuster BFYR. Merci à Courtney Bongiolatti, Julia Maguire et Venetia Gosling pour leurs prouesses éditoriales. Toute ma gratitude à Justin Chanda, Anne Zafian, Jenica Nasworthy, Lucy Ruth Cummings, Lucille Rettino, Elke Villa, Chrissy Noh et Anna McKean pour avoir chamboulé mon existence. J'ai vraiment l'impression d'avoir la tâche facile !

Je salue Valerie Shea, illustre correctrice, sans qui ce roman aurait pu paraître risible, mais pas plus drôle !

Un grand merci à Dayana Gomes Marquez et Valentine Bulgakov qui ont baptisé deux personnages de *Silence*, Dante Matterazzi et Tono Grantham.

Enfin le dernier, mais pas le moindre, de ces remerciements va à mes lecteurs, qu'ils soient proches ou lointains. Écrire pour vous est incroyablement prenant et gratifiant. J'ai été ravie de partager l'histoire de Patch et Nora avec vous tous.

Découvrez les autres titres de la collection :

ALERA de Cayla Kluver

À la perspective d'épouser l'homme que son père a choisi pour lui succéder à la tête du royaume d'Hytanica, la princesse Alera a la désagréable impression qu'on lui impose un destin dont elle ne veut pas. Lorsque Narian, un mystérieux jeune homme originaire du royaume ennemi de Cokyri, arrive avec un passé obscur dont il refuse de parler, les nouveaux désirs d'Alera menacent alors de détruire le royaume.

En découvrant le secret de Narian, la jeune fille se retrouve prise au piège de complots, de querelles familiales et de guerres ancestrales. Se résoudra-t-elle à écouter son cœur au détriment de sa famille, son royaume et son honneur ?

Tome II : *Le Temps de la vengeance*

HUSH, HUSH, *La saga des anges déchus* de Becca Fitzpatrick

Quand Nora se retrouve aux côtés de Patch en cours de biologie, elle n'a aucune idée du tour incroyable que sa vie va prendre. Mais qui est vraiment cet élève au passé mystérieux, doit-elle le craindre ou tenter de comprendre son univers ? Autour de Nora, les événements étranges se multiplient : cambriolages, agressions, menaces planantes. Patch cherche-t-il à la protéger ou est-il le coupable ? En vivant cet amour interdit, Nora se retrouve mêlée à un combat séculaire, entre des êtres dont elle ne soupçonnait même pas l'existence.

Tome II : *Crescendo*

LES ÉTRANGES TALENTS DE FLAVIA DE LUCE d'Alan Bradley

Été 1950, le paisible manoir de Buckshaw est agité par de surprenants événements. Un oiseau mort, timbre collé au bec, est retrouvé devant la porte de la cuisine, un cadavre fait son apparition au beau milieu d'un plant de concombres, et le maître de la famille, le colonel de Luce, n'est plus lui-même. Le plus mystérieux de cette affaire ? Quelqu'un a sub-tilisé un morceau de l'écœurante tarte à la crème de Mme Mullet.

Avec son œil affûté et son laboratoire de chimie, c'est Fla-via, l'une des trois filles de Luce, qui va mener l'enquête dans le passé tourmenté de son père.

Ses meilleurs amis sont les fioles de lithium et de borax, ses lunettes rondes lui servent autant à attirer la compassion qu'à protéger ses yeux des projections d'acide, et nul ne peut résister à sa fabuleuse repartie... surtout pas ses sœurs.

Tome II : *La mort n'est pas un jeu d'enfant*

COMMENT SE DÉBARRASSER D'UN VAMPIRE AMOUREUX
de Beth Fantaskey

Jessica avait de nombreux projets pour son année de terminale... Cela dit, épouser un prince vampire n'en faisait certainement pas partie ! Alors, que faire de Lucius, qui arrive tout droit de Roumanie pour réclamer sa promise, quand elle ignore tout de cet arrangement ? Vampire ou pas, Jessica n'a pas l'habitude qu'on lui dicte sa conduite, et elle a bien l'inten-tion de mettre dehors ce vampire amoureux.

Tome II : *Comment sauver un vampire amoureux*

EVIL GENIUS : LES AVENTURES DE CADEL PIGGOTT
de Catherine Jinks

Adopté à sa naissance, Cadel Piggott montre dès son plus jeune âge des talents de hacker impressionnants. Fasciné par les codes et les systèmes, il épuise petit à petit tous les adultes chargés de son éducation, piratant leur carte bleue, s'infiltrant dans le système informatique de son école pour mettre le chaos dans les notes et les emplois du temps... Et ce n'est pas sa rencontre avec le mystérieux Thaddeus,

envoyé par son père biologique, qui risque d'arranger les choses !
Tome II : *Genius Squad*

LES AGENTS DE M. SOCRATE d'Arthur Slade
Dans le Londres victorien, un étrange jeune garçon masqué suit les ordres de son maître pour déjouer les complots les plus secrets. Aidé de la belle Miss Octavia, il s'introduit dans les cachots de la Tour de Londres ou dans les clubs confidentiels en transformant son apparence.
Tome I : *La confrérie de l'horloge*
Tome II : *La cité bleue d'Icaria*
Tome III : *Le peuple de la pluie*

LES FRAGMENTÉS de Neal Shusterman
Après la Seconde Guerre civile américaine, on vient de signer la charte de la vie. Elle stipule que l'on peut « fragmenter » un adolescent âgé de treize à dix-huit ans. Nul ne sait ce qu'il advient d'eux. Quand Connor, Risa et Lev se retrouvent sur la liste fatale, ils n'ont qu'une solution : fuir et tenter de survivre.

GRANDE ÉCOLE DU MAL ET DE LA RUSE de Mark Walden
Bienvenue dans la première école du mal où sont réunis les esprits les plus malins, les plus machiavéliques pour apprendre l'art magistral du crime.
Tome I : *Grande école du mal et de la ruse*
Tome II : *High school Criminal*
Tome III : *Opération Léviathan*
Tome IV : *L'Armée des disciples*

MICAH ET LES VOIX DE LA JUNGLE de Frédéric Lepage
Une famille française qui abandonne tout pour s'installer au milieu de la jungle thaïlandaise, un cornac mystérieux, une grotte qui recèle des esprits maléfiques, un jeune héros aux pouvoirs étonnants : ce sont les ingrédients explosifs de la nouvelle série de Frédéric Lepage.
Tome I : *Le camp des éléphants*
Tome II : *La malédiction de Mara*

Tome III : *Le masque du serpent*
Tome IV : *Piège de sang*

L'ORPHELINAT DES ÂMES PERDUES de Stephan Petrucha
et Thomas Pendleton
Quatre fantômes de petites filles. Un rituel nocturne.
Laissez-vous envoûter par les contes des âmes perdues.
Tome I : *Photo hantée*
Tome II : *Écoute...*
Tome III : *Captivité*
Tome IV : *Le livre des sortilèges*

Pour l'éditeur, le principe est d'utiliser des papiers composés de fibres naturelles, renouvelables, recyclables et fabriquées à partir de bois issus de forêts qui adoptent un système d'aménagement durable.

En outre, l'éditeur attend de ses fournisseurs de papier qu'ils s'inscrivent dans une démarche de certification environnementale reconnue.

Cet ouvrage a été imprimé en France
par CPI Bussière
à Saint-Amand-Montrond (Cher)
en février 2012

Composition réalisée par Nord Compo

N° d'édition : 01. – N° d'impression : 120444/4.
Dépôt légal : mars 2012.